iPad便利すぎる! 285のテクニック

contents

SECTION 02 メッセージ・メール

SECTION 03 ネットの快適技

SECTION 04 写真・音楽・動画

SECTION 05 仕事効率化

SECTION 06 設定とカスタマイズ

SECTION 07 生活お役立ち技

SECTION 08 トラブル解決とメンテナンス

001

iPadOS 15で、さらに快適になった

iPad SPECIAL TECHNIC 285!!

自宅でのWeb閲覧ツールとして、雑誌も読める快適な電子書籍端末として、もしくはパソコンの代わりとなる有能な仕事ツールとして、すっかり生活になくてはならないものになっているiPad。特に、最新のiPad mini 6を購入した人にはとても顕著なのでないだろうか? 片手で持てるコンパクトサイズのボディであらゆるエンタメを堪能でき、Apple Pencilでの手書きも問題なく行える凄い端末だ。そのせいもあって大人気である。iPadは、標準アプリを普通に使うだけでも、とても楽しく快適に利用できる。しかし、自分の好みに合わせてより使いやすい設定にしたり、趣味を活かすアプリを入れたり、効率を上げられるカスタマイズをしたり、と少し工夫するだけで飛躍的に使い勝手は向上する。また、2021年秋に登場した「iPadOS 15」では、ウィジェットを自由自在に配置できたり、Apple Pencilを使って日本語で直接検索できたりと、細かく多方面での機能向上が詰め込まれており、iPadの実力をさらにパワーアップさせてくれた。本書を読み、さらに便利になったiPadをより便利に使いこなしていただければ幸いである。

iPadOS 15では、より自由になったウィジェットや日本語に対応したスクリブル、集中モード、Safariの大幅強化など、さまざまなアップデートが施されている。詳しくは、本書の記事の「iPadOS 15」マークがついている記事をチェック!

iPadOS 15が使えるiPadはこれ!

iPad Air シリーズ

ほぼiPad Proと化した、コストパフォーマンスに優れたiPadがこちら。Touch IDがトップボタンに内蔵され、10.9インチのリキッドレティーナ画面を誇る。仕事にも遊びにも余裕充分なスペックだ。

対応機種
iPad Air 第4世代(10.9インチ)
iPad Air 第3世代(10.5インチ・販売終了)
iPad Air 2(9.7インチ・販売終了)

iPad Air 第4世代

プロセッサ	A14 Bionicチップ
スピーカー	2スピーカーオーディオ
Apple Pencil	第2世代対応
Keyboard	Magic Keyboard、Smart Keyboard対応
カラー	シルバー、スペースグレイ、ローズゴールド、グリーン、スカイブルー
価格	69,080円〜

iPad シリーズ

2017年発売の第5世代iPad以降の機種がアップデートに対応している。A13 Bionicチップが載り、PencilもSmart Keyboardも使える第9世代はとてもコストパフォーマンスが高いモデルといえる。

対応機種
iPad 第9世代(10.2インチ)
iPad 第7〜8世代(10.2インチ・販売終了)
iPad 第5〜6世代(9.7インチ・販売終了)

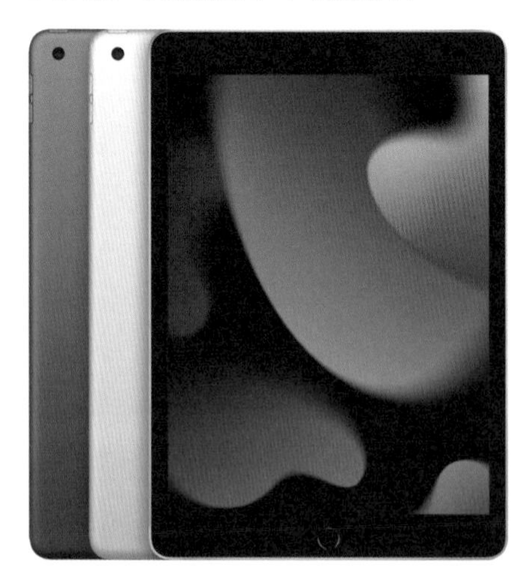

iPad 第9世代

プロセッサ	A13 Bionicチップ
スピーカー	2スピーカーオーディオ
Apple Pencil	第1世代対応
Keyboard	Smart Keyboard対応
カラー	シルバー、スペースグレイ
価格	39,800円〜

iPhone以上ともいえる、壮絶なアップデートとなったiPadOS 15だが、2014年発売のiPad Air 2や、2015年発売のiPad mini 4にも対応している。初代のiPad Airや、iPad mini2/3はアップデートできない状況となっている。iPadOS 13のときの機種と同じだ。

iPad Pro シリーズ

全面ディスプレイのiPad Proシリーズはもちろん、初代の9.7/12.9インチも、iPadOS 15にアップデート可能だ。iPadOS 15を堪能するにはスペック的に最適の機種といえる。

対応機種

iPad Pro 第3世代以降(11、12.9インチ)
iPad Pro 第2世代(10.5、12.9インチ・販売終了)
iPad Pro 第1世代(9.7、12.9インチ・販売終了)

iPad Pro 11インチ 第3世代

プロセッサ	Apple M1チップ
スピーカー	4スピーカーオーディオ
Apple Pencil	第2世代対応
Keyboard	Magic Keyboard、Smart Keyboard対応
カラー	シルバー、スペースグレイ
価格	94,800円〜

iPad mini シリーズ

2021年の最新モデル「iPad mini 6」や、2019年発売の「mini 第5世代」はもちろんだが、2015年のモデル「mini 4」もiPadOS 15を使うことができるのが凄い。

対応機種

iPad mini 6(8.3インチ)
iPad mini 第5世代(7.9インチ・販売終了)
iPad mini 4(7.9インチ・販売終了)

iPad mini 第6世代

プロセッサ	A15 Bionicチップ
スピーカー	2スピーカーオーディオ
Apple Pencil	第2世代対応
Keyboard	非対応
カラー	スペースグレイ、ピンク、パープル、スターライト
価格	59,800円〜

本書の見方・使い方

「マスト!」マーク

285のテクニックの中でも多くのユーザーにとって有用な、特にオススメのものをピックアップ。まずは、このマークが付いたテクニックから試してみよう。

「上級技!」マーク

やや難度の高い技や、少しマニアックなテクニックにはこのマークがついています。

「iPadOS 15」マーク

iPadOS 15で新たに使えるようになった技にはこのマークがついています。

QRコード

本書ではアプリを紹介する際に、QRコードを掲載しているが、このQRコードは、標準のカメラアプリで簡単に読み取れる。以下の手順でアプリのインストールを進めていこう。

QRコードの利用方法

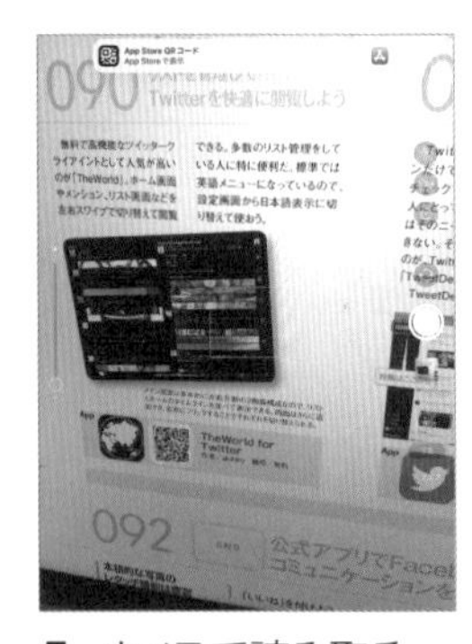

1 カメラで読み取る

QRコードの掲載されたページでカメラアプリを起動するとすぐにQRコードを感知してくれる。「App Storeで表示」をタップしよう。

2 アプリページへ

するとApp Storeの該当アプリのページにアクセスするので、「入手」もしくは価格の表示された部分をタップしてインストールしよう。

掲載アプリINDEX

巻末のP150にはアプリ名から記事を検索できる「アプリINDEX」を掲載。
気になるあのアプリの使い方を知りたい……といった場合に参照しよう。

本書掲載の情報は2021年10月29現在のものであり、各種機能や操作方法、価格や仕様、WebサイトのURLなどは変更される可能性があります。本書の内容はiPadOS 15の機種にて検証した上で掲載していますが、すべての機種、環境での動作を保証するものではありません。以上の内容をあらかじめご了承の上、すべて自己責任でご利用ください。

SECTION 01

基本便利技

iPadシリーズの、まずは理解しておきたい基本機能や、
最新iPadOS 15の新機能、また標準搭載ながらも
すぐには気づきにくい便利機能など、
ひとまず設定しておきたい便利技がこちら。

マスト! iPad OS 15

001 手書き Pencilでさまざまな操作ができるスクリブル!

日本語入力にも対応 キーボードなしでスラスラ入力できる

テキスト入力可能な場所でApple Pencilで手書きの文字を書くと自動的にテキストに変換して入力してくれる「スクリブル」機能が、iPadOS 15から日本語にも対応した。認識精度は非常に高いので、ユーザーによってはキーボード入力よりも効率よくテキスト入力ができるだろう。テキスト入力可能な場所の多くで対応している。

また、インラインスケッチやマークアップツールでは左端にあるスクリブルペンに切り替えることで、スクリブル機能を利用することができる。

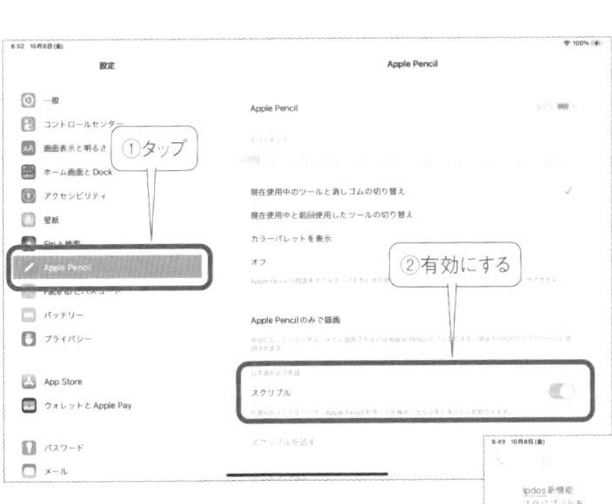

1 スクリブルを有効にする

「設定」アプリを開き「Apple Pencil」を開き「スクリブル」を有効にしよう。あとは文字入力できる箇所で実際に手書き入力すると自動でテキストに変換してくれる。

2 いろんなアプリで手書きしてみよう

スクリブルは多くのアプリで利用できる。Safariやマップなどの入力フォームのほか、ペンツールが出せる場所であれば、左端のスクリブルペンを選択することでスクリブルが利用できる。

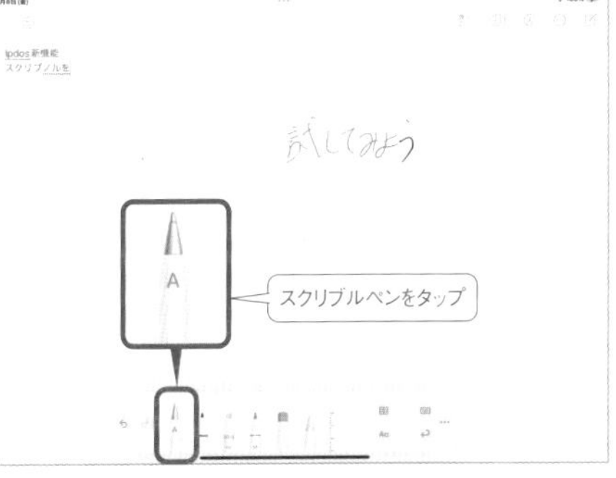

002 ウィジェット さまざまな機能をホーム画面で使える「ウィジェット」機能

ホーム画面の好きな場所にウィジェットを配置しよう

これまでウィジェットはiPadの左端に固定されていたが、iPadOS 15からアプリアイコンと同じようにホーム画面に自由に設置できるようになった。ウィジェットを並び替えることもできる。

ここでは、ホーム画面に置けるウィジェットにはどのようなものがあるかを紹介しよう。ウィジェットを配置する方法は102ページで詳しく解説している。

ホーム画面を超便利にしてくれるウィジェットの配置例

1 Launcher
よく使うアプリをコンパクトなスペースに凝縮して配置でき、アプリ起動がとにかく便利になる。101ページで詳しく紹介している。

2 MusicHarbor
自分の好きなアーティストの最新のリリース情報が表示される。今後のリリース情報などの表示も可能だ。アプリは74ページで紹介。

3 Documents byReaddle
Documentsアプリで最近使ったファイルが表示される。

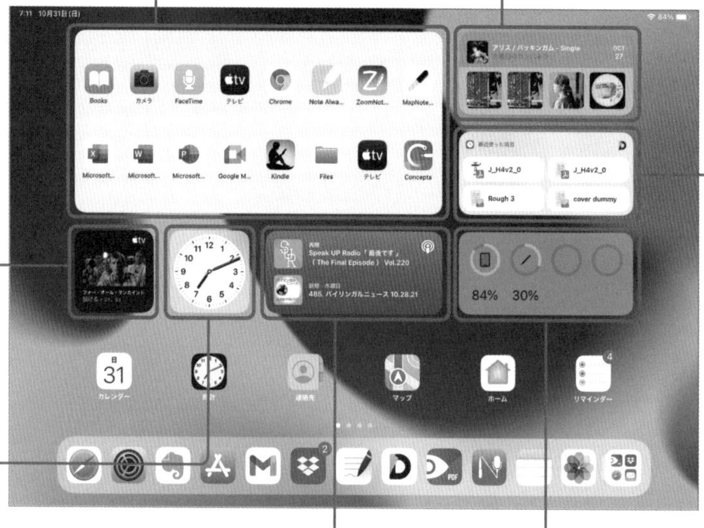

4 AppleTV
AppleTVで現在視聴している番組が表示される。

5 時計
シンプルで見やすい時計のウィジェット

6 Podcast
現在視聴中のPodcast番組、次に再生、配信予定の番組が表示される。

7 バッテリー
iPad本体、または接続中の機器のバッテリーが表示される。

他にもこんなウィジェットが存在する

カレンダー

カレンダー版ウィジェットは現在の予定をホーム画面でチェックできる。ウィジェットの大きさによって表示情報を増減できる。

Gmail

Gmailをインストールしていればホーム画面からGmailの新規作成画面を素早く表示して送信できる。

マップ

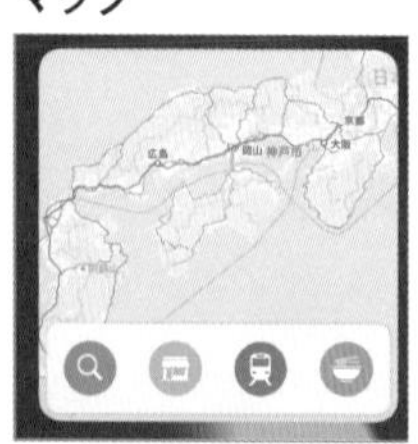

ウィジェット版マップはタップ1つで周囲にあるスポット、駅、飲食店を表示してくれる。

写真

「写真」アプリの「For You」の「おすすめの写真」に追加されている写真を表示してくれる。

point ウィジェットの大きさを変更するには

ホーム画面に表示されているウィジェットの大きさを変更するには、いったんホーム画面から対象のウィジェットを削除する。その後、ウィジェット追加画面を開き、対象のウィジェットを追加する際に左右にスワイプしてサイズを指定しよう。

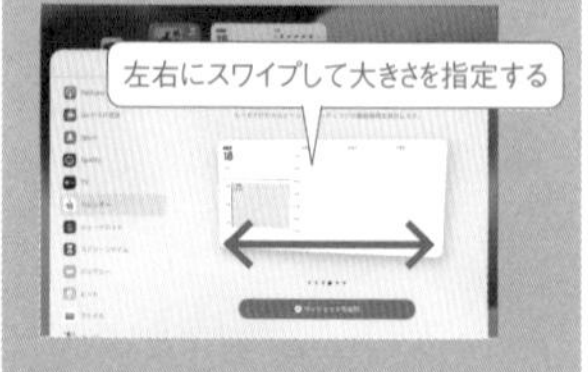

003 ファイル管理 便利な「ファイル」アプリを使いこなそう

NTFSフォーマットに対応してWindowsデータも読み取れる

iPadにはiCloud Driveに保存したファイルを管理したり検索するアプリとして「ファイル」アプリが標準で搭載されている。「ファイル」アプリはiCloud Driveだけでなく、OneDriveやDropboxなどのほかのアプリ内に保存しているデータにもアクセスして、iPad全体のファイルを一元管理できる便利なアプリだ。iPadOSの「ファイル」アプリは日々アップデートされている。

特に便利なのはUSB-Cポート搭載のiPadでUSBメモリや外付けストレージを接続してファイルを扱える点だ。外部ストレージをうまく利用することでiPadのストレージの空き容量の不足を解消でき、iPadからPCやほかのデバイスへのファイル移動もスムーズに行えるだろう。最新のiPadOS 15では、新たにNTFSフォーマットの外付けストレージの読み出しに対応した。これでWindowsで使っていたHDD内のデータにもアクセス可能だ。

また、iPadOS 15の「ファイル」アプリは、プログレスバー表示に対応した。ファイルをコピーやペーストする際、ファイルの画面上部の円形のプログレスアイコンから操作完了までにかかる時間がわかるようになった。

操作方法も快適になっている。ファイルを長押ししたときのメニューが改良され、コピー、削除、移動などの各種ファイル操作が素早く行える。

多機能な「ファイル」アプリを使ってみよう

1 ファイルを長押ししてメニューを表示する

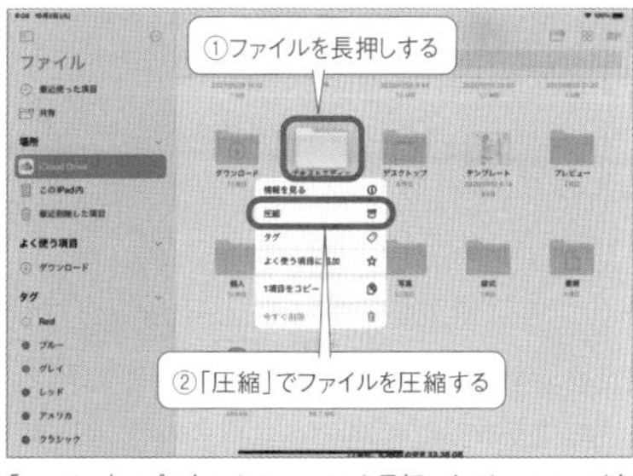

「ファイル」アプリ内にあるファイルを長押しするとメニューが表示される。「圧縮」を選択するとファイルを圧縮できる。

2 新しいウインドウを開いてファイルを移動する

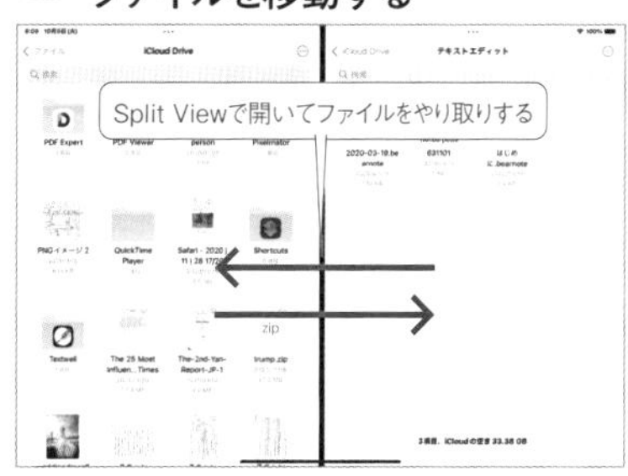

フォルダを長押ししてiPadの端に移動すると自動的にSplit Viewが起動して「ファイル」アプリを2つ並列表示できる。フォルダ間でファイルを移動したいときに便利だ。

3 外部ストレージからファイルを読み書きする

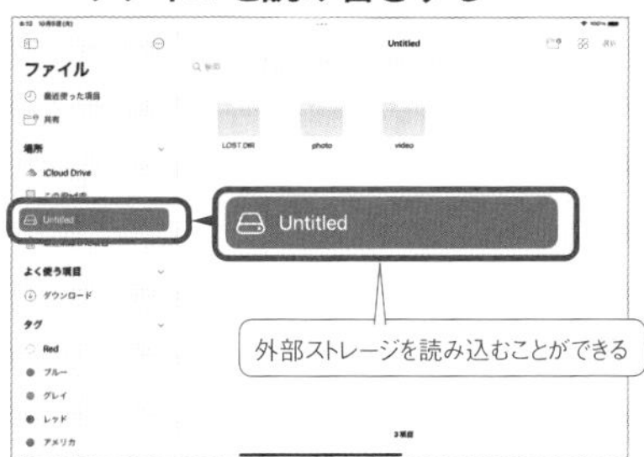

USBポート経由で接続したUSBメモリや外部ストレージを認識してファイルを読み込むことができる。iPadから外部ストレージへファイルをコピーすることもできる。

4 プログレスバーから処理時間を確認する

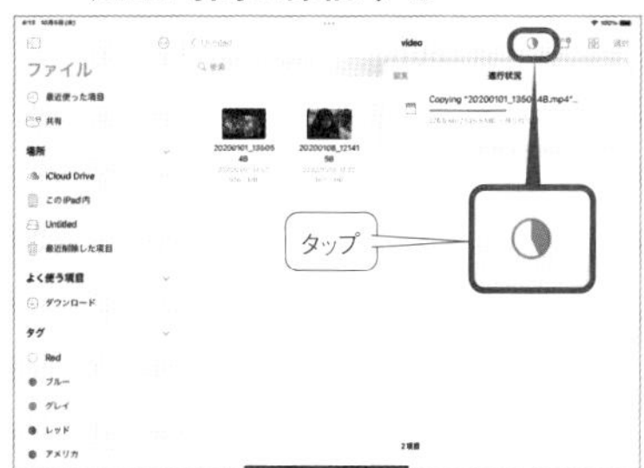

大容量のファイルをコピーする際は右上に追加されたプログレスアイコンをタップ。プログレスバーが表示され、処理終了予定時間を確認できる。

5 マウス操作時に複数の処理を選択する

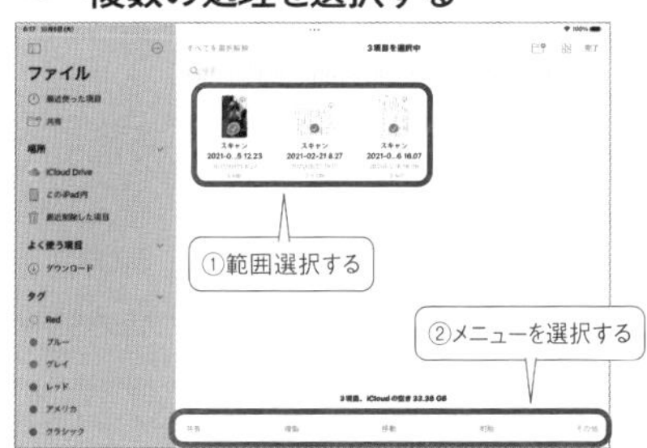

iPadにマウスを接続して使用している場合、ファイルを範囲選択できるようになった。選択すると下部にメニューが表示される。

6 範囲選択したファイルをドラッグ&ドロップで移動

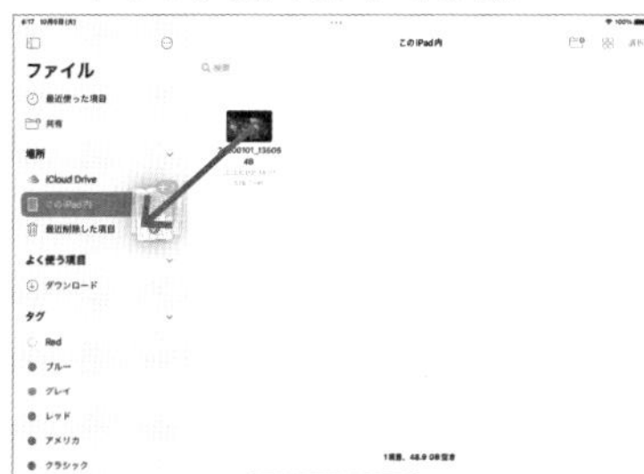

マウスやトラックパッドで範囲選択したファイルをドラッグ&ドロップでほかの場所へ移動することもできる。よりPCライクな操作になっている。

004 テキスト操作 テキストの選択・コピペが超簡単にできる

タップの回数で選択範囲を変更できる

iPadOSではテキストの範囲選択やコピー、ペーストまわりの操作が以前よりも簡単にできる。テキスト群を1度タップすると通常のカーソル、2度タップすると単語を選択、3度タップすると1つの段落を範囲選択できる。指でカーソルを動かして範囲調整する必要がない。

また、選択した範囲を3本指でピンチインすればコピー、貼り付けたい場所にカーソルをあわせ3本指でピンチアウトすればペーストすることができる。

2度タップで文字を選択

1 タップの回数で選択範囲を変更

テキストを2度タップすると単語が選択される。テキストを3度タップすると一文が範囲選択される。

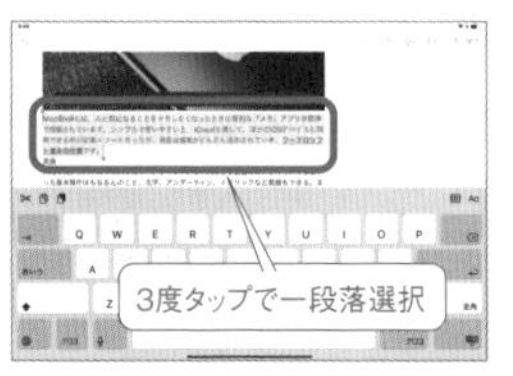

3本指でピンチインでコピー

2 3本指でのピンチ操作でコピー&ペーストをする

範囲選択した状態で3本指でピンチインでコピーできる。また、コピーした内容を3本指でピンチアウトでペーストできる。

005 手書き文字 「メモ」アプリで手書きした文字をコピー&ペーストする

テキストのように手書き文字を処理できる

手書きした文字を切り取ったり、コピー&ペーストする際は、通常「投げ縄」ツールを使って対象となる部分を範囲選択する必要がある。しかし、「メモ」アプリでは、通常のテキストと同じように手書き文字でもカーソルを使って範囲選択して、切り取りやコピー&ペースト操作ができる。

手書きした文字をダブルタップすると、文字の上下に範囲選択カーソルが表示され、選択した状態になる。カーソルを左右にドラッグすれば手書き文字の選択範囲を変更することが可能だ。なお、3回タップで単語選択、4回タップで一文選択もできる。

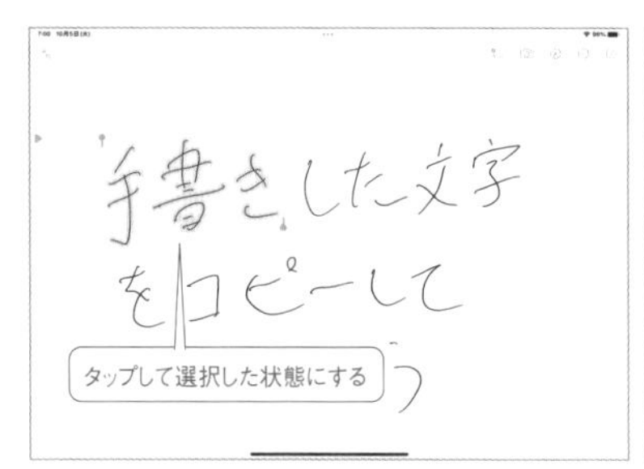

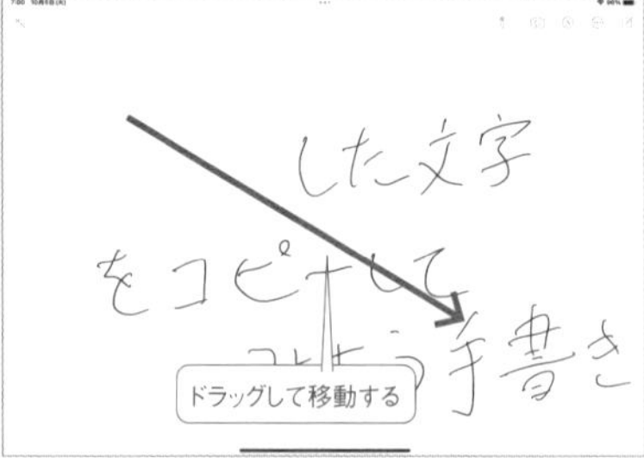

1 文字を選択して移動する

「メモ」アプリで手書きした文字をタップする。するとその文字が選択された状態になるのでドラッグしてみよう。移動することができる。

2 選択範囲を調整する

上下に表示されるカーソルをドラッグして移動させることで選択範囲を調整することもできる。また、メニューからコピーやカットなどの操作ができる。

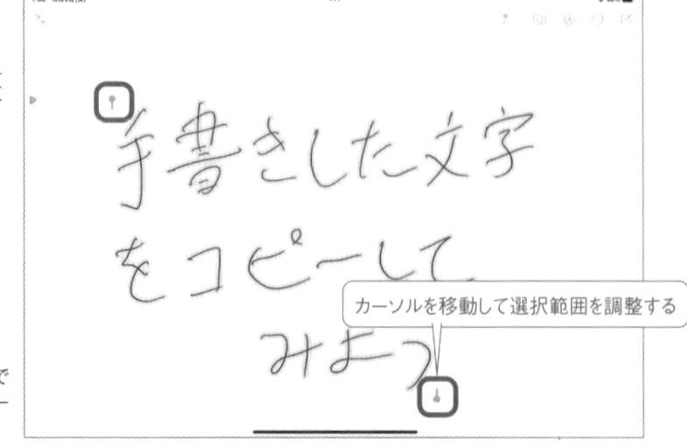

006 日本語入力 非常に使いやすい日本語入力をマスターする

フローティングキーボードで片手で文字入力をする

iPadを使って文字入力するには、iPhoneやほかのスマホと同じく画面を直接指でタッチするスクリーンキーボードを使うのが一般的だが、画面が大きいこともあって文字入力しづらい。しかし、iPadのキーボードには入力操作を快適にするさまざまな機能が用意されている。知っておこう。

まずは「フローティングキーボード」を使ってみよう。有効にするとキーボードがスマホサイズの小さなキーボードサイズに変化し、片手で楽々と文字入力が行えるようになる。スマホのフリック入力に慣れている人に便利な機能だ。また、フローティングキーボードは画面上の好きな場所に自由に移動させることができる。以前にあった分割キーボード機能がアップデートされたものと思えばよいだろう。

キーボード入力時の操作感が改善

iPadで原稿作成や長文メールなどを作成する際は、外付けキーボードを利用したほうが効率的に文字入力が行える。しかし、iPadではPCのキーボードとはやや異なる動作をするためこれまで使いづらくもあった。iPadOSではこうしたキーボード入力周りが日々改善されている。たとえば、日本語のあとにスペースキーを押すと全角スペース、英語のあとにスペースキーを押すと半角スペースキーが入力されるなど半角と全角の区別をしてくれるようになっている。

音声入力操作まわりも改善されている。ユーザーが話している言語を自動的に検知し、デバイス上で有効になっているキーボード言語から適当なものを選んで入力してくれる。これまでのように対象の言語キーボードに切り替えてから音声入力を有効にする必要がなくなった。

使いやすくなったiPadOSの文字入力

1 フローティングキーボードを有効にする

フローティングキーボードを有効にするにはキーボード上でピンチイン。するとスマホサイズのキーボードに変更する。ピンチアウトで元のキーボードに戻る。

2 好きな場所にキーボードを移動する

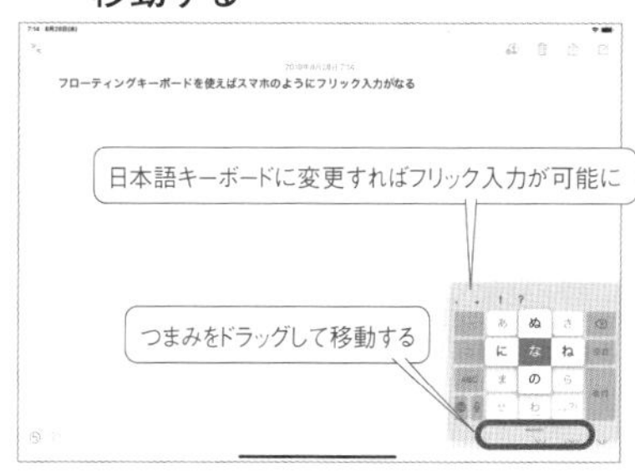

フローティングキーボードの下にあるつまみをドラッグして、画面の好きな場所に移動できる。スマホ操作に慣れている人ならフリック入力を使いこなそう。

3 半角スペースと全角スペースを自動で判断して入力

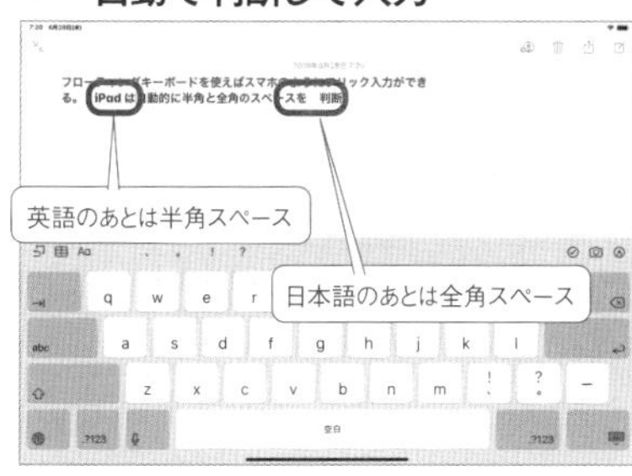

前の文字が英語のときにスペースキーを押すと半角スペース、前の文字が日本語のときにスペースキーを押すと全角スペースを入力してくれる。

4 外付けキーボード装着時の文字入力が快適に

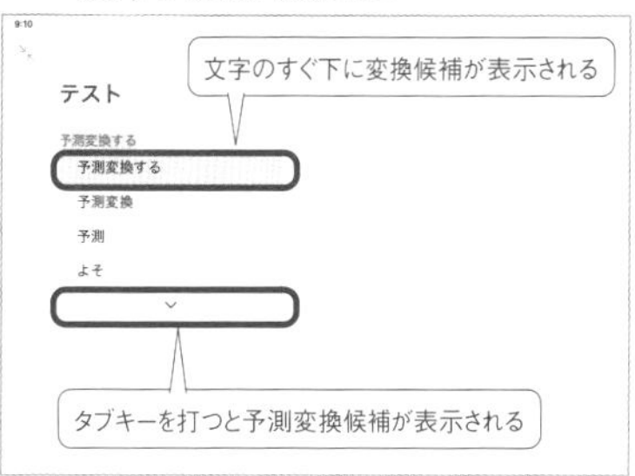

外付けキーボード装着時に文字入力すると、文字変換候補は入力した文字列のすぐ下に表示される。また、タブキーを打つと予測変換候補の選択ができるようになった。

5 ピリオド、句点、小数点をきちんと判断して入力

日本語キーボード使用時でもピリオド、句点、小数点の使い分けをきちんと判断して入力してくれる。たとえば、「3.5」と入力しようとしたら「3。5」と入力されることはなくなった。

6 音声入力時は自動で言語を判断

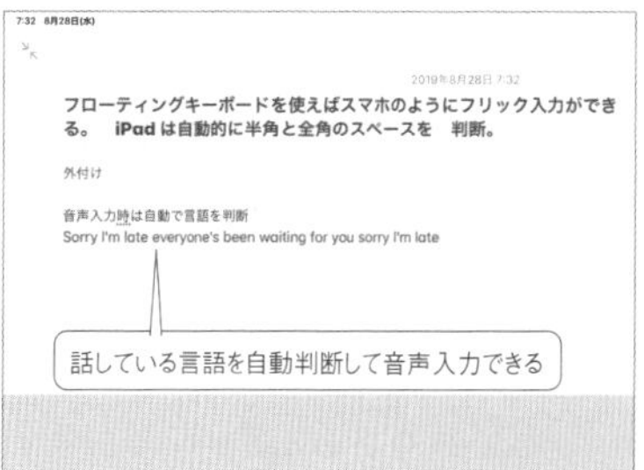

これまで音声入力する際は入力したい言語のキーボードを表示してから音声入力モードに切り替える必要があったが、iPadOSでは自動で言語を判断して入力してくれるようになった。

007 基本操作 iPadのジェスチャー操作を再度確認して使いこなそう

約30ものブラウザ操作をジェスチャー操作に割り当てることができる

iPadOSのバージョンがアップするたびに、画面をスワイプしてさまざまな機能を呼び出すジェスチャ機能は改良されている。iPad初心者はもちろんのこと、これまでiPadを使っていたユーザーも新しくなったジェスチャ操作を知らないと、目的の機能をうまく呼び出せなくなるので、基本的なジェスチャを見直しておこう。

現在のiOSのジェスチャ操作は、ホームボタンを取り除いた新型iPad ProやiPhone Xシリーズに対応した仕様となっている。代表的なジェスチャは、画面下から上方向にフリックすると実行される「ホーム画面に戻る」操作だ。ホームボタンを押さなくてもホーム画面に戻ることができる。

画面下から上方向に指を離さずゆっくりスワイプし、画面中央あたりで指を止めるとAppスイッチャーが起動する。Appスイッチャーではバックグラウンドで起動しているアプリに切り替えたり、アプリを完全に終了させることができる。

コントロールセンターを表示させるには、iPad画面右上の隅から下方向へフリック、またはスワイプしよう。独立したコントロールセンターが表示される。

また、アプリ起動中に画面左下から右へスワイプすると、1つ前に利用したアプリに切り替えることができ、切り替えた後に画面右下から左へスワイプすると元のアプリに戻ることが可能だ。2つのアプリを切り替えて見比べ作業をするときに便利なジェスチャ操作といえるだろう。

また、iPadの左端から右へスワイプするとウィジェット編集画面が表示される。

iPadの便利なジェスチャ操作をマスターしよう

1 画面下から上にフリックしてホーム画面に戻る

ホーム画面に戻るには、画面下から上へ弾くようにフリックしよう。ホームボタンのない iPad Pro、最新の Air や mini 6 では必須の操作となる。

2 画面下から上へスワイプして中ほどで止める

画面下から上へ指をゆっくりスワイプして画面中央あたりで止めると App スイッチャーが表示される。

3 コントロールセンターを表示させる

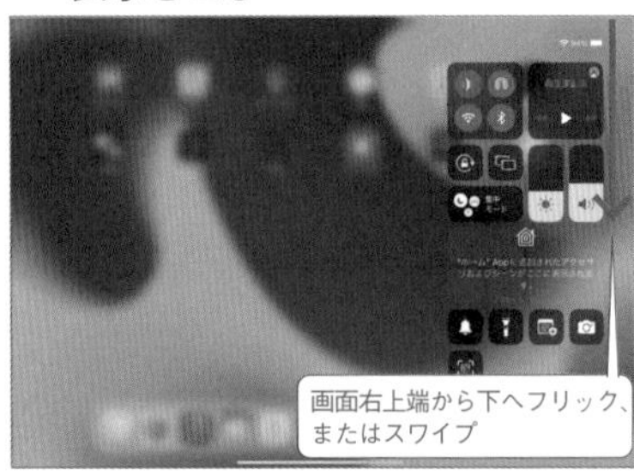

コントロールセンターを表示させるには、画面右上端から下へフリック、またはスワイプしよう。

4 1つ前に使ったアプリを表示させる

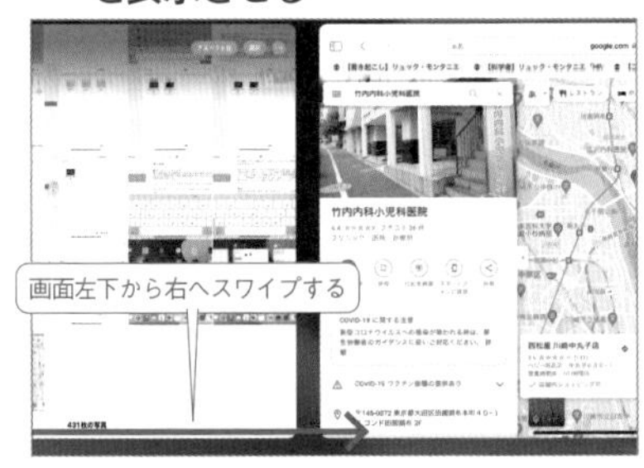

画面左下から右へ指をスワイプすると、1 つ前に使ったアプリが表示される。バックグラウンドで起動した状態になっていれば、さらに前のアプリを表示させることができる。

5 ウィジェットをホーム画面に表示させる

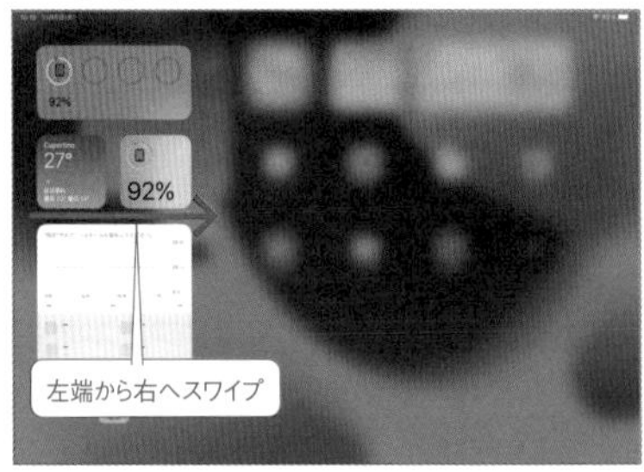

iPad の左端から右へスワイプするとウィジェット編集画面が表示される。ここから新たにウィジェットを追加したり、削除できる。

point Dockを表示させる場合に注意しよう

iOS 11 から iPad ではアプリ起動中でも画面下から上へスワイプすることで Dock を表示させることができるようになったが、「ホーム画面に戻る」ジェスチャと認識しされることもある点に注意しよう。Dock を引き出す際は画面下からゆっくり少しだけ指をスワイプさせること。素早いフリック操作を行うとホーム画面に戻ってしまう。

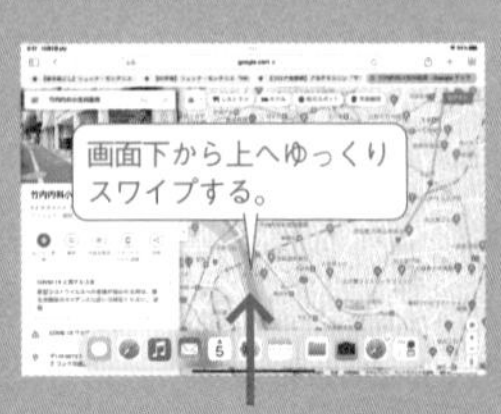

※フリック:素早く指を弾く指操作／スワイプ:ゆっくり指を滑らす指操作

008 手書き スクリブルで長文を書き続けるには

スクリブル独自に用意されているジェスチャを使いこなす

スクリブル機能を使ってApple Pencilで長文のテキストを書きたいときは、用意されているさまざまなジェスチャを覚えておこう。単語を削除したい場合は対象のテキストをこすり、文字と文字の間に新たにテキストを挿入したい場合は、その領域をタッチして押さえたままにしてから開いたスペースに書き込もう。ジェスチャ操作を覚えておけばキーボードを立ち上げて修正作業をする手間が省けるだろう。

その他のスクリブル操作

○文字をつなげる/切り離す:文字の間に縦線を書く。
○テキストを選択する:テキストを円で囲むか、テキストに下線を入れる。
○単語を選択する:単語をダブルタップする。
○段落を選択する:段落内の単語をトリプルタップするか、Apple Pencilで段落上をドラッグする。

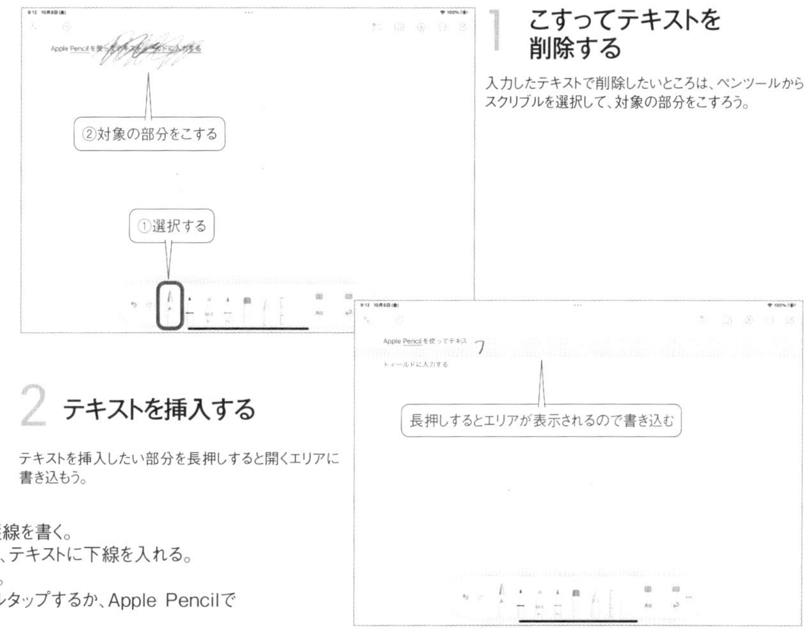

1 こすってテキストを削除する

入力したテキストで削除したいところは、ペンツールからスクリブルを選択して、対象の部分をこすろう。

2 テキストを挿入する

テキストを挿入したい部分を長押しすると開くエリアに書き込もう。

009 基本操作 ドラッグ&ドロップでアプリ間でデータをやり取りする

Split ViewやDockをうまく利用する

iPadOSではアプリ間でデータをやり取りする際「ドラッグ&ドロップ」操作を使うと効率的だ。Split ViewやSlide Overで画面を分割して対象のファイルをドラッグ&ドロップするのが一般的だが、この方法を使わない方法もある。

片方の指で移動したいファイルを長押しし、指を離さないようにする。もう片方の手でホーム画面に戻り、移動先のアプリを起動する。すると選択しているファイルも一緒についてくるので、コピーしたい場所で指を離そう。

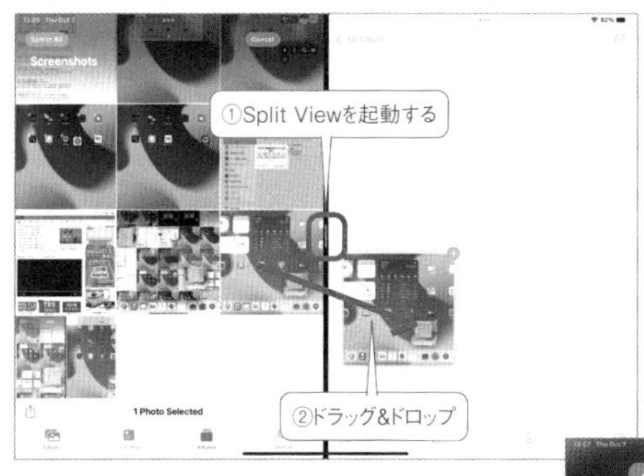

1 Split ViewやSlide Overで移動する方法

最も一般的な移動方法はSplit Viewを使った方法。片方の画面にファイルの移動先アプリを起動したら、ファイルをドラッグ&ドロップすればよい。

2 ファイルを長押しして指を離さないようにする方法

ファイルを長押しして指を離さないままもう片方の手でホーム画面に戻り、対象のアプリを起動する。その後、指を離すとファイルをコピーできる。

010 メモ さらっとPencilでメモをとれるクイックメモ

素早くメモアプリを呼び出す「クイックメモ」機能は超便利!

最新のiPadOS 15では、「メモ」アプリの拡張機能として「クイックメモ」という新しい機能が追加された。画面右下から中央にスワイプすると小さなメモアプリが現れ、キーボードやApple Pencilで素早く手書きのメモを作成できる。作成したメモは「メモ」アプリに自動で保存される。

なお、クイックメモは、ほかのアプリを起動中でも引き出すことができ、好きな位置に自由に移動させることができる。

1 クイックメモを起動する

クイックメモを起動するには、画面右下から中央へスワイプしよう。メモ上部にあるつまみで好きな位置に移動させることができる。

2 アプリ上でも引き出せる

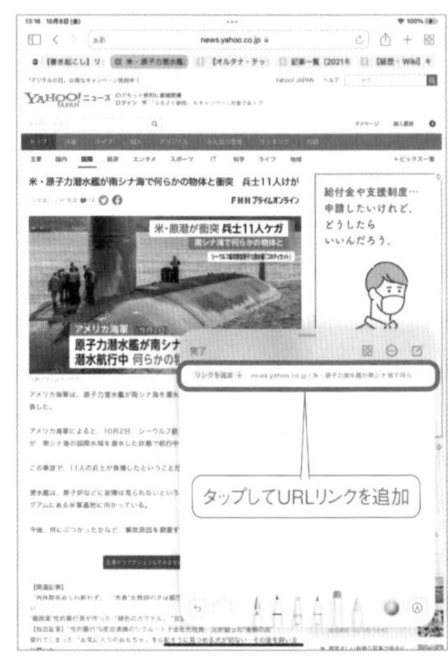

クイックメモはアプリ起動中でも引き出せる。Safari起動中に引き出すと、開いているページのURLリンクを簡単に追加できる。

011 メモ 意外に便利なメモアプリのスキャン機能

iPadの「メモ」アプリには紙の書類を直接撮影して保存する機能が搭載されている。紙の四隅を自動で認識して撮影し、また複数の書類がある場合は連続して撮影することで1つにまとめることができる。

OCR機能こそ搭載されていないもののほかのスキャンアプリと異なりインラインスケッチとの連携性が高いのが特徴で、保存された書類をApple Pencilでタップすると画面下部からインラインスケッチに切り替わり、書類に直接手書きの注釈を描くことが可能だ。

メモで新規メモを作成したら、右上のカメラボタンをタップして「書類をスキャン」をタップして、書類をスキャンしよう。

スキャンされた書類をタップしてレタッチ画面が表示されたら、Apple Pencilでタップする。インラインスケッチに切り替わり手書きで注釈を入力できる。

012 メモ 手書きの図形がきれいな形に修正される

「メモ」アプリの手書き機能では、手書きで円や四角や星などの図形を描いた際に、自動で補正してくれる機能が追加されている。利用するには、図形を描いたあとに画面からペンをすぐに離さず少し止めておき、自動補正された図形が表示されたらペンを離せばよい。

なお、直線を描くと真っ直ぐな直線に補正してくれる。メモの重要部分に下線を引きたいときにも便利だ。

テキスト入力

013 登録された予測変換を削除する

iPadで文字入力していくと、よく変換するワードが学習され次回以降、その単語が変換候補として表示されるようになる。これは非常に便利な機能なのだが、間違えて変換してしまった単語が学習されることもあり、学習した予測変換を消去したい場合もあるだろう。設定を開いて「一般」→「転送またはiPadをリセット」→「リセット」→「キーボードの変換学習をリセット」をタップ。学習された予測変換がすべてクリアされる。

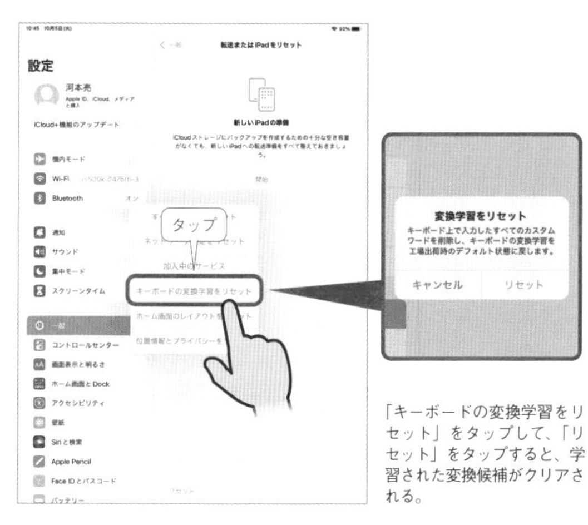

「キーボードの変換学習をリセット」をタップして、「リセット」をタップすると、学習された変換候補がクリアされる。

辞書

014 iOS標準の辞書機能を利用する

iPadには、標準で辞書が内蔵されており、テキスト編集のメニューから選択した単語の和訳や意味を簡単に調べることができる。Safariやメモ帳などのテキストを選択し、ポップアップメニューの「調べる」をタップすれば、辞書の検索結果が表示される。選択した単語によって検索される辞書が自動的に選ばれ、日本語を選択すれば国語辞典やWikipediaなどからその単語の意味を表示してくれる。

調べたい文字を選択してメニューから「調べる」をタップ。文字選択ができるなら、どのアプリからでも辞書を検索できる。日本語だけでなく英語の単語の意味も調べられる。

キーボード

015 半角英文字の最初の大文字を防ぐ方法

半角アルファベットを入力する際、勝手に文頭の文字が大文字になってしまうことがある。これは自動的に文頭を大文字にする補正機能が有効になっているため。設定の「一般」→「キーボード」→「自動大文字入力」をオフに設定することでこの機能が無効になる。逆に英文字を常に大文字で入力したい場合は、「↑」や「shift」を素早く2回タップすればCAPS LOCK状態になり、「↑」をタップするまでは続けて入力できる。

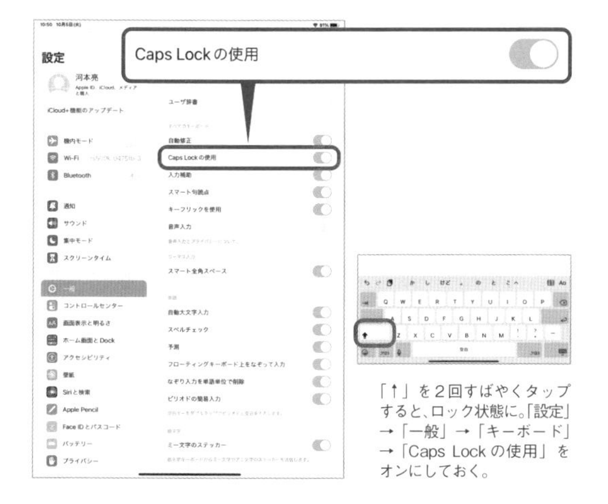

「↑」を2回すばやくタップすると、ロック状態に。「設定」→「一般」→「キーボード」→「Caps Lockの使用」をオンにしておく。

電話

016 iPhoneにかかってきた電話をiPadに着信させ通話する

iPadではiPhoneにかかってきた電話をiPadで着信し、マイクとスピーカーで通話する「iPhoneセルラー」機能が搭載されている。iPadをiPhoneの子機代わりとして利用でき、離れた場所にあるiPhoneに着信があったときでも、手元のiPadで着信して通話することが可能だ。逆に電話をかけることもできる。なお、iPhoneセルラーはFaceTimeの一機能のためFaceTimeを事前にiPadにインストールしておき、iPhoneと同じApple IDでログインしておく必要がある。

FaceTimeの「設定」画面を開き、FaceTimeを有効状態にして、「iPhoneから通話」を有効にしておこう。

iPhoneの回線を利用して電話の着信ができるようになる。iPadから電話する場合は「連絡先」アプリに登録している電話番号をタップすればよい。

キーボード

017 キーボードを切り替えずに記号や文字を入力する

数字や記号やアルファベットが混在しているテキストを入力する際、いちいち文字種を切り替えたり、シフトキーを押すのは面倒だ。iPadユーザーなら覚えておくと入力が楽になるのが「Quick Type」機能だ。QWERTYキーボードを使っているときに限って、キーを上下にフリックするだけで文字種を切り替えることができる。使いこなせれば文字、数字、記号、句読点もすべて1つのキーボードで打てるようになる。

英語キーボードを使っていると き、キーを上下にフリックする と文字種を切り替えて入力する ことができる。

入力

018 入力した文字は確定後でも再変換できる

iPadで入力した文字で誤字が見つかった場合、わざわざ対象の部分にカーソルを移動して入力し直す必要はない。誤字の部分を長押しして範囲選択状態にしよう。iPadのキーボード上部にほかの変換候補が表示されるので、入力したい変換候補を選択すれば、再変換してくれる。

なお、キーボードはiPad標準のものでも、サードパーティ製のものでもよいが、日本語入力にしておかないと変換候補は表示されないので注意しよう。

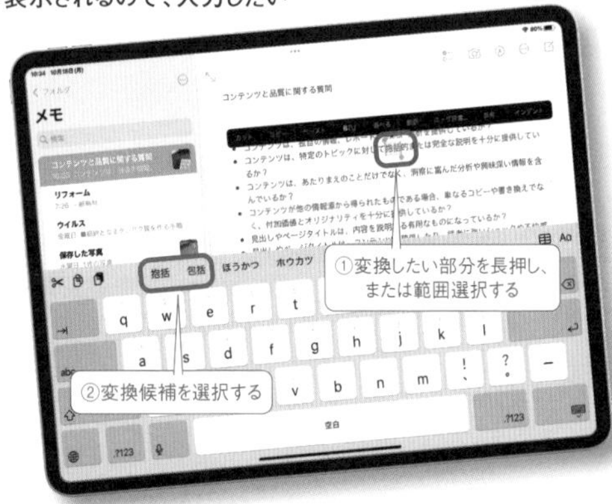

①変換したい部分を長押し、または範囲選択する

②変換候補を選択する

マウス

019 マウスでiPadを操作する

ノートパソコン並にiPadが使えるようにカスタマイズしよう

iPadOS13以降、外付けのマウスに対応し、マウスのカーソル操作やクリック操作ができるようになった。直接、指で画面に触れなくてもUSB、またはBluetooth経由で接続したマウスで操作できるので、iPadに外付けキーボードを取り付けノートパソコンのように操作したいiPadユーザーにとって嬉しい機能だ。以前は、USB接続やBluetoothでiPadをペアリングをしただけでは利用できず「AssistiveTouch」を有効にする必要があったが、現在ではマウスを接続したらすぐに使えるようになっている。

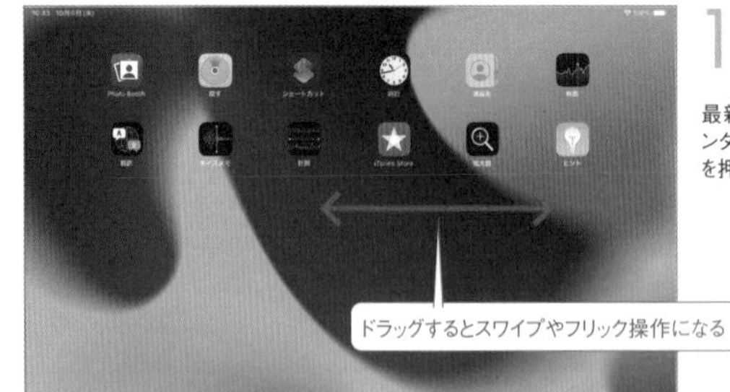

ドラッグするとスワイプやフリック操作になる

1 マウスを接続したらすぐに使える

最新のiPadOSではマウスを接続すると自動でマウスポインタが表れ、操作ができる。スワイプする際はマウスボタンを押したまま左右上下にドラッグさせよう。

右ボタンをクリックして長押しメニューを表示させる

2 右クリック操作ができる

マウスの右ボタンをクリックすると、長押ししたときに表示されるメニューが表示される。なお、マウスの左ボタンを長押ししても同じ操作ができる。

020 メモ トラックパッドが使える便利なキーボードはこれ

コストパフォーマンス抜群のキーボードを探そう

Apple純正のMagic Keyboardは使い心地はよいもののかなり高額。もっと安価な外付けキーボードも存在している。2,000～4,000円程度でも純正キーボードと同等のものが見つかるはずだ。まず、選ぶ際のポイントとしてBluetoothに対応しているかチェックしよう。充電する必要はあるがコードがなくすっきりするだろう。次にキーボードレイアウトにも注意しよう。「日本語配列（JIS）」と「英語配列（US）」のものがあるが、両者では一部の記号キーの配置が異なる。特にこれまで「日本語配列（JIS）」しか使ったことがない人は日本語配列かどうかチェックしてから購入しよう。ほかにタッチパッドやApple Pencilホルダーが搭載されているかもチェックポイントだ。

コンパクトでトラックパッドもあり!
価格:2,080円（7–8インチ）のiPad miniにピッタリ
ブランド:SHEYI
Bluetooth3.0対応
トラックパッド対応

無印iPadシリーズに最適!
価格:5,280円（9.7/10.2/10.5インチ）に対応
ブランド:YADIMI
Bluetooth対応
トラックパッド対応
Apple Pencilホルダー対応

iPad ProやAir 4に最適!
価格:4,580円（10.9/11インチ）に対応
ブランド:BYDIFFER
Bluetooth3.0対応
トラックパッド対応

021 基本操作 ナイトシフトでブルーライトをカットして目を守る

iPadのディスプレイの光がチカチカして、目が痛い人は「ナイトシフト」に切り換えよう。ブルーライトを軽減して、目への刺激を和らげてくれる。また、手動で設定を有効にする以外に、指定した時刻間のみ自動でナイトシフトモードにすることも可能。睡眠前から起床までの時間帯をナイトシフトモードにしておけば、心地よい眠りにつけるだろう。色温度をカスタマイズすることも可能だ。なお、この機能は iPad Pro、iPad Air 以降、iPad mini 2 以降のみ利用できる。

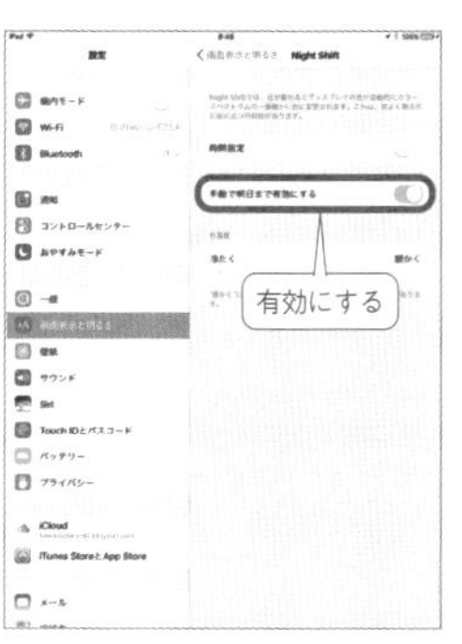

「設定」から「画面表示と明るさ」を開き、「Night Shift」に移動。「手動で明日まで有効にする」を有効にしよう。

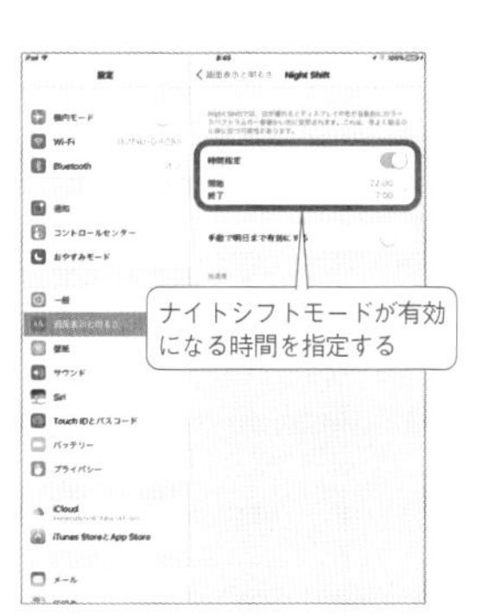

「時間指定」を有効にして、指定した時刻間のみ自動でナイトシフトモードにすることもできる。

022 ダークモード 黒を基調とした暗めのダークモードに変更する

iPadにはインタフェース全体を黒を基調とした暗めな配色にする「ダークモード」設定が用意されている。ダークモードに変更すると文字やケイ線が通常よりもくっきりと見えやすくなるため、暗い場所で利用するのに効果的だ。目の疲れを軽減する効果があるといわれている。また、自動ボタンを有効にすれば、指定した時間帯になると自動的にダークモードに変更できる。

「設定」画面を開き「画面表示と明るさ」を開く。外観モードの「ダーク」にチェックを入れるとダークモードに変更する。

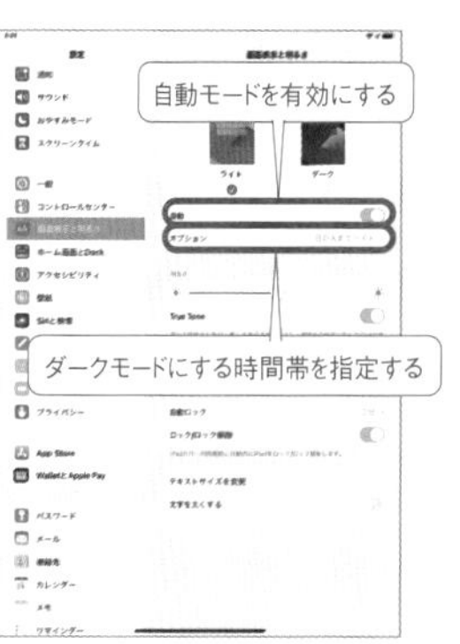

「自動」ボタンを有効にすると指定した時間帯になると自動でダークモードに変更する。「オプション」で時間帯を設定することができる。

023

マルチタスク

マルチタスク機能を使って複数のアプリを同時に操作する

より簡単に呼び出せるようになったマルチタスク機能

iPadで複数のアプリを利用するには、Split ViewやSlide Overなどのマルチタスク機能を利用する必要がある。Split ViewはiPadの画面を2つに分割して2つのアプリを同時に操作する機能、一方のSlide Overは開いているアプリの上に別アプリの画面を重ねる機能だ。これらマルチタスク機能がiPadOS 15で大幅にアップデートされ使いやすくなった。

以前はDockからアプリのアイコンを画面端にドラッグする必要があり、やや面倒だったが、iPadOS 15では標準アプリの上部に追加されている「…」ボタンをタップするだけで、各マルチタスク機能を呼び出すことができる。ただし、すべてのアプリに対応しているわけではなく、またアプリによって動作はやや異なる。

新しいマルチタスク機能も追加されている。画面中央にアプリウインドウを表示する「センターウインドウ」や、同じアプリの複数のウインドウを画面下に並べる「シェルフ」を使えばさらにiPadの操作が快適になるだろう。

画面下から上へスワイプすると表示されるAppスイッチャーも改善されており、Appスイッチャーで表示されているアプリをドラッグしてほかのアプリに重ねることで、Split Viewを作成できるようになった。また、現在開いているSlide Overを一覧表示させることもできる。

新しくなったマルチタスク機能を試してみよう

1 アプリ上にある「…」をタップ

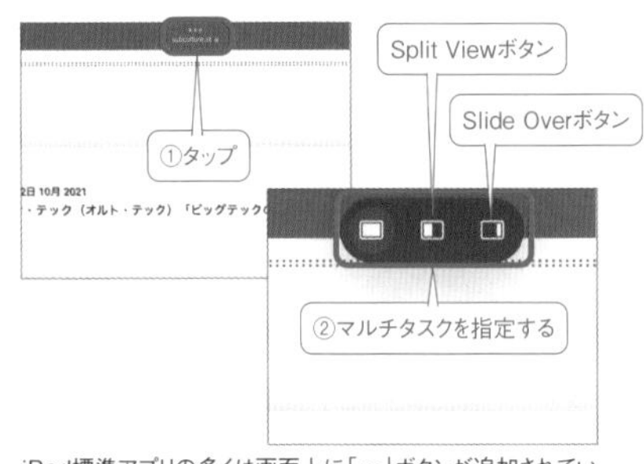

iPad標準アプリの多くは画面上に「…」ボタンが追加されている。タップするとマルチタスクボタンに切り替わる。利用するマルチタスクをタップする。

2 マルチタスキング機能が動作する

右端のボタンをタップした場合、Slide Overが機能してアプリが画面右端に隠れる。ホーム画面からほかのアプリを起動しよう。

3 Slide Overが機能する

ほかのアプリを起動すると端に隠れていたアプリがSlide Overとして現れる。なお、サードパーティ製アプリはまだマルチタスクボタンに対応していないものもある。

4 センターウインドウボタンをタップする

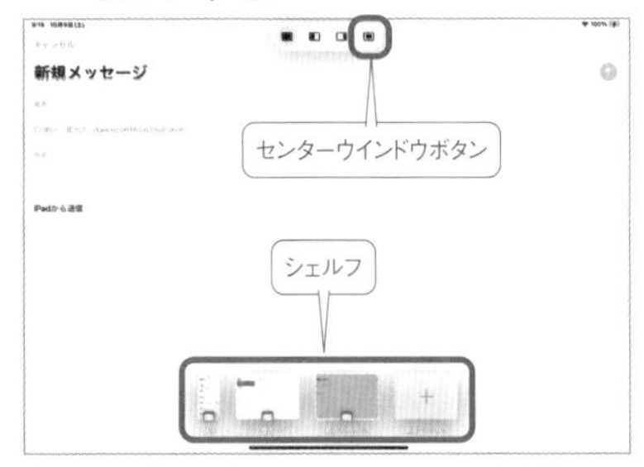

「メール」アプリの場合、マルチタスクメニューアプリを開くと3つのメニューのほかに「センターウインドウ」ボタンもある。また画面下に「シェルフ」といったサムネイル機能が追加されている。

5 Appスイッチャーも進化

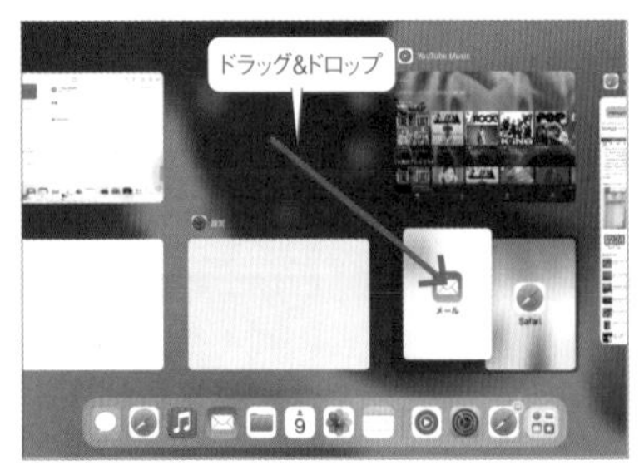

Appスイッチャー上でアプリをほかのアプリに重ねるとSplit Viewが作成できるようになっている。

6 Slide Overを確認できる

また、Appスイッチャー画面の右端にSlide Overで開いているアプリが隠れており、左へスワイプすると一覧表示できる。

iPad OS 15

マルチタスク

024 新機能シェルフの使い方

一部のアプリでは「シェルフ」と呼ばれる新しいマルチタスク機能が利用できる。これは同一アプリを複数のウインドウで開いて管理できるようにしてくれる新しい機能で、PCの「ウインドウ」のようなものだ。たとえば、Safariを複数開いて切り替えて使いたいときに便利だ。シェルフは画面上部にあるマルチタスクボタンをタップすると画面下に自動的に表示される。シェルフから新規ウインドウを追加することも可能だ。

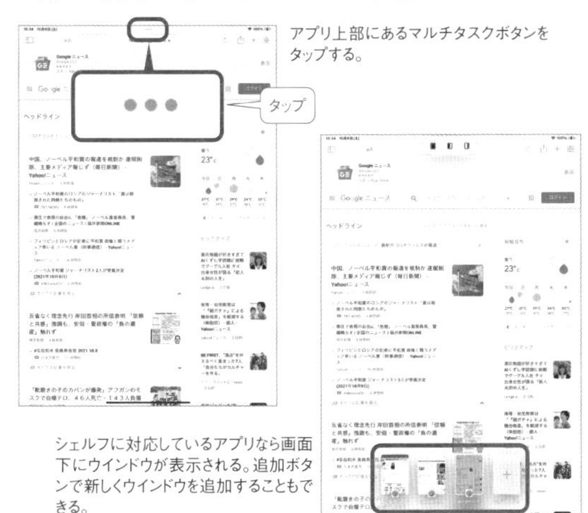

アプリ上部にあるマルチタスクボタンをタップする。

シェルフに対応しているアプリなら画面下にウインドウが表示される。追加ボタンで新しくウインドウを追加することもできる。

マスト!

マルチタスキング

025 動画鑑賞しながらほかのiPad作業をする

「ピクチャ・イン・ピクチャ」は動画を鑑賞しながらほかの作業をするときに便利なマルチタスキング機能。FaceTimeのビデオ通話中や「Apple TV」アプリで動画を再生中に縮小ボタンをタップすると、iPadの片隅に縮小表示させながらほかのアプリを利用することができる。縮小表示されたビデオ通話や再生画面は、表示位置を変更したりサイズを変更することができる。ながら作業をしたい人は使いこなそう。

「Apple TV」アプリ(旧「ビデオ」アプリ)で動画を再生中、左上にある縮小ボタンをタップ。

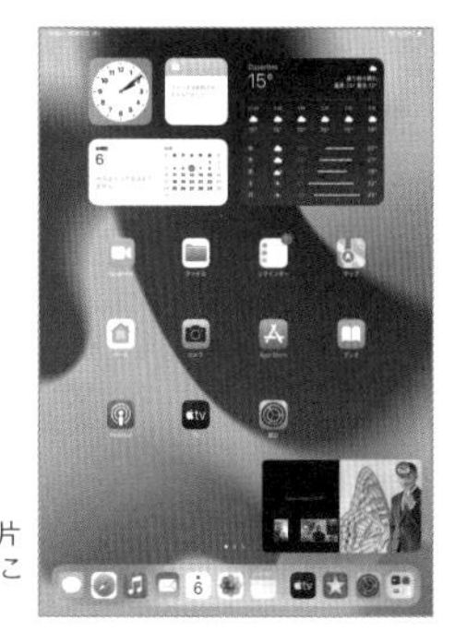

プレイヤーを縮小してiPadの画面に片隅に設置してほかのアプリを利用することができる。

上級技

入力

026 カギ括弧をフリックで素早く入力する

キーボード入力をしていて、イライラするのがフリックキーボード使用時におけるカギ括弧入力。わざわざキーボードを切り替えたり、辞書登録するなど面倒だ。しかし、iPadのキーボードでは、「や」を長押しして左右にフリックすることで入力可能となっている。iPadだけでなくiPhoneユーザーにも便利な機能だ。iPadでフリックキーボードに変更するには、「日本語（かな）」キーボード画面でフローティングキーボードに切り替えればよい。キーボードボタン長押しから切り替えることができる。

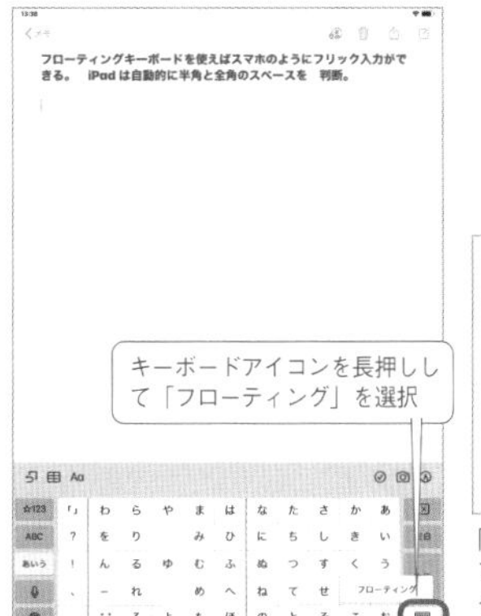

「日本語（かな）キーボード画面でフローティングキーボードに変更する。フリックキーの「や」を長押しするとカギ括弧が現れる。

入力

027 日付·時刻の表示形式を変更する

以前のiOSではiPadの上右端に時刻だけが表示されていたがiOS 12以降では左端に表示され、また日付や曜日も表示されるようになった。

日付と曜日の表示形式は、「設定」の「一般」にある「日付と時刻」で変更することができる。「24時間表示」をオフにすると「午前」や「午後」の文字とともに12時間表示に切り替わる。また、以前の表示形式のように時間だけを表示させるように設定を戻すよう変更できるほか、取得する都市の時間帯を手動で変更することもできる。

「設定」アプリから「一般」→「日付と時刻」へ進む。「24時間表示」をオフにすると「午前」や「午後」の文字が追加され、12時間表示に変更される。

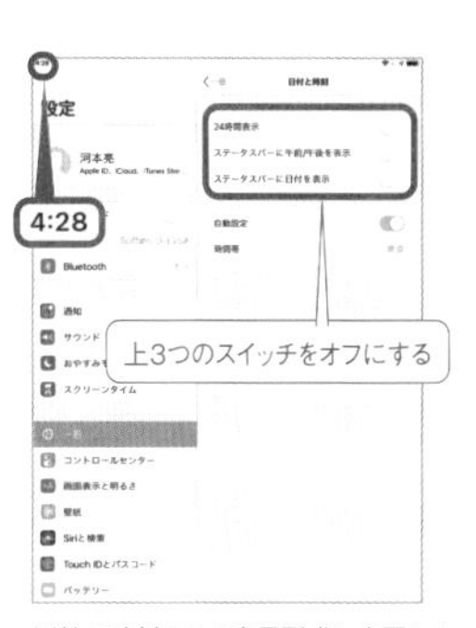

以前の時刻のみの表示形式に変更したい場合は、上3つのスイッチをすべてオフにすればよい。

マスト!

入力

028 日付や時間の入力は予測変換を使おう!

キーボードで時間を入力する際に「○月○日○時」や「2017/02/09」など、数字とかなのキーボードを切り替えて入力するのは面倒だ。実は日付や時間は、数字だけの入力でも変換候補に時刻や日付を表示してくれる。たとえば「12時34分」と入力したい場合は「1234」と数字だけの入力で変換候補に「12時34分」が現れる。日付も同様で「43」と数字を入力で変換候補に「4月3日」が現れる。ほかに「明日」や「昨日」でも変換候補に現れる。

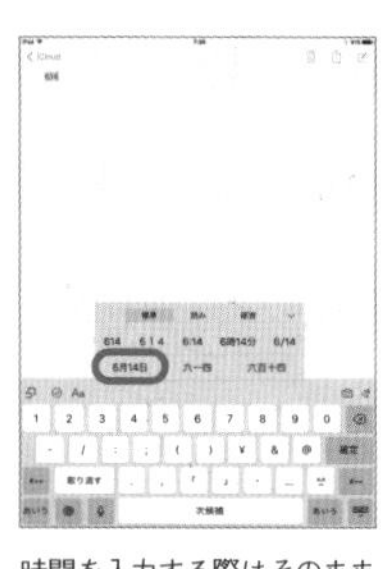

時間を入力する際はそのまま時間の数字だけを入力。日付の入力も同じく数字を入力するだけでよい。

バッテリー

029 バッテリー消費の激しいアプリを調べる

アプリをたくさん起動した状態にしていると、バッテリーの持ちがかなり悪くなっている。そのため、必要時以外はできるだけiPadに負担をかけるアプリは、オフにしておきたいものだ。「設定」画面から「バッテリー」画面を開き、バッテリーの使用状況を確認しよう。この画面では、iPadにインストールされているアプリの各バッテリー使用率が一覧表示される。使用率を参考にして、バッテリー負担の高そうなアプリはアンインストールするか、App スイッチャーからオフにするといいだろう。

「設定」画面から「バッテリー」をタップ。負担の高いアプリが上から順番に表示される。

App スイッチャーを開き、バッテリー負担の高いアプリを上にスワイプしてオフにしておこう。

マスト!

Spotlight

030 Spotlight検索をうまく使いこなそう

iPadにインストールされているアプリを素早く検索できるSpotlight検索は、アプリだけでなくあらゆるファイルを検索対象にできる。アプリやメール、メッセージ内の文章に加えてメモ、カレンダー、リマインダーなど標準アプリ内に保存されているテキストデータを検索できるほかEvernoteやLINEのメッセージなど他社製アプリの多くに対応している。以前は背後のホーム画面が隠れていたが、現在では背景を隠さず検索できるようになった。

キーワードを入力する

1 アプリ内のデータを検索する

ホーム画面の真ん中あたりを下へフリック、または右へフリックすると検索画面が表示される。キーワードを入力するとそのキーワードを含むiPad内にあるデータが表示される。

「マップをタップ

2 地名を入力してマップで表示する

地名を入力すると「マップ」というメニューが表示される。タップするとマップアプリがその場所を表示してくれる。

辞書

031 「調べる」の範囲を内蔵辞書に限定する

選択した文字列の意味を調べる方法は、以前より検索対象が拡大され、辞書だけでなく、関連のある映画、Wikipedia、iTunes内のコンテンツ、App Store内のコンテンツなども検索結果に表示できる。便利ではあるが毎回インターネットに接続するため、検索結果の表示が遅くなってしまう欠点もある。辞書で意味だけ調べたい場合は「調べるに表示」をオフにしよう。

標準設定では「調べる」を選択すると、辞書だけでなくこのように映画情報やWikipediaなどの情報も表示されてしまう。

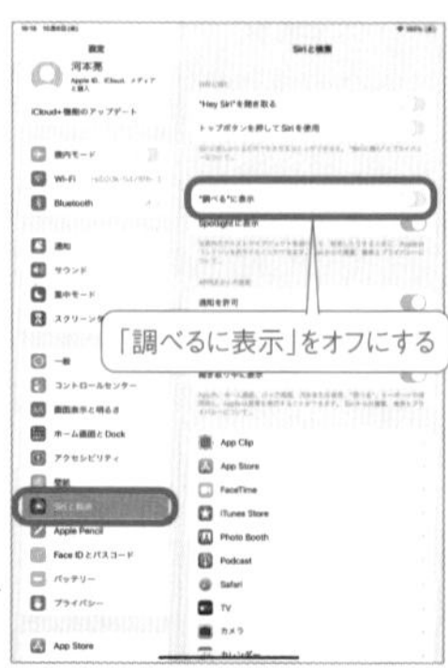

以前のように辞書だけを表示するには、「設定」画面の「Siriと検索」から「調べるに表示」をオフにしよう。

032 Siri 知っておくと便利なSiriのすごいテクニック

Spotifyやポッドキャストの操作が可能に

iPadに直接話しかけて各種操作を行う音声操作アプリ「Siri」は、「今日の天気は?」と聞けば、即座に現在地点の天気予報を表示し、「おすすめの音楽をかけて」と話せば視聴履歴に基づいて自動でプレイリストを作成してくれる。車の運転時や一瞬が見逃せないスポーツ観戦時など、脇見せずにiPadを使いたいときには「ヘイ Siri」を有効にしよう。ホームボタンを押さなくても「ヘイ Siri」と声をかけると起動できるようになるので集中力を維持することが可能だ。

ここまでは多くの人が使いこなしている基本的なSiriの使い方だが、Siriはまだまだいろいろな利用ができる。iPadOSでは「Podcast」アプリのコントロールもできる。「ポッドキャストを再生して」と話しかけると、ポッドキャストで購読している番組から最新のエピソードを再生してくれる。続けて「次の番組」と話しかけるとほかのエピソードを再生してくれる。ほかに、「ブック」に登録しているオーディオブックやラジオアプリもSiriで操作できる。

また、AirPodsの装着時に通知が届くと、Siriが自動で読み上げることができる。アプリごとに通知内容を読み上げるかどうかカスタマイズすることもできる。「設定」画面の「通知の読み上げ」か、「Siriと検索」の「通知の読み上げ」から、アプリごとに読み上げるかどうか設定できる。

Siriの知られざる機能を使いこなそう

1 Siriを起動する

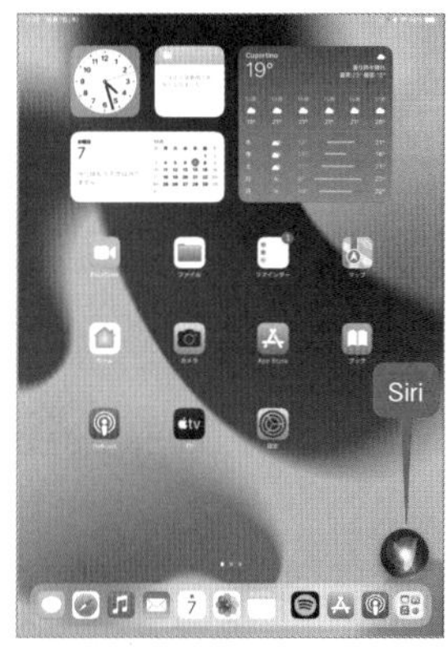

ホームボタン、もしくは電源ボタン(iPad Pro、Air 4、mini 6)を長押ししてSiriを起動する。右下端にSiriのアイコンが出現したら、Siriに調べてほしいことを話しかけよう。

2 ポップアップで結果が表示される

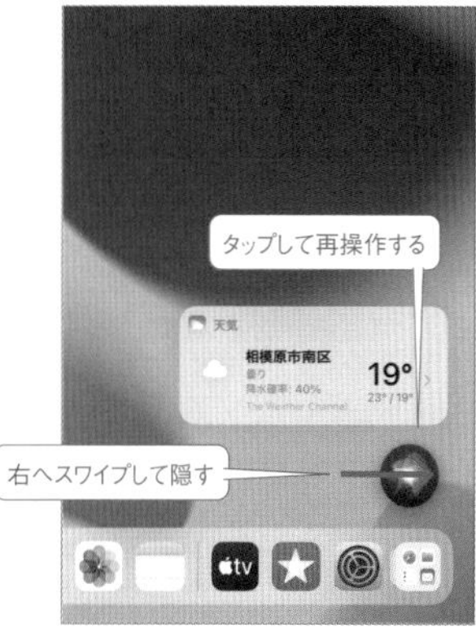

Siriの結果もこれまでと異なり画面端にポップアップで表示される。また、Siriボタンをタップすると再操作、右へスワイプするとボタンを隠すことができる。

3 ラジオを再生する

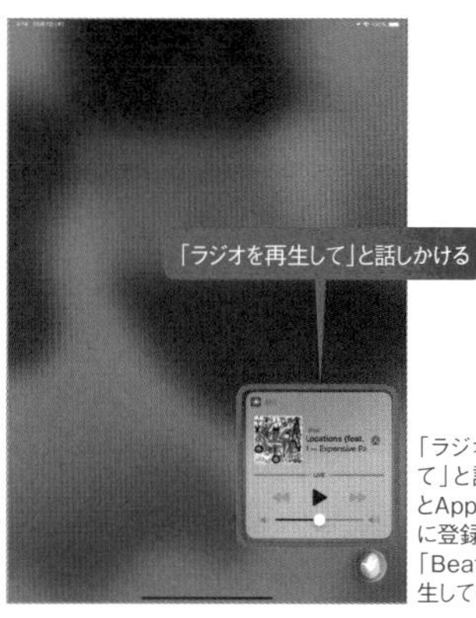

「ラジオを再生して」と話しかけるとApple Musicに登録していれば「Beats 1」を再生してくれる。

4 Spotifyを操作する

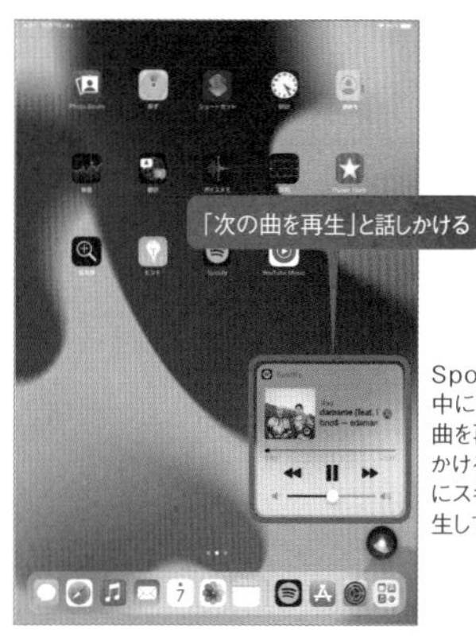

Spotifyを再生中にSiriで「次の曲を再生」と話しかけると、次の曲にスキップして再生してくれる。

5 AirPods装着時の通知をカスタマイズ

AirPod装着時に届いた通知もSiriが読み上げてくれる。アプリごとに設定するには「設定」の「通知」から「通知の読み上げ」を選択する。

6 特定のアプリを読み上げる

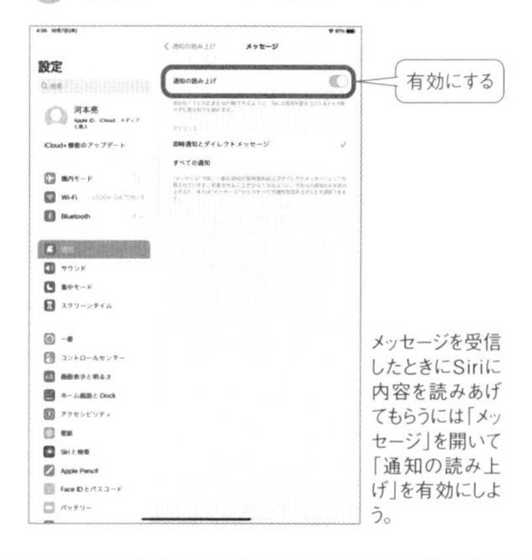

メッセージを受信したときにSiriに内容を読みあげてもらうには「メッセージ」を開いて「通知の読み上げ」を有効にしよう。

マスト!

Handooff

033 iPadでの作業の続きをMacやiPhoneで行う

移動中にiPadで書いた文章の続きをMacで書くときは「Handoff」機能を利用しよう。有効にするとiPadで実行中のアプリの状態をMacやほかのiOSデバイスに瞬時に反映できるようになる。メール、メモ、Safariなど Apple純正アプリであれば大半は対応している。逆にMacやiPhoneで起動中のアプリ内容をHandoffを利用してiPadに反映させることも可能だ。

なお、Handoffを利用するには両方のデバイスのBluetoothを有効にし、同じApple IDでiCloudにログインしておく必要がある。

「設定」の「一般」から「AirPlay とHandoff」を開き、「Handoff」のスイッチを有効にしよう。

アプリを起動して、ほかのデバイスに近づけよう。Mac の場合 Dock 右から表示されるアイコンをクリックしよう。

入力

034 キーボードショートカットでよりiPadを効率的に使う

iPadは外付けキーボード用のショートカットが用意されている。使いこなせば作業は劇的に楽になる。普段、Bluetoothキーボードでipadでテキスト入力をしている人は覚えておこう。WindowsやMacなどのPCで利用するショートカットキーのほかに、「ホーム画面に戻る(command+shift+H)」「アプリを切り替える(command+tab)」「Spotlight検索(command+スペース)」「ショートカットメニュー表示(commandキー長押し)」などiPadならではのショートカットが利用できる。

利用しているアプリのショートカットキーを調べたいときは、キーボードを接続した状態で「command」キーを長押しする。そのアプリで利用できるショートカットキーが一覧表示される。

035 テザリング Instant Hotspotでテザリングを快適に使う

iPhoneで素早くネットに繋いでiPadでインターネット

iOS の機能「Instant Hotspot」では、インターネット共有(テザリング)が簡単にできる。所有している機器が同じ Apple ID で iCloud にログインしていれば、Wi-Fi の接続先にテザリング接続可能な機器が表示されるので、そちらをタップするだけでテザリングが開始される。従来の「インターネット共有」よりもはるかに手軽に接続でき、事前の設定も不要と、とにかくお手軽。ただし、格安 SIM 業者の回線を利用している iPhone だと、テザリングができないことがあるので注意。

1 同じApple IDでサインイン

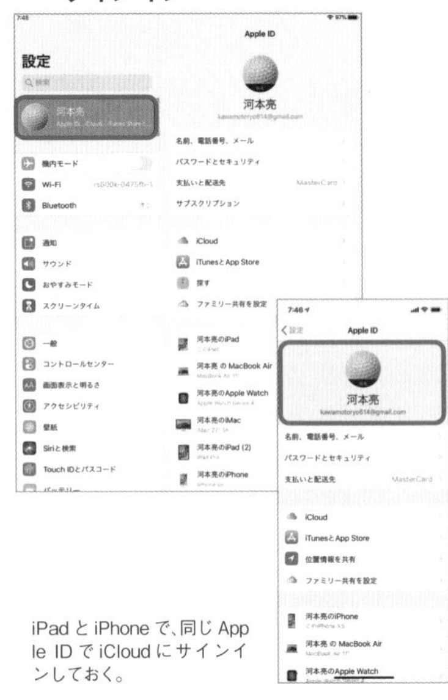

iPad と iPhone で、同じ Apple ID で iCloud にサインインしておく。

2 iPhoneにWi-Fi接続

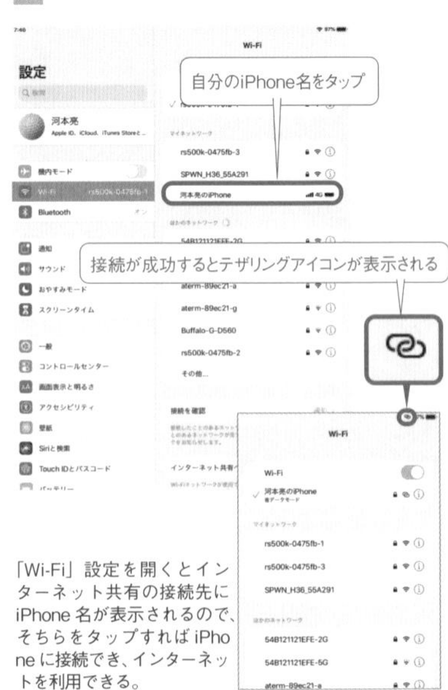

「Wi-Fi」設定を開くとインターネット共有の接続先に iPhone 名が表示されるので、そちらをタップすれば iPhone に接続でき、インターネットを利用できる。

マスト!

AirDrop

036 AirDropで連絡先や様々なデータを素早く交換する

AirDropは、iOSデバイス同士で、Wi-Fi/Bluetoothを経由して写真やテキストを直接送信できる機能。メールやメッセージを使わずに、手軽にデータのやりとりが行える便利な機能だ。「写真」アプリや「連絡先」などの標準アプリだけでなくほとんどのアプリから呼び出すことができる。またiOSデバイスだけでなくMacともAirDropでやり取りが可能。パソコン上のファイル転送がケーブルなしで素早く行え便利だ。

アプリの共有メニューから起動し、送信したいユーザーをタップして、データを送信しよう。

上級技

キーボード

037 二本指タップでiPad上でマウスカーソルを動かす

iPad で範囲選択するには、タップして表示される範囲選択カーソルをドラッグする必要があるが、手間がかかる上、誤操作を起こしやすい。しかし、このカーソル機能を使えば、キーボード上で二本指を動かすだけでスムーズにカーソル移動ができるようになる。カーソル移動している間はキー操作は無効になるので誤入力する心配もない。範囲選択する場合は、画面をタップして表示されるメニューから「選択」を選択したあと、二本指でカーソルを移動させよう。

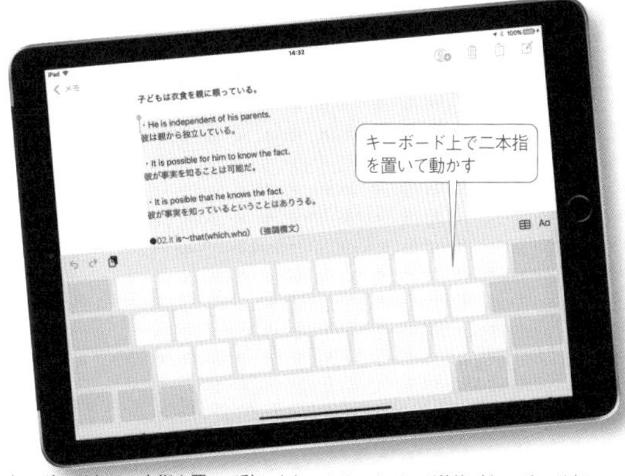

キーボード上で二本指を置いて動かすと、トラックパッド状態（キーボード上に文字が表示されなくなる）に切り替わり、カーソルを自由に動かすことができる。Gboard など、他社製キーボードでは使用できない。

マスト!

通信

038 Wi-FiやBluetoothを完全に終了するには?

コントロールセンターにある Wi-Fi や Bluetooth のボタンは、タップしてオフにしても完全にオフになっていない。繋がっていたデバイスとの接続を切断して「未接続」という状態になっているだけだ。そのため、自動接続が可能なエリアに入ると知らない間に接続してしまう。Wi-Fi や Bluetooth を完全にオフにしたい場合は「設定」アプリの「Wi-Fi」や「Bluetooth」を開き、スイッチをオフにしよう。

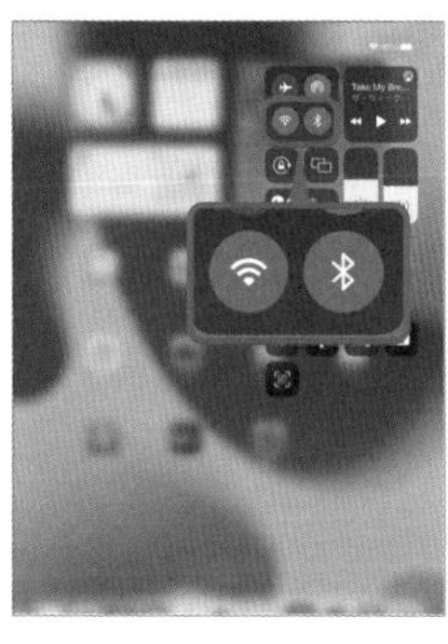

コントロールセンターを開き、Wi-Fi と Bluetooth のボタンをタップしてオフ状態にする。この状態はつながっていたデバイスとの接続を解除しただけだ。

完全にオフにするには「設定」アプリを開いて「Wi-Fi」や「Bluetooth」を開く。スイッチが有効状態になっているので、これをオフにしよう。

マスト!

マルチタスク

039 Appスイッチャーでアプリを終了させる

アプリを切り替えるには、ホーム画面に戻ったあと、ほかのアプリアイコンをタップしてもいいが、ホームボタンを 2 回連続して押すか、画面下から上へスワイプすると起動する「App スイッチャー」画面から、一時停止中のアプリを切り替えることもできる。また、大量のアプリを起動したままにしておくと、iPad の動作が重くなったり不安定になる。その場合は App スイッチャーでプレビューを上へスワイプすれば、そのアプリを完全に終了させることができる。

※ 16 ページにも関連情報があります。

Spotlight

040 Spotlight検索の項目を変更する

iPad内のファイルの検索に利用するSpotlightは、初期設定だとキーワードに合致するありとあらゆるファイルを表示してしまうため、探しづらいこともある。検索対象を絞り込んで効率よく目的のファイルを探そう。「設定」画面の「Siriと検索」で、検索結果に表示したいファイルの種類のみ有効にしよう。なおこの画面ではホーム画面で上か下へフリックしたときに検索フォームとともに表示される「Siriの検索候補」のオン・オフも行える。

iPadの「設定」→「Siriと検索」を開き、検索結果に表示したいファイルの種類のみ有効にしておこう。

上級技

Spotlight

041 iPadでちょっとした計算をするには

iPhoneと異なりiPadには電卓アプリが搭載されていないが、簡単な四則計算であればSpotlightを電卓代わりに利用することができる。このとき、キーボードでSpotlightに直接数式入力してもよいが、音声入力を使って計算式を話しかけるほうが素早く計算できるだろう。

なお、表示された計算結果をタップするとブラウザでGoogleの電卓画面が起動し、計算結果が表示される。計算結果からさらに複雑な計算をしたいときは、Googleの電卓画面を利用するのもよいだろう。

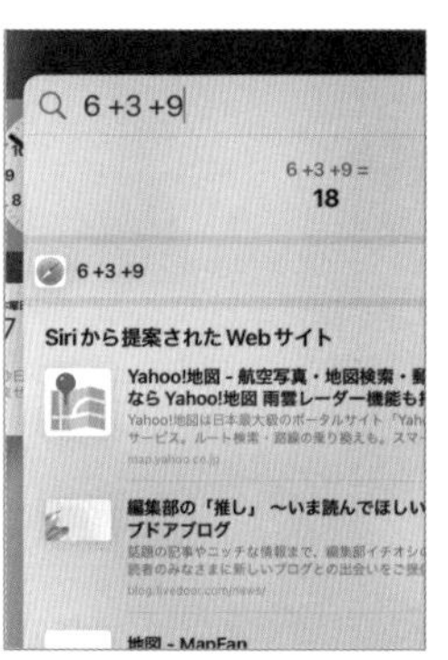

Spotlightに直接計算式を入力しよう。音声入力を使えば長い計算式でも素早く入力できる。

計算結果をタップするとブラウザが起動してGoogleの電卓画面を表示することもできる。計算結果をコピーしたり、より複雑な計算ができる。

ロック画面

042 ロック状態で音楽プレイヤーを操作する

現在のiPadは再生中の音楽情報が自動的にロック画面に表示され、音楽再生をコントロールすることが可能。しかし、音楽再生を一時停止してから数分経つと、ロック画面からコントロール画面が消えてしまう。そんなときはロック画面右上端から下へスワイプしよう。コントロール画面で再生すると再び表示できるようになる。また、音楽再生中はロック画面にその曲のジャケット画像が表示され早送りや巻き戻しなどそれなりの操作が可能。

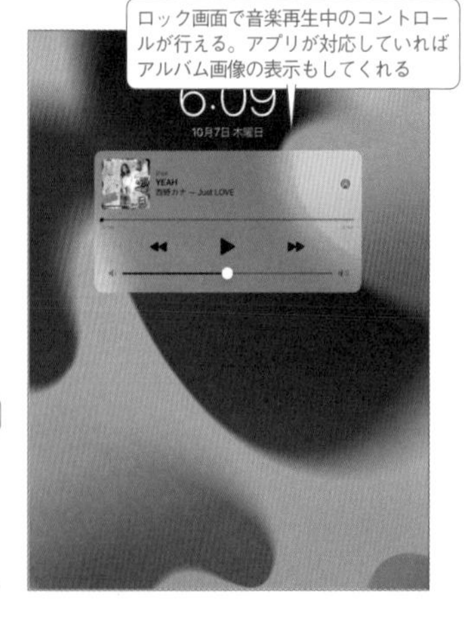

ロック画面の右上端から下へスワイプ。音楽再生をコントロールできる。再生中はロック画面上で再生操作が可能に。

キーボード

043 画面最下部にキーボードを固定したままフリック入力を行う

iPadのキーボードでフリックを入力を行うには、キーボードを分割するかフローティングにすればよいが(15ページ参照)、下の位置で固定して使いたい場合もあるだろう。その方法はQWERTYキーボードを表示させた状態で、キーボードの中央から左右の手の指を1本ずつ使って左右に広げてみよう。すると、キーボードを最下部に固定したまま分割できる。キーボードのアイコンのボタンをタップして「結合」を選べば元に戻すことができる。なお、iPad Proでは利用できない場合もある。

キーボードをQWERTYキーにした状態にする。キーボードの中央から二本指で左右に広げるようにスライドさせよう。

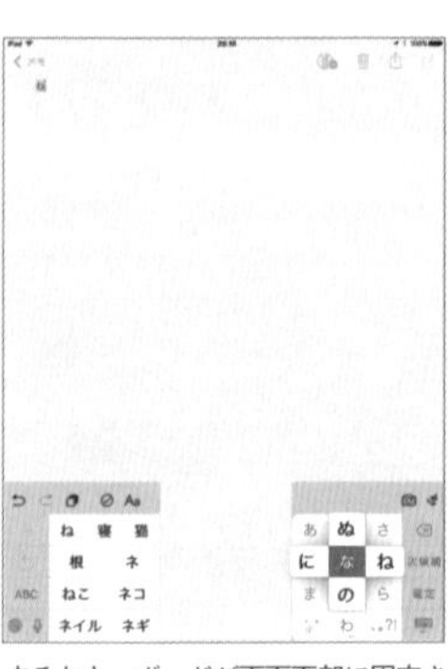

するとキーボードが画面下部に固定されたまま分割される。あとは日本語キー入力に変更すればフリック入力が可能だ。

ホーム画面

044 ウェブのブックマークをホーム画面に登録する

よくアクセスするWebサイトは、Safariのブックマークに登録する方法よりも、ショートカットをホーム画面に登録する方がより素早く目的のサイトにアクセスできる。Webサイトを開いたら共有アイコンをタップして「ホーム画面に追加」をタップ。ショートカットに名前を付けて保存すれば、ホーム画面にショートカットを作成できる。追加したショートカットはアプリアイコンと同じくフォルダにまとめたり、好きな位置に移動させるほか、名前を変更することもできる。

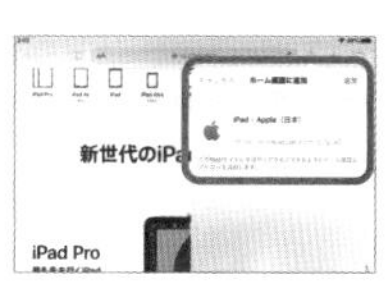

Safariでページを開き、共有アイコンをタップ。「ホーム画面に追加」をタップして名称を入力。「追加」でホーム画面にアイコンが追加される。

ホーム画面

045 ホーム画面にフォルダを作ってアプリを管理する

アイコンが増えてくると、いざアプリを利用したい時に目的のアプリが探しづらくなってしまう。そこで、ホーム画面にフォルダを作成し、ジャンル別や目的別といったようにアプリを整理しよう。フォルダを作成するには、フォルダにまとめたいアイコンを長押しタップ。アイコンが振動した状態で、このアイコンをフォルダにまとめたいアイコンにドラッグして重ねればOK。アイコンを複数選択してまとめてフォルダへ移動することもできる。便利なので知っておこう。

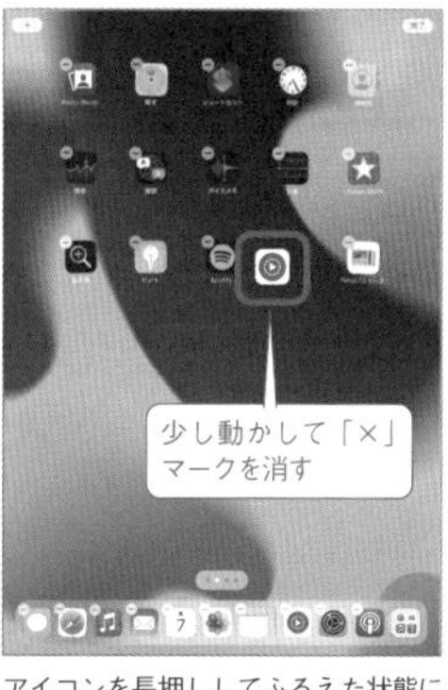

アイコンを長押ししてふるえた状態にして、少し動かし、アイコンの「×」マークを消した状態にする。

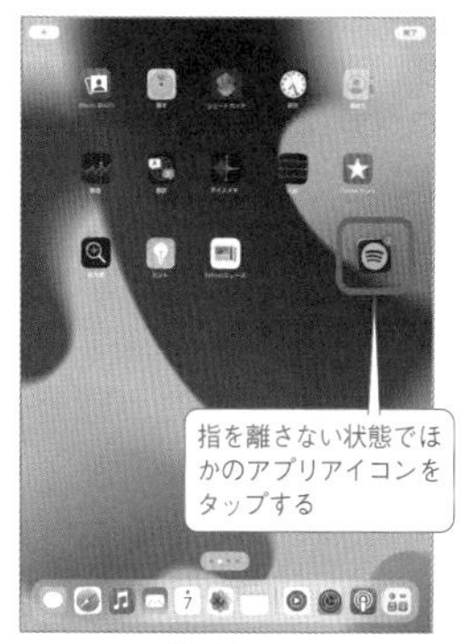

アイコンから指を離さないまま、一緒に移動させたい別のアプリアイコンをタップする。すると選択したアイコンが自動で重なる。

上級技

共有メニュー

046 共有メニューのアプリアイコンを並べ替えて使いやすくする

アプリで開いているデータや情報を他のアプリへ送るときに開く「共有」メニュー。各アプリの共有ボタンをタップしてメニューを開くと、送信可能なアプリのアイコンや利用できる機能が並んでいるが、よく使うアイコンや機能をアクセスしやすい位置にカスタマイズすることで、作業をより効率的に進めることができる。並び替えるには「その他」メニューを開こう。「よく使う項目」にアプリを追加すれば並び替えられる。

共有メニューを開き、並んでいるアプリアイコンの一番右にある「その他」をタップする。

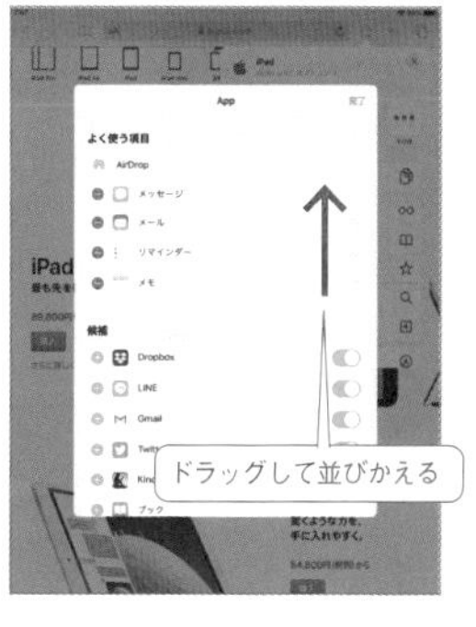

「よく使う項目」に並び替えたいアプリを追加したあと、ドラッグして並びかえよう。

iPadOS 15

通知

047 不要な通知を、あとでまとめて通知する「時刻指定要約」

iPadOS 15では「時刻指定要約」という機能が追加された。標準ではオフになっているが、この機能を有効にすると、緊急性のない不要なアプリの通知をリアルタイムではなく、指定した時刻にまとめて受け取るようにできる。メールやメッセージなどコミュニケーションアプリ以外のものは時刻指定要約に登録しておこう。余計な通知を減らすことができる。なお、なおスケジュールは1つだけでなく複数追加できる。

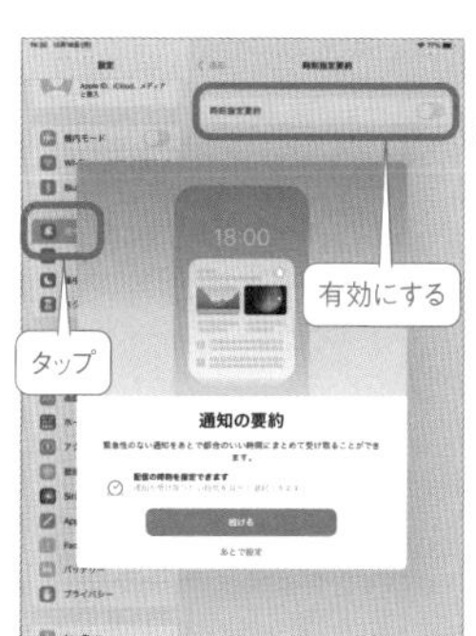

「設定」アプリから「通知」をタップして「時刻指定予約」と進み、スイッチを有効にする。

緊急性のないアプリにチェックを入れていき、次の画面でまとめて通知してもらう時刻を設定しよう。

048 ボイスメモ iPadでも使えるボイスメモを使おう

トリミングや再録音など高度な編集機能も備えた録音アプリ

iPadには音声録音アプリ「ボイスメモ」が標準搭載されている。iPadに話しかければ、その内容をm4a形式の音声ファイルで保存することができる。録音した音声ファイルは、iCloudを通じてiPhoneやMacのボイスメモと同期することができるほか、共有メニューから外部アプリへ保存することもできる。

録音した内容から範囲指定した場所を切り抜いたり、削除するなどシンプルで使いやすい編集機能や、録音したファイルに上書き録音する「再録音」機能なども搭載しており、多機能で動作が安定している。最新版では再生機能が強化され、再生時にボイスメモの録音の再生速度を、速くしたり遅くしたり、無音の部分をスキップすることができる。

1 録音ボタンをタップして録音する

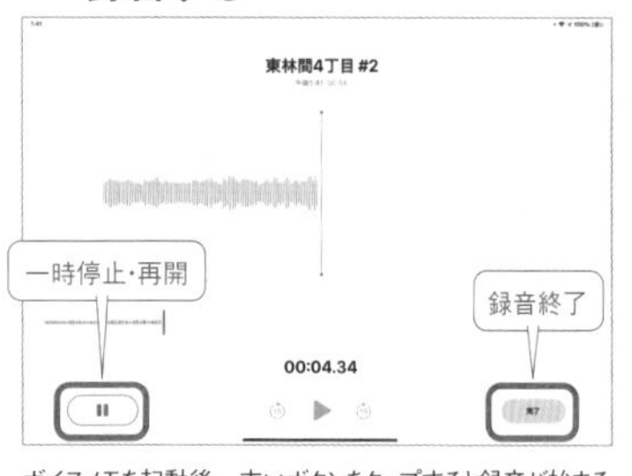

ボイスメモを起動後、赤いボタンをタップすると録音が始まる。一時停止する場合は左下のボタンをタップ。終了する場合は右下のボタンをタップしよう。

2 録音したファイルを再生する

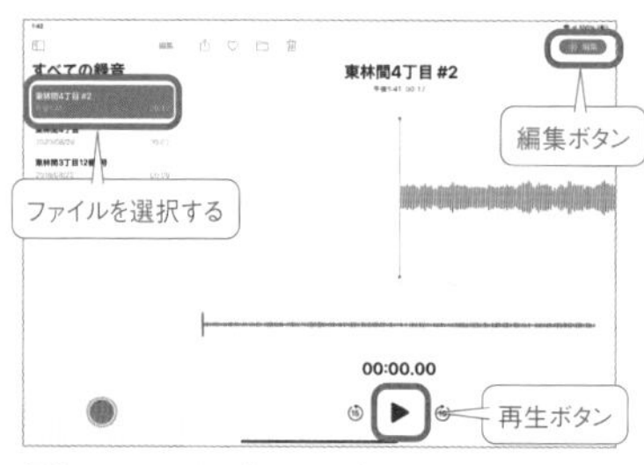

録音したファイルを再生するには左からファイルを選択して再生ボタンをタップする。編集する場合は右上の編集ボタンをタップする。

3 録音したファイルを編集する

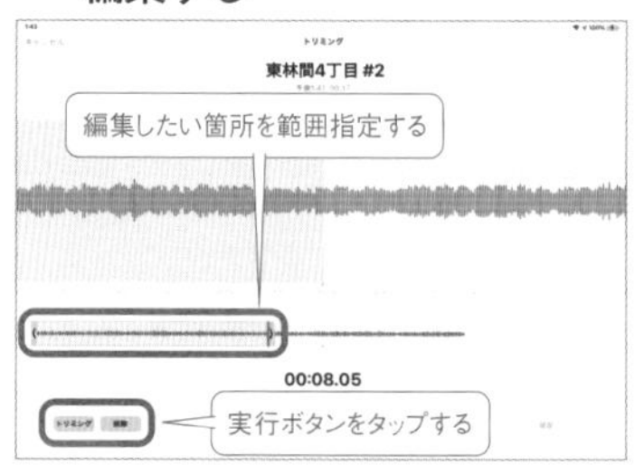

トリミング、もしくは削除したい部分を黄色い枠を調節して範囲指定する。範囲指定したら下にある各実行ボタンをタップしよう。

049 基本操作 4本指のスワイプでアプリを切り替える

設定の「ホーム画面とDock」→「マルチタスク」で「ジェスチャ」をオンに設定すれば、通常ホームボタンを2回押して表示するAppスイッチャーやコントロールセンターを、4本指で上へスワイプすることで表示させることができる。また、アプリ起動中に4本指で左右にスワイプすると、アプリの切り替えが可能（タスク切り替えに表示される順番で切り替えられる）。複数のアプリを行ったり来たりするときに便利だ。この操作は覚えておくと非常に便利なので、是非活用しよう。

4本指で上へスワイプするとAppスイッチャーやコントロールセンターを表示。

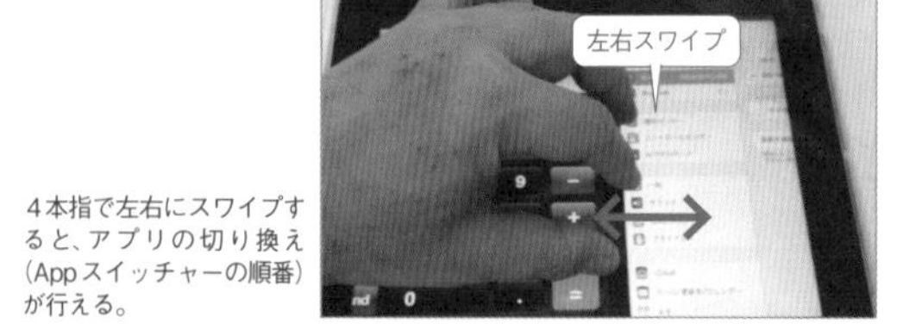

4本指で左右にスワイプすると、アプリの切り換え（Appスイッチャーの順番）が行える。

050 SIMカード データ専用の格安SIMを利用する

セルラーモデルのiPadを利用しているユーザーがネットに接続する場合、Wi-Fiや大手キャリアが提供するモバイルデータのほかに格安SIMを利用した接続方法がある。格安SIMの接続業者はたくさんあるが、おおよそ月額1,000円～2,000円で3～5GB程度のモバイルデータを利用できる。それほどモバイルデータを使わないなら格安SIMに乗り換えるのがおすすめだ。

Appleストアで販売されている「Wi-Fi+セルラー」モデルなら、格安SIMを購入して契約手続きをすればすぐに利用することができる。例えば、「楽天モバイル」ならば月で1GB以下ならば0円、3GBまでは1,078円で活用できる。

キャリア契約のセルラーモデルの場合はSIMロックを解除する必要がある。ロック解除は各キャリア店頭で行える。

051 キーボード Magic Keyboardはこんな人に向いている

iPadをノートパソコンのように使いたい

Appleは2020年春に「Magic Keyboard」を発売した。MacBookやMacに付属しているキーボードライクなのが特徴で、これまでPCでキーボードを使っていた人なら快適にタイピングできるのが最大のメリットだ。また、トラックパッドでマウスカーソルを操作できる点も魅力。

ただし、Smart Keyboardシリーズと比べると300gも重くずっしりしており、着脱もしづらいため、従来のタブレットのようにも使いたいという人には向いていない。また、価格も、かなり高めだ。iPadをよりノートPC化させたいという人におすすめだ。

MacBookのキーボードと同じ感覚でトラックパッドを利用できる。ノートパソコンのようにタイピングも快適に行える。

Magic Keyboardは現在、11インチiPad Proと12.9インチiPad Pro（第3世代～）、iPad Air（第4世代）に対応している。

052 キーボード Smart Keyboard Folioはこんな人に向いている

タブレットと手書きノートをメインに使いたい

以前からあるSmart Keyboard Folioのメリットは、タブレット的な良さを最優先にして設計されていることだ。着脱しやすく非常に軽いため携帯性がよく、メモを取りたくなったときにサクッと片手で手書きのメモを取ることができる。手書きノートアプリをメインに使っている人であれば、こちらを選択するのが賢明だ。

Magic Keyboardのようなトラックパッドは搭載されておらず、ノートパソコンのような快適なタイピング性は正直期待できないが、出先でちょっとテキスト入力をする程度であれば問題はない。

Smart Keyboard Folioは、11インチiPad Proと12.9インチiPad Pro（第3世代～）、iPad Air（第4世代）に対応している。トラックパッド領域は存在しない。また、旧iPad Pro、無印iPad（第7世代以降）、Air（第3世代）に対応しているSmart KeyboardもこのFolioとほぼ同じイメージと考えていいだろう。

Magic Keyboardと比べて300gも軽く、折りたたんで手書きメモを取りやすいのがメリット。手書きノートアプリ派におすすめ。

053 通知 集中モードを使って余計な通知をできるだけオフにする

通知設定を細かく設定したパターンで管理できる

iPadOS 15で新たに追加された「集中モード」は通知機能を強化したもので、不要な通知を表示しないようにできる一方で、電話やメッセージなどはあらかじめ指定した連絡先のみが着信できるようにしてくれる。

以前からある「おやすみモード」をバージョンアップしたような機能で、睡眠だけでなく仕事や勉強、趣味などほかの作業に没頭しているときに本当に必要な通知以外はすべて非表示にしてくれる便利な機能だ。

集中モードの設定は、「設定」アプリに新たに追加された「集中モード」から行う。メニューではこれまでの「おやすみモード」のほかに、「睡眠」「パーソナル」「仕事」の4種類が用意されているが、最大10種類追加したりカスタマイズすることができる。

用意されている「仕事」集中モードを有効にすると、重要な連絡先やアプリからの通知のみを許可し、それ以外の通知はすべてのデバイスで知らせないようにしてくれる。また、指定した時刻、場所、ある特定のアプリを使用時のみ仕事集中モードを自動で有効にしてくれる。

設定によってはiPadだけでなくApple IDで紐付けられたすべてのAppleデバイスでオフにしてくれる。集中モードの初期設定は「設定」アプリで行うことになるが、集中モードのオン・オフの切り替えはコントロールセンターから行おう。なお、コントロールセンターの集中ボタンを長押しすると設定を編集することもできる。

集中モードの「仕事」集中モードを使ってみよう

1 集中モードの設定画面を開く

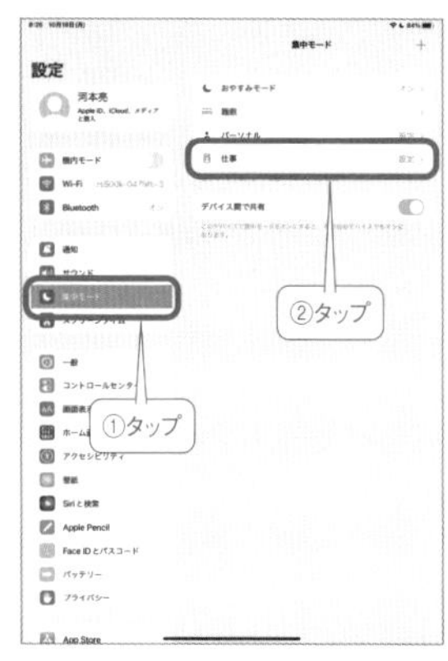

「設定」アプリを起動し、「集中モード」をタップする。集中モードの設定画面が表示される。ここでは「仕事」集中モードを使ってみよう。

2 連絡先の許可設定

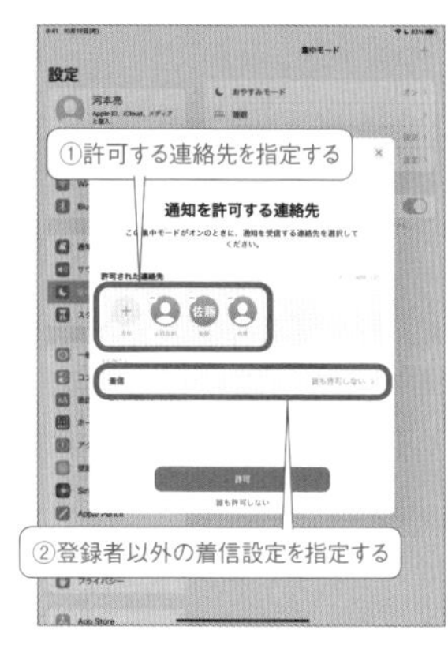

まず、集中モードでも通知を許可する連絡先を登録しよう。登録者以外のその他の人からの着信時の設定も指定できる。

3 許可するアプリの設定

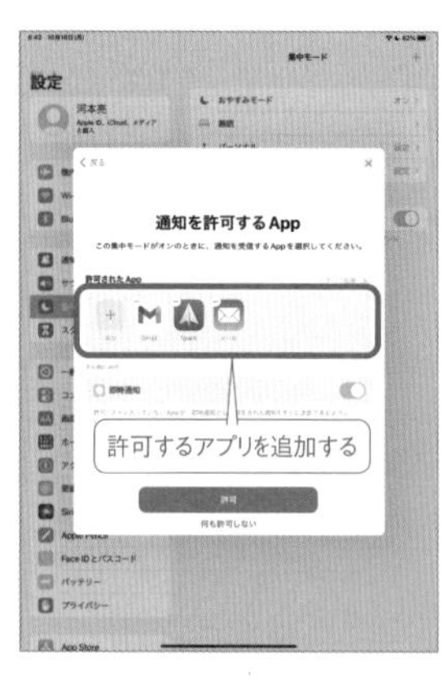

続いて通知を許可するアプリを登録しよう。メールアプリなど仕事で利用するアプリを登録しよう。

4 集中モードを有効にする

設定が完了したら、作成した仕事集中モードの設定画面を開き「仕事」のスイッチを有効にする。これで設定した連絡先やアプリ以外からの通知はオフになる。

5 コントロールセンターから操作する

集中モードのオン・オフの設定をするたびに「設定」アプリを起動するのは手間がかかる。コントロールセンターを引出し、集中モードボタンをタップ。

6 集中モードのカスタマイズ

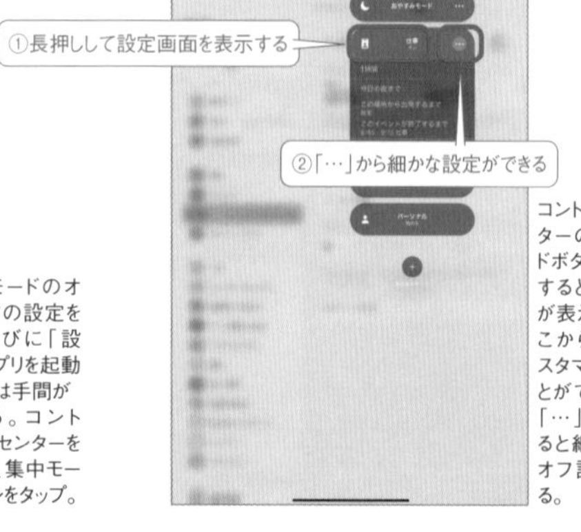

コントロールセンターの集中モードボタンを長押しすると設定画面が表示される。ここから設定をカスタマイズすることができる。また「…」をタップすると細かなオン・オフ設定ができる。

メッセージ・メール

年々機能が増え便利になっているメッセージの活用法はもちろん、標準メールをより使いやすくするテクニックやGmailの便利な使い方、ピンポイント技などを解説!

上級技

054 メール 標準メールアプリをさらに快適に使う方法

Split Viewを使ってメールアプリを2つ起動する

標準で搭載されている「メール」アプリは、ほかのメールアプリに比べてシンプルで機能数は少ないものの、iPadで利用するのに最適な設計にされており、特にSplit Viewと併用すれば快適なメール作業が行える。Split Viewで「メール」アプリを2つ同時に起動することができ、別のメールを参照しながらメールを書いたり、あるアカウント内にあるメールをドラッグ&ドロップ操作で別に登録しているアカウントのメールフォルダに移動することが可能だ。なお、Split Viewにするとメール一覧と本文画面を同時に表示できなくなるが、比率を7:3に変更することで両方の画面を表示することができる。

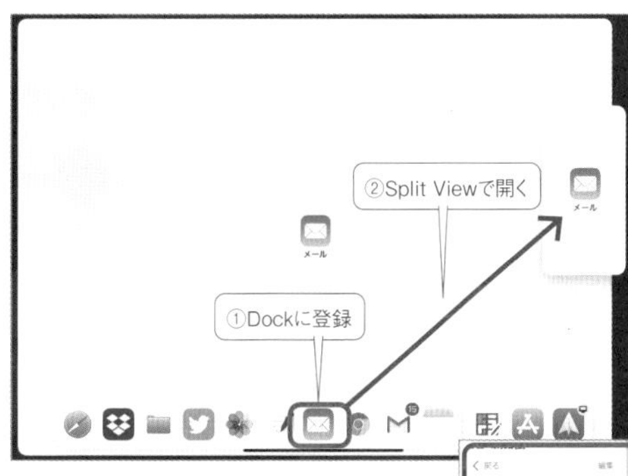

1 Dockに登録してSplit Viewで起動する

あらかじめ「メール」アプリをDockに登録しておき、1つ目の「メール」アプリを起動してからSplit Viewで2つ目の「メール」アプリを起動する。もちろん、iPadOS 15で可能になった方法(22ページ)でもOKだ。

2 比率を7:3にするとリストも表示できる

画面を半分に分割するとメール一覧と本文が同時に表示できなくなる。しかし、比率を7:3にすることで表示できるようになる。

メール

055 メールをフィルタリングして目的のメールを素早く見つける

iPad標準の「メール」アプリに搭載されているフィルタ機能を使用すれば、受信トレイのメールから「未読」や「添付ファイル付き」といった条件で、簡単にメールを絞り込むことができる。フィルタを使うには、受信トレイを開き、メッセージ一覧の左下にあるアイコンをタップする。「適用中のフィルタ」をタップして、絞り込み条件を選択しよう。フィルタの種類は固定されており、ユーザーがカスタマイズすることはできないが、未読メールを探して延々とスワイプするといった手間が省けるので、覚えておくと便利な機能だ。

受信トレイを開いてメッセージ一覧画面を開いたら、左下にあるアイコンをタップし、「適用中のフィルタ」をタップする。

使用できるフィルタの一覧が出るので、適用したいフィルタをタップしてチェックマークを入れ、「完了」をタップすれば、メールがフィルタリングされる。

マスト!

メール

056 メールの送信元を設定する

「メール」アプリで複数のメールアカウントを使い分ける場合、注意したいのがメールを送信する際の送信元アドレス。標準設定ではメールを送信する際に利用される送信元アドレスは、設定の「メール」にある「デフォルトアカウント」にチェックが入っているメールアドレスになる。ただし「メール」アプリのサイドメニューに表示されているアカウント名をタップしてからメールを作成した場合は、そのアカウントが送信元となる。

また、メール作成時に「差出人」をタップすれば、送信元アドレスを変更することができる。

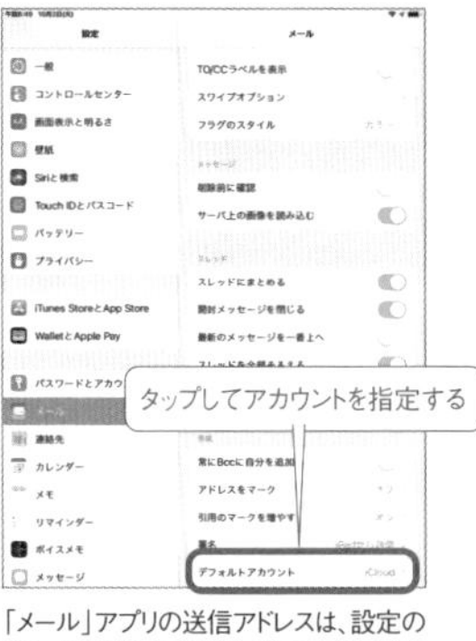

「メール」アプリの送信アドレスは、設定の「メール」を開いて「デフォルトアカウント」から設定したアカウントでメールが送信される。

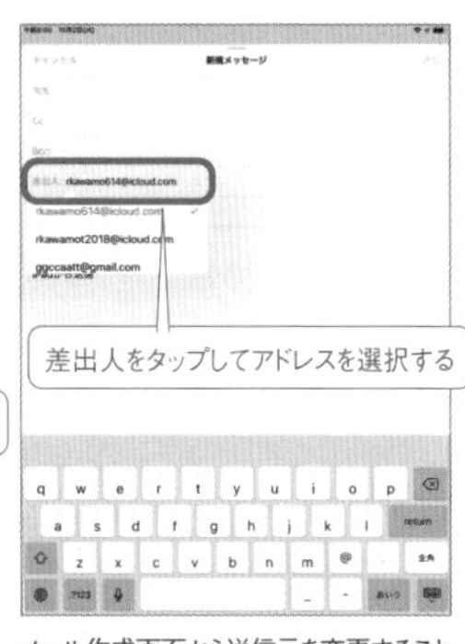

メール作成画面から送信元を変更することもできる。「差出人」をタップして、送信元に利用するメールアドレスを選択しよう。

メール

057 メールの作成画面で写真や動画を添付する

標準の「メール」アプリではメールに写真や動画を添付するには2通りの方法がある。1つは、写真アプリで写真や動画を選び、共有アイコンから「メールで送信」を選ぶ方法。もう1つはメール作成画面から本文に写真や動画を添付する方法だ。

手順は簡単で、本文部分の、写真を挿入したい部分をタップしてポップアップを表示させ、「写真またはビデオを挿入」をタップすると、カメラロールもしくはフォトストリームから写真やビデオを選択してメールに添付できる。なお、添付した写真のサイズを圧縮して送信することが可能だ。

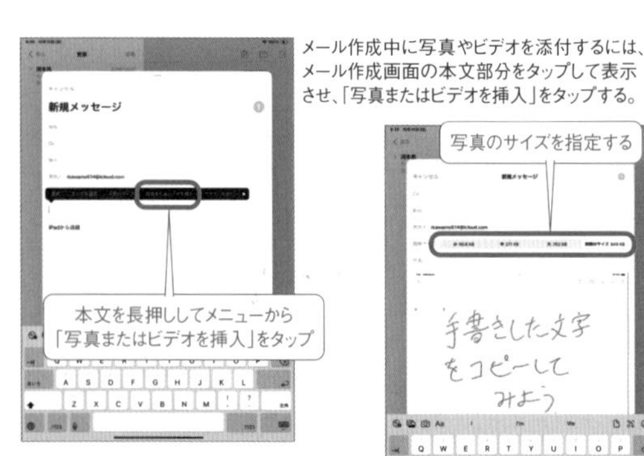

メール作成中に写真やビデオを添付するには、メール作成画面の本文部分をタップして表示させ、「写真またはビデオを挿入」をタップする。

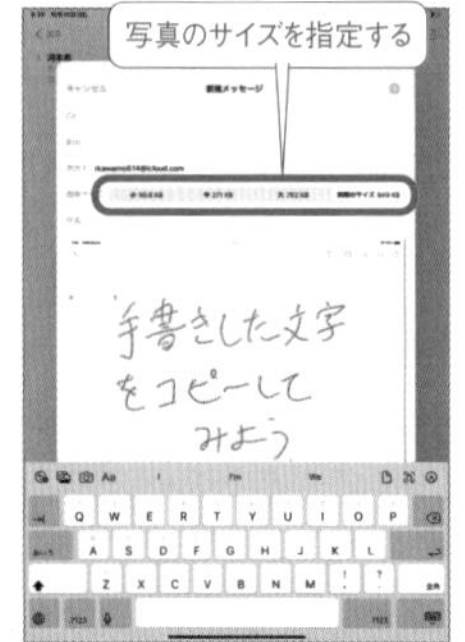

ファイルを選択するとファイルが添付される。サイズが大きい場合は、写真のサイズを指定して圧縮させよう。

iPad OS 15

メール

058 新機能のセンターウィンドウとシェルフを使いこなそう

iPadOS 15の「メール」アプリには「センターウインドウ」という新機能が追加されている。メール一覧画面でメールを長押しして「新規ウインドウで開く」をタップすると、そのメールが画面中央にポップアップのような形で表示される。

さらに、開いたセンターウインドウを下にスワイプすると「シェルフ」(※23ページ参照)に変換できる。膨大なメールから特定のメールを効率よく切り替えて参照したいときに便利だ。なお、センターウインドウ機能は「メール」だけでなく「メモ」などほかのアプリでも利用できる。

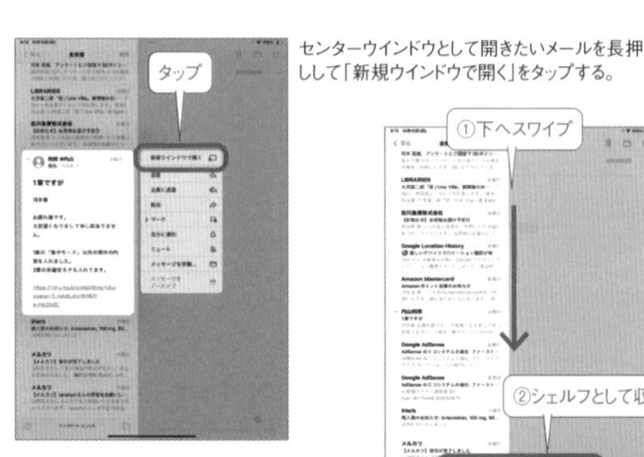

センターウインドウとして開きたいメールを長押しして「新規ウインドウで開く」をタップする。

センターウインドウを下へスワイプするとシェルフに変化する。複数のメールを開いて見比べるときに利用しよう。

メール

059 スレッドの最新メッセージを最上部に表示するには?

標準「メール」アプリには、同じ相手とのメッセージのやり取りを「スレッド」にまとめて表示してくれる機能が搭載されているが、デフォルトでは、スレッド内のメッセージが上から下へ昇順で表示される。メールボックスのメッセージ一覧表示では降順に表示されるため、少し違和感を感じるかもしれない。

そこで、設定の「メール」を開き、「最新メッセージを一番上へ」をオンに設定しよう。スレッド内のメッセージが新しいものから降順に表示されるようになる。もちろん元に戻すにはこの設定をオフにすればOKだ。

設定を開き「メール」をタップ。「最新メッセージを一番上へ」をオンにする。なおスレッド表示を有効にするには「スレッドにまとめる」をオンにする。

スレッド内のメッセージが、最新のものから降順に表示されるようになる。メールボックスの表示も降順なので、わかりやすい。

マスト!

メール

060 デフォルトの署名「iPadから送信」を変更するには

「メール」アプリを初期設定のままで使っていると、メール作成時に文末に「iPadから送信」という一文が自動的に追加される。この一文を削除したい場合は「設定」アプリの「メール」にある「署名」欄をカスタマイズしよう。

「iPadから送信」という一文を削除したいだけであれば署名欄にある文章を削除すればよい。代わりに自分の名前や住所、メールアドレス、電話番号などの署名を追加するとメール作成時に自動的に署名を追加することもできる。なお、「メール」に登録しているアカウント全体につけるか、指定したアカウントのみ署名を付けるかも設定できる。

「設定」アプリを開き「メール」を選択する。続いて「署名」をタップ。

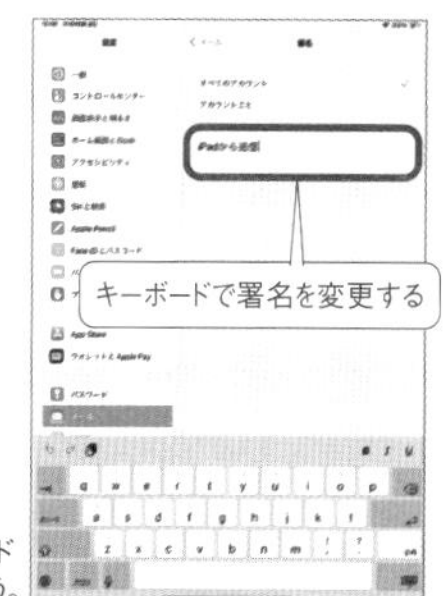

フォームの中の「iPadから送信」をキーボードで削除し、代わりに入れたい署名を入力しよう。

メール

061 メールで使える文字修飾をマスターする

通常のEメール(プロバイダやGmailなど)でも、プレーンなテキストだけでなく、簡単な文字修飾が利用できる。修飾したい文字を選択したら、ポップアップの「BIU」(ボールド/イタリック/アンダーライン)アイコンで3種類の文字修飾を適用できる。また「引用のマーク」で選択した文字の字下げ、字上げを設定可能。ここで指定した文字修飾は、パソコン宛のメールでも有効。読み飛ばして欲しくない重要なポイントを装飾しよう。

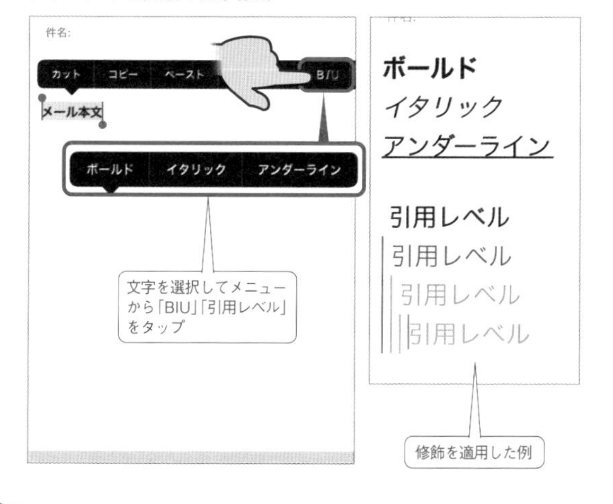

メール

062 受信トレイのメールをまとめて開封済みにする

ホーム画面の「メール」アイコンに未読メール数がずっと残っていると、ちょっと気になってしまう。だが大量に貯まった未読メールを開封していくのは面倒な作業。そこで、標準メールアプリで未読のメールをまとめて開封するテクニックを紹介しよう。未読メールがあるメールボックスを開いたら「編集」をタップ。上から下へドラッグして範囲選択して、左下の「マーク」をタップ。メニューから「開封済みにする」を選択しよう。

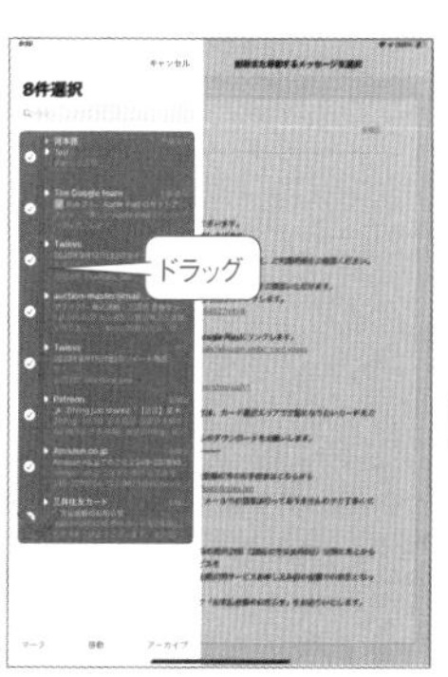

受信トレイを開き、右上にある「編集」をタップする。左に表示されるチェックボタンを上から下へドラッグする。

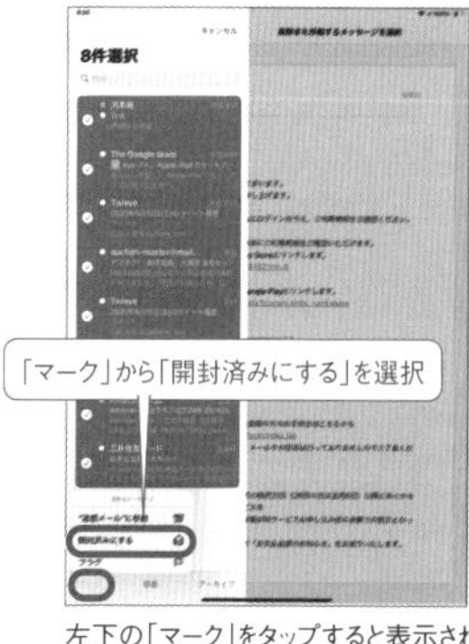

左下の「マーク」をタップすると表示されるメニューから「開封済みにする」をタップ。すべてのメールが開封済になる。

063 Gmail GmailをiPadで送受信しよう

GmailをiPadの「メール」アプリで送受信する

iPadでメールを利用する場合、是非活用したいのがGoogleのメールサービス「Gmail」。単なるフリーメールとしてだけでなく、強力な迷惑メール対策や条件を指定してメールを振り分けるフィルタ機能など、便利な機能が利用できる。

設定のメールからGmailアカウントを登録すれば、標準のメールアプリでGmailの送受信が行え、Googleカレンダーとの同期も行われる。事前に、SafariやパソコンからGmailのアカウントを取得しておき、メールアドレスとメールパスワードを用意しておこう。Gmailアカウントを追加すると事前にGmail上で作成した「ラベル」がそのまま「メール」アプリにも反映される(表記は「メールボックス」となる。Gmailで受信したメールをiCloudのメールボックスに移動するなどサービス間で自由にデータの移動が行える。

Gmailをメインで利用するなら、Gmail専用アプリがオススメ。メールはプッシュ受信されるのでテンポよくメールのやり取りができる。また、ラベル設定や迷惑メール設定などの機能がiPadから利用できる。インタフェースはPC版そのままで使い方に迷うこともない。最新版ではGoogle Meet機能が同梱されており、チームでビデオチャットをするこも可能だ。

App

Gmail
作者／Google, Inc.
価格／無料　言語／日本語

iPadの「メール」でGmailを送受信する

1 「メール」アプリでGmailアカウントを新規で追加する

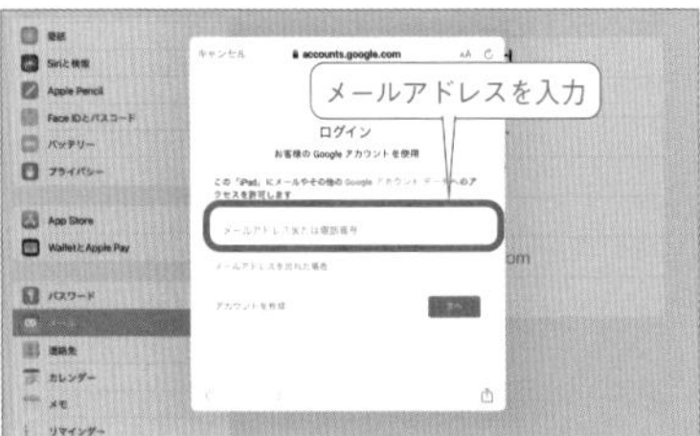

設定の「メール」→「アカウント」から「アカウントを追加」をタップ。「Google」をタップして、Gmailのメールアドレスを入力する。

2 パスワードを入力し同期する内容を設定

次の画面でパスワードを入力し、iPadと同期する内容を選択する。これらの設定は、メール設定に登録されたアカウントをタップしていつでも変更可能。

Gmailアプリでほかのメールアカウントを使う

1 「Gmail」アプリにほかのメールサービスを登録する

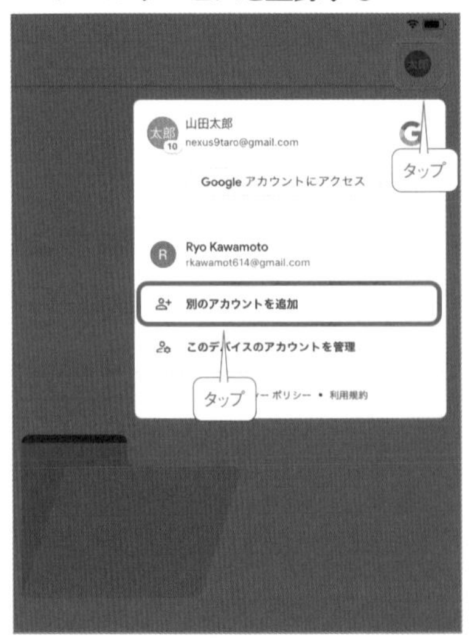

Gmailアプリは Gmail以外のアカウントを扱うこともできる。このアプリの使い勝手が気に入っている人は試してみよう。右上にあるアカウントアイコンをタップして「別のアカウントを追加」をタップする。

2 メールサービスを選択してアカウントを追加する

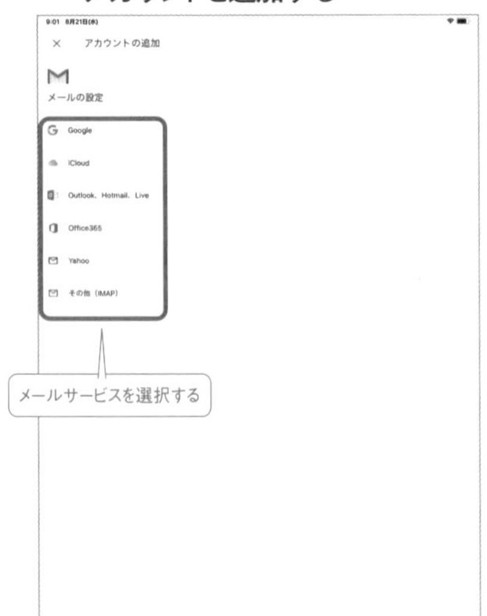

アカウントの追加画面が表示される。追加するメールサービスを選択して、アカウントとログインパスワードを入力しよう。

064 メール 添付写真やPDFにマークアップしてメールを送信する

インラインスケッチと同じツールメニューで手書き入力ができる

iPadの「メール」アプリでは、添付した写真やPDFにマークアップを使って指やApple Pencilで簡単に手書きの注釈を入力することができる。PDFに修正指示を入れたり、地図写真に手書きで説明を入れて送信するときなどに役立つだろう。手書き入力したファイルは共有メニューから外部に保存できる。

利用できるツールはインラインスケッチと同じく、ペン、マーカー、鉛筆、投げ縄ツールなど。また、iPadOSのアップデートにあわせてペンの太さやカラー、さらに定規ツールをカスタマイズできるほか、定規ツールを使って直線を引いたり、角度を測ることができるようになった。

1 メニューからマークアップを選択する

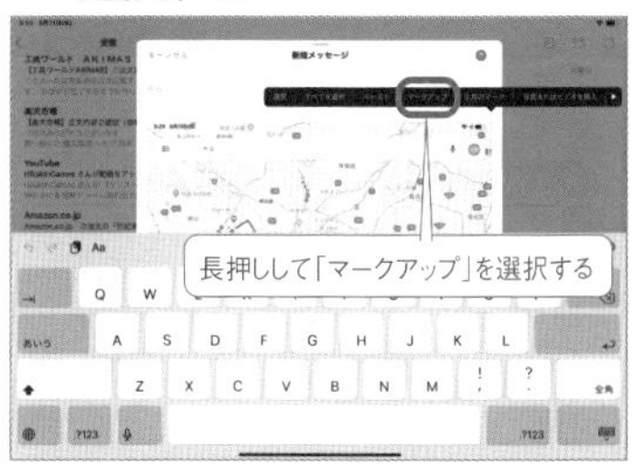

添付したファイルにマークアップをするには、ファイルを長押しして表示されるメニューから「マークアップ」を選択しよう。

2 マークアップで注釈を入れる

マークアップが起動する。下に表示されるツールメニューからペンやカラーを選択して、手書きでファイルに注釈を入力しよう。

3 共有メニューから外部に保存する

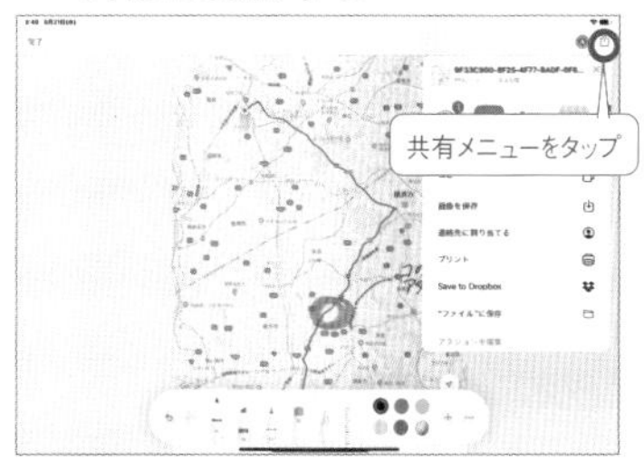

マークアップで入力した注釈はメールに添付するだけでなく、外部に保存することもできる。共有メニューをタップして保存先を選択しよう。

065 Gmail 高優先度のメールのみ通知させよう

「Gmail」アプリでは重要なメールが届いたときのみ通知する機能が搭載されている。機能を有効にするにはGmailアプリの設定画面の「通知」設定で「高優先度のみ」にチェックを入れよう。AIの判断で返信が必要と思われるメールや、期日が間近に迫っているメールなど、自動的に重要とマークされたメールを通知してくれる。

なお、通知設定画面では逆に、新着メールであればすべて通知するようにしたり、通知をなしにすることもできる。

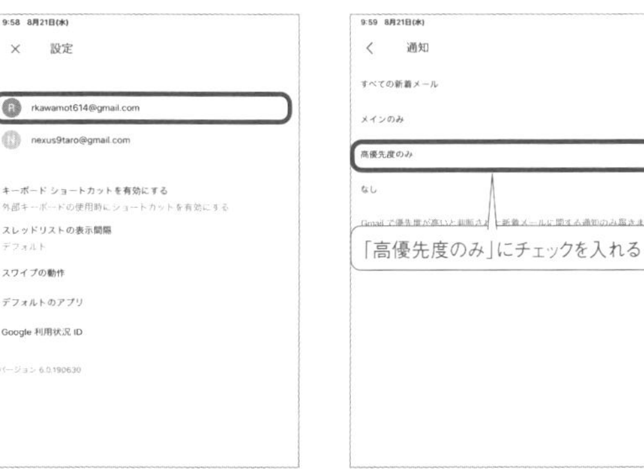

Gmailアプリの受信トレイの一番下にある「設定」をタップする。通知設定を変更するアカウントを選択する。

設定画面の中から「通知」を選択する。「高優先度のみ」にチェックを入れると、重要なメールと判断したメールのみ通知してくれるようになる。

iPadOS 15 066 Gmail Gmailは新しいマルチタスク機能に対応している

GmailアプリはiPadのSplit ViewやSlide OverなどのiPadのマルチタスク機能に対応している。メール内の記載されたスケジュールを確認しながら、カレンダーアプリに登録したり、写真をドラッグ&ドロップでメール作成画面に添付することが可能だ。また、iPadの新しいマルチタスク機能に対応しており、アプリ上部の「…」からSplit Viewを起動できる。

067 Gmail Gmailをさらに使いこなす活用テクニック①

プロバイダ宛のメールもGmailで一括管理

Gmailには、プロバイダや会社のメール（POP3）を受信して取り込む機能が搭載されている。プロバイダのメールサーバにメッセージを残すことも可能だ。もちろんGmailのラベル機能やフィルタ機能も利用でき、プロバイダ宛のメールにラベルを付けてまとめてチェックするという使い方もできる。

Gmailでプロバイダメールを受信する大きなメリットは、Gmailの高機能な迷惑メールフィルタを利用できる点。手動でフィルタを鍛えることも可能なので、確実に迷惑メールを遮断できる。

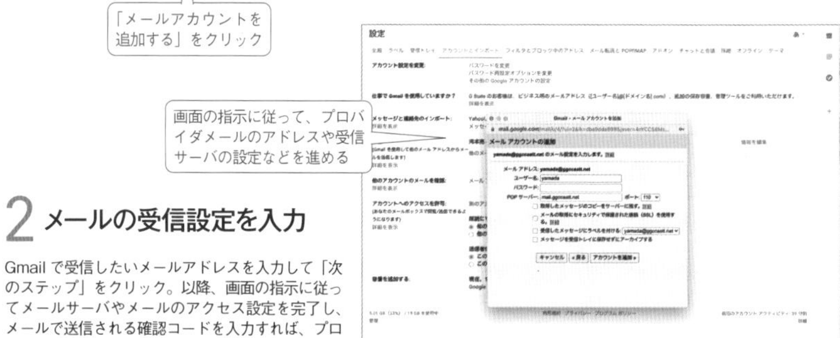

1 Gmailの設定を開く

パソコンからGmailへログインしてメール設定を開き、「アカウントとインポート」をクリック。「他のアカウントで〜」にある「メールアカウントを追加する」をクリックする。

Gmail
https://mail.google.com/

2 メールの受信設定を入力

Gmailで受信したいメールアドレスを入力して「次のステップ」をクリック。以降、画面の指示に従ってメールサーバやメールのアクセス設定を完了し、メールで送信される確認コードを入力すれば、プロバイダメールをGmailで受信できる。

マスト!

068 Gmail Gmailをさらに使いこなす活用テクニック②

フィルタ機能でラベル付けなどメールに処理を実行

Gmailの便利な機能の一つ「フィルタ」は、設定した条件に合致する受信メールに、様々な処理を自動的に行ってくれる便利な機能。中でも、メールにラベルを付ける機能は、受信したメールを自動的に整理してくれるので、いちいち手動でラベルを付けて整理する手間が省ける。他にも転送やアーカイブなど、使いこなすことでメールを様々な用途に応用することができる機能だ。iPadですぐに受信する必要の無いメールは、ラベルを付けてアーカイブしておくと余計な受信を回避できる。

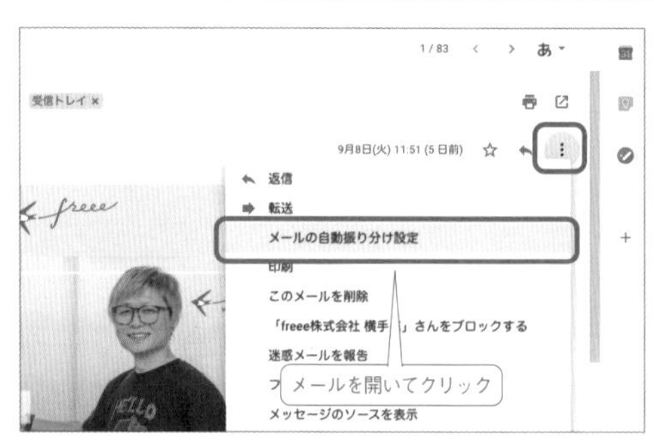

1 フィルタしたいメールを開く

パソコンでWeb版のGmailへアクセスしたら、フィルタを使って処理したいメールを開き「メニューボタン」をクリック。メニューから「メールの自動振り分け設定」をクリックして開く。

Gmail
https://mail.google.com/

2 フィルタ条件を指定する

条件指定画面が表示されるので確認&条件を追加し、「この検索条件でフィルタを作成」をクリック。フィルタの処理内容（ラベル付け、アーカイブなど）を設定して、「フィルタを作成」をクリックすれば完了。一般的な用途としては、特定のラベルをつけ（メルマガ、ショッピングなど）、受信トレイをスキップさせ、受信トレイを見やすくするのが目的だ。

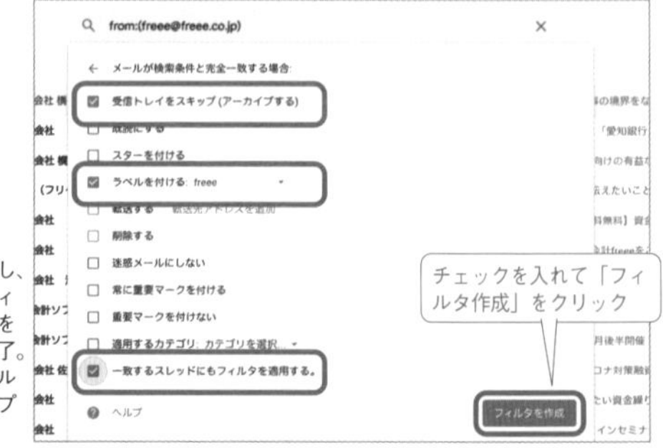

069 メール Gmailを使うなら超便利メールアプリ「Spark」でメールを効率的に処理しよう

不要なメールの通知をオフにして今のタスクに集中できる

毎日大量にメールを受信する人は、重要なメールとそうでないメール、既読メール、未読メールといったメールの振り分け作業が非常に大変。そんな人におすすめのメールアプリが「Spark」だ。

Sparkは非常に多機能なことで人気の高いiOS用メールアプリ。Gmail、Yahoo!メール、iCloudメール、Outlookメール、Exchangeなど主要メールサービスのアカウントを複数登録して管理することができる。特に優れているのがSpark独自の「スマート受信トレイ」機能だ。届いたメールを自動的に重要度別に判別して、同僚または知人以外からのメール通知をオフにしてくれる。受信トレイを開いときに届いたメールが重要なものなのか、ただの宣伝なのか、一目で分かる仕組みになっている。Gmailと同じく学習機能を搭載しており、よく開いたり返信するメールは重要なメールと認識するようになり、受信したときにきちんと通知してくれる。不要なノイズを減らせ、今重要なタスクに集中できるメールアプリだ。

届いたメールを処理する際のスワイプ操作も独特だ。「左から浅く」「左から深く」「右から浅く」「右から深く」の4つのスワイプ操作が用意されており、各操作に対して自由に機能を割り当てることができる。自分がよく利用するメール操作を割り当てて、より効率よくメール処理をしよう。

App

Spark
作者／Readdle Inc.
価格／無料　カテゴリ／仕事効率化

Sparkで効率よくメールを処理する

1 メールサービスのアカウントを登録する

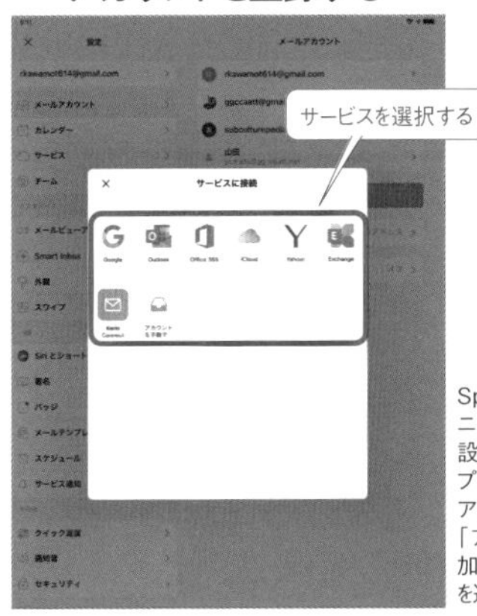

Sparkのサイドメニュー下にある設定ボタンをタップする。「メールアカウント」から「アカウントを追加」でアカウントを追加できる。

2 「スマート」設定を有効にしよう

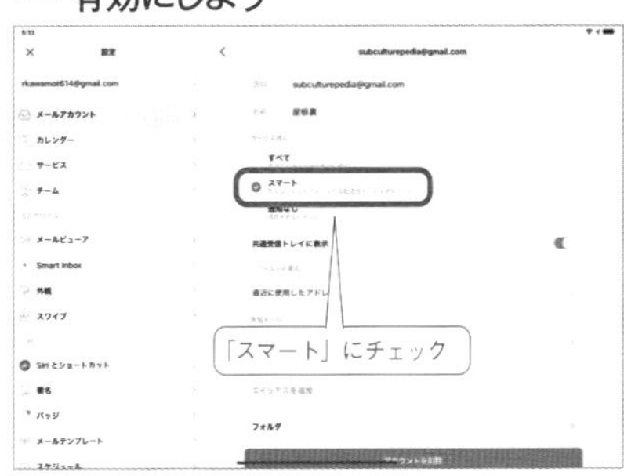

メールの通知設定をする。特に重要な人からのメールのみ通知するようにする場合は「スマート」にチェックを入れる。「完了」をタップ。

3 メールを「既読」へ移動する

左から右へ浅くスワイプすると「既読」が表示される。タップすると「既読」画面にメールが移動する。

4 メールを「アーカイブ」へ移動する

左から右へ深くスワイプすると「アーカイブ」が表示される。タップすると「アーカイブ」にメールが移動する。

5 設定画面から動作をカスタマイズする

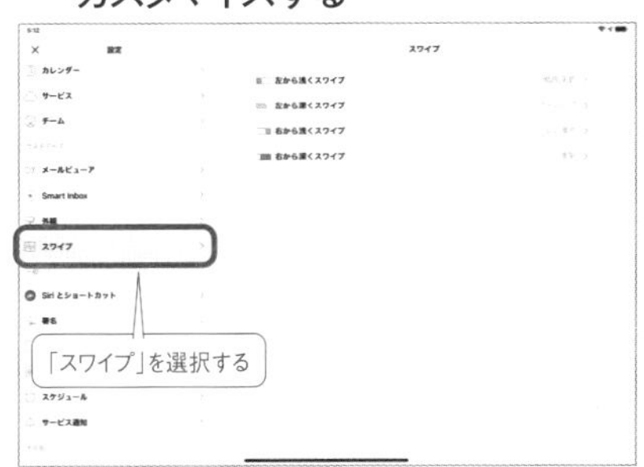

スワイプ操作を変更するには左下の設定ボタンをタップして「カスタマイズ」から「スワイプ」を選択。カスタマイズする項目を選択しよう。

6 変更する操作にチェックを入れる

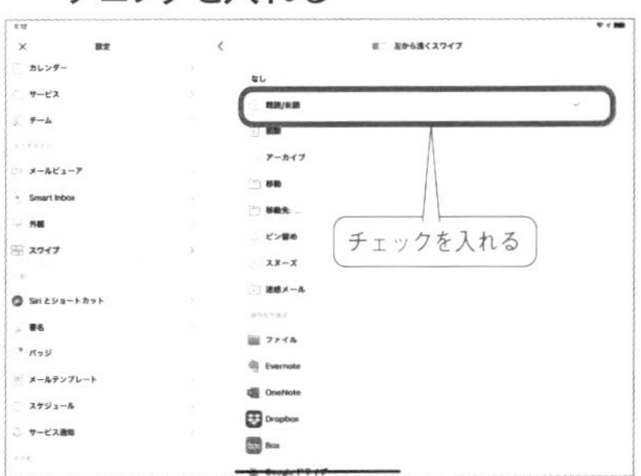

利用したい操作にチェックを入れよう。これでスワイプしたときに表示されるメニューが変更される。

マスト!

070 メッセージ iMessageで メッセージのやりとりをしよう

Appleユーザー同士で手軽なチャットが楽しめる無料サービス

Appleアカウントを所有していれば、「メッセージ」アプリを使ってAppleユーザー同士でさまざまなコミュニケーションが楽しめる。テキストだけでなく、写真やステッカー、手書きのイラストやメモをやり取りできるほか、メッセージの開封や、相手が返事を入力中かを確認できるなど、特徴的な機能を備えている。また、FaceTimeと連携しておりiPhoneやiPodなどを利用していれば、相手とFaceTimeやFaceTimeオーディオでコミュニケーションすることも可能だ。(環境によっては利用できない場合がある)

まずは設定の「メッセージ」を開き、iMessage機能を有効にし、送受信に使用するメールアドレスを指定しよう。標準ではApple IDに利用しているメールアドレスがiMessageのアドレスとなるが、Apple IDに利用しているメールアドレスのほか、任意のメールアドレスを利用することもできる。iMessage専用のアカウントを作って、電話番号に届くショートメッセージと区別したい場合は任意のメールアドレスを利用するといいだろう。メールアドレスの追加は「設定」→「アカウント」→「名前、電話番号、メール」から行える。

受信したメッセージは、「メッセージ」アプリが起動していなくても通知され、通知から直接返信することもできるので、手軽な連絡手段として活用できる。

メッセージアプリを使ったiMessageの基本的な使い方

1 iMessageをオンにして受信用のアドレスを確認

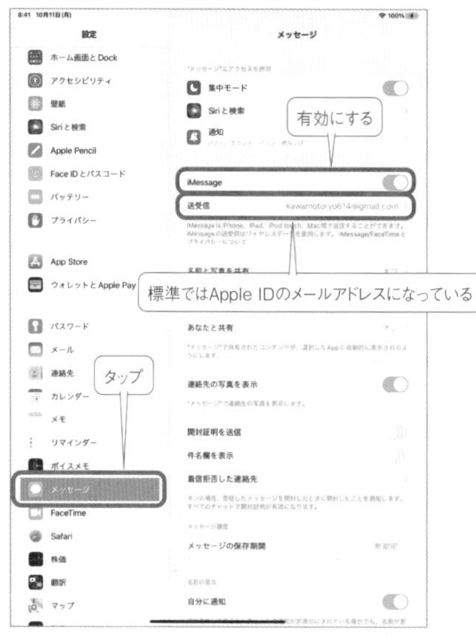

設定を開き、「メッセージ」をタップ。「iMessage」をオンにして、iMessageに利用するメールアドレスを確認する。

2 着信用メールアドレスを追加する

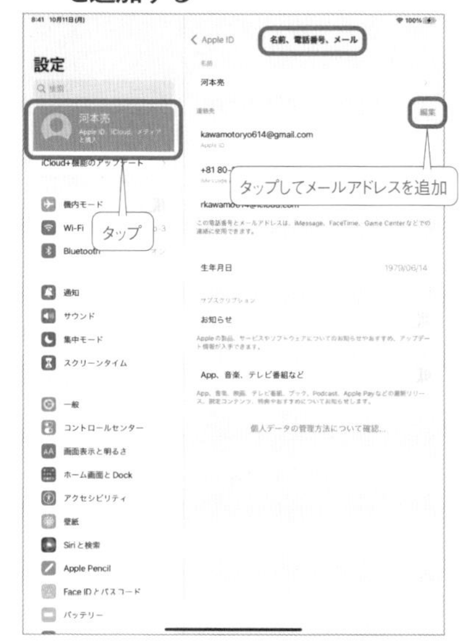

iMessage用のアドレスを追加するには、「設定」画面から「自分のアカウント」をタップ。「名前、電話番号、メール」で「連絡先」の「編集」からメールアドレスを追加する。

3 メッセージや写真を投稿してやりとりする

メッセージ入力欄にテキストを入力して、Enterキーをタップするか「↑」ボタンをタップでメッセージを投稿。写真や手書きイラスト、ステッカーなども送信できる。

4 FaceTimeで音声やビデオ通話も行える

チャット画面で、ユーザー名をタップして「i」ボタンをタップすると、参加者に自分の位置情報を送ったり、FaceTime通話の開始、などのコミュニケーションができる。

071 メッセージ メッセージアプリの便利な機能を上手く使いこなす

メッセージアプリの多様なコミュニケーション手段をチェック!

「メッセージ」アプリは従来はテキストや写真しか送信できなかったが、アップデートを重ね今では、手書きメッセージや、カメラからの直接投稿、「LINE」のスタンプ機能のような「ステッカー」も送信できるようになり、大幅に表現力が高まった。手書きメッセージでは、描く過程を含め相手に送ることができる。同じ「ありがとう」のメッセージでも、テキストではなく、手書きで送れば、より思いのこもったメッセージが伝えられる。

投稿するメッセージに、さまざまなエフェクトを加えることもできる。メッセージの吹き出しが振動したり、膨らんだりするアニメーション効果や、チャットの背景にも視覚効果を加えられるので、テキストだけでは伝えきれない感情が表現できる。

また、相手のメッセージをロングタップすると「いいね」「ハート」などのSNSでおなじみのリアクションを返すことができる。メッセージを入力して返信する余裕がないときでも、相手にレスポンスを伝えることができる。忙しいユーザーに嬉しい機能だ。

また、iPad Pro11インチまたはiPad Pro12.9インチ(第三世代以降)ならミー文字機能を利用することができる。メニューからミー文字のアイコンをタップし、利用するミー文字を選択したら、撮影ボタンをタップし顔を動かし、メッセージを声で話そう。30秒のオリジナルミー文字を作成できる。

メッセージの多彩な機能を使いこなそう!

1 メッセージで送れるものはとっても多彩!

メッセージ入力フォーム左の「A」をタップすると、iPadにインストールしているアプリアイコンが表示される。選択して各アプリ内のコンテンツを送信できる。

2 手書きのメッセージを送信する

アプリメニューからハートビートを選択すれば手書きのメッセージを送信することが可能だ。黒いパッドに手書きしよう。

3 メッセージに様々なエフェクトを加えられる

メッセージ欄の右にある「↑」をロングタップすると、メッセージに様々な効果をつけられる。「吹き出し」はメッセージそのものの動き、「スクリーン」は画面全体の効果。

4 ミー文字を送信する

新しめの機種のユーザーであればミー文字を作成して送信できる。ミー文字の種類を選んで録画ボタンをタップして顔を動かし、話しかけよう。

072 メッセージ メッセージの「あなたと共有」とは

メッセージに投稿されたさまざまなコンテンツを探す時に便利

iOS15、およびiPadOS 15では「あなたと共有」という新しい機能が追加された。これはメッセージアプリで送られたURLや写真、音楽、Apple TVなどの情報を各アプリ上にある「あなたと共有」に自動的に保存される機能だ。たとえば、写真が送られてくると「写真」アプリの「For You」タブに「あなたと共有」に写真が自動的に表示されるようになり、わざわざメッセージアプリに切り替えて内容を確認する必要はない。以前、メッセージアプリで相手から教えてもらった情報を素早く探す時に便利だ。また、そのままメッセージの返信をすることもできる。

point

「あなたと共有」が表示される場所

○**ミュージック**→「いますぐ聴く」タブ
○**Apple TV**→「今すぐ観る」タブ
○**Safari**→新規タブの「お気に入り」の下
○**写真**→「For You」タブ
○**Podcast**→「今すぐ聴く」タブ
○**News**→「Today」タブ（日本では未提供）

「あなたと共有」を使ってみよう

Safariの場合、新しいタブを開くと「あなたと共有」という項目があり、そこにメッセージに投稿されたリンクが表示され、タップすると開くことができる。

073 メッセージ 「メッセージ」アプリの写真コレクションを利用しよう

これまで「メッセージ」アプリに送られてきた写真は1枚1枚表示される仕様だった。しかし、iPadOS 15の「メッセージ」アプリでは「コレクション」という新機能が追加され、送付された複数の写真を1つにまとめてくれる。サムネイル状態になっている写真を左右にスワイプすると、ほかの写真に切り替えることができる。また、保存する際は写真右側にある保存ボタンを一度タップするだけで、まとめて「iCloud写真」に保存することが可能だ。

各写真をタップすると全画面表示される。上部メニューからほかのアプリに共有したり、相手に返信したり、いいねなどのアクションをすることができる。

左右にスワイプすると写真を切り替えることができ、右にある保存ボタンをタップすると保存できる。

写真をタップすると全画面表示される。上部のメニューから写真に対してさまざまな操作ができる。

074 iCloudメール iCloudメールを便利に使おう

Apple IDを持っているなら誰でも無料で利用できるiCloudメール（末尾が「@icloud.com」のアドレス）を使っている人は多いだろう。最大5GBの容量が使え（ほかのiCloudサービスと共用）、プッシュ通知にも対応している便利なメールだ。

このiCloudメールは、「エイリアス」を作成することでメールアドレスを増やすことが可能だ。エイリアスとは、同じメールアカウントに届く別のアドレスを作成する機能。「メッセージ」や「FaceTime」の受信アドレスを端末ごとに個別設定したいときに利用すると便利だ。

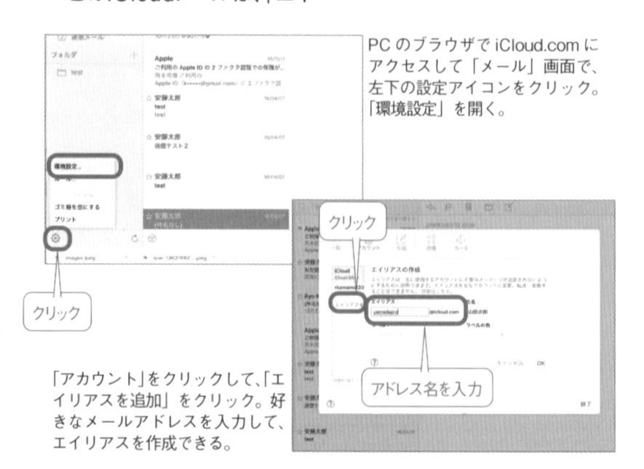

PCのブラウザでiCloud.comにアクセスして「メール」画面で、左下の設定アイコンをクリック。「環境設定」を開く。

「アカウント」をクリックして、「エイリアスを追加」をクリック。好きなメールアドレスを入力して、エイリアスを作成できる。

SECTION 03 ネットの快適技

Safariのさまざまな便利技をはじめ、TwitterやFacebookなどSNSの必須テクニック、Zoomを上手く使う方法などを紹介。YouTubeをバックグラウンド再生する裏技なども掲載!

マスト! 075 スクリーンショット　スクリーンショット機能を活用する

縦長のページを単一ファイルで保存できる

iPadOSのSafariでは、Webページ1画面ぶんだけでなく、縦長のページ全体を1つのスクリーンショットとして撮影できる。ページ全体を撮影した場合、PDF形式のファイルとして保存するため、オフラインで後からじっくり記事を読んだり、資料としてページをアーカイブしておいたりするような用途に役立てたい。なお、スクリーンショットに手書きできるマーカー機能も利用できるので、ウェブページにちょっとしたメモを書き留めたいような場合に便利だ。

1 スクリーンショットを撮影する

Safariでスクリーンショット撮影の操作をして、画面左下に表示されるサムネイルをタップする。ホームボタンのないiPadでは、代わりに音量アップボタンを同時押しする。

2 「フルページ」をタップする

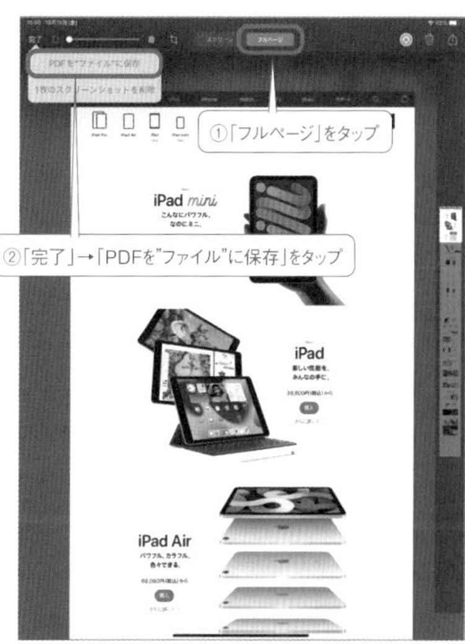

「フルページ」をタップするとページ全体が1枚のスクリーンショットに収められる。「完了」をタップして「PDFを"ファイル"に保存」をタップする。

076 Safari Safariの便利な新機能を活用しよう

タブグループや クイックメモで 使いやすさが劇的にアップ!

iPadOS 15になり、標準アプリで最も大きな進化を遂げたのは、ウェブブラウザーのSafariといっても過言ではない。タブバーやサイドバーの外観が変化したことに留まらず、使い勝手や作業効率を劇的に向上してくれるさまざまな機能が追加されている。

その最たるものが「タブグループ」だ。これは文字どおり、タブで開いている複数のウェブページをグループ化して保存するという機能で、サイドバーやタブビューボタンのメニューから、いつでもタブグループを呼び出すことができる。ブックマークへのウェブページの登録でも同様のことができたが、タブグループでは複数のウェブページを同時に呼び出せるため、定期的に巡回するウェブページが複数あるような場合に重宝するだろう。

Safari以外のアプリでも使える機能だが、新搭載の「クイックメモ」も便利だ。これはアプリ内で選択したテキストをすばやく「メモ」アプリのメモとして書き留められるもので、従来のように別途「メモ」アプリを起動する必要もない。後で役立ちそうな内容のテキストを、この機能を使って片っ端から書き留めておくといいだろう。

さらに、iPadOS 15のSafariはついに機能拡張にも対応した。これはSafariに広告ブロックやパスワード自動入力といった別アプリの機能を追加するものだ。

iPadOS 15で大きく進化したSafari

1 外観が大きく変化

画面構成要素は従来と変わらないものの、タブバーやサイドバーをはじめとする外観が変化し、よりシンプルに、見やすくなった。スマート検索フィールドなどが配置された画面上部が大きく透過するようになり、ウェブページのデザインによって印象が大きく変わる。

2 複数のタブを保存できる「タブグループ」

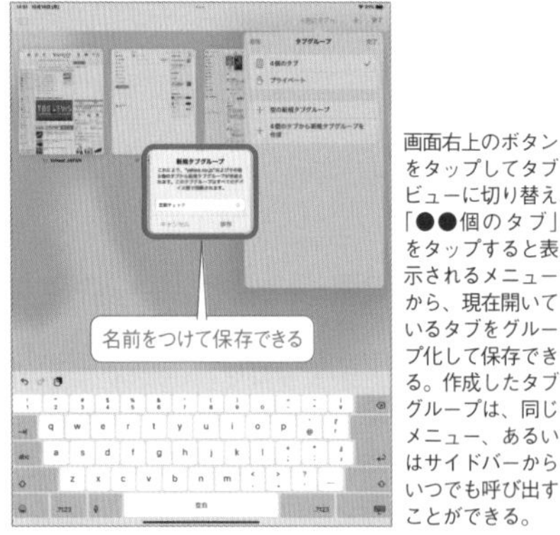

画面右上のボタンをタップしてタブビューに切り替え、「●●個のタブ」をタップすると表示されるメニューから、現在開いているタブをグループ化して保存できる。作成したタブグループは、同じメニュー、あるいはサイドバーからいつでも呼び出すことができる。

3 テキストをすばやくメモできる「クイックメモ」

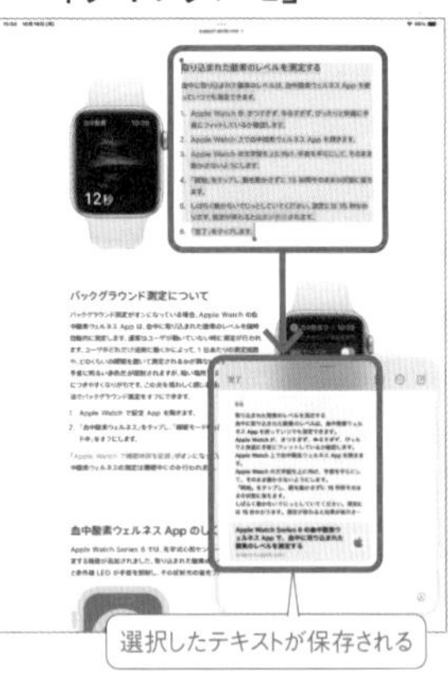

ウェブページのテキストを選択し、ポップアップから「新規クイックメモ」をタップすると、ミニウインドウが表示されて、選択したテキストがペーストされる。このテキストは自動的に「メモ」アプリのメモとして保存される。

4 スタートページをカスタマイズ

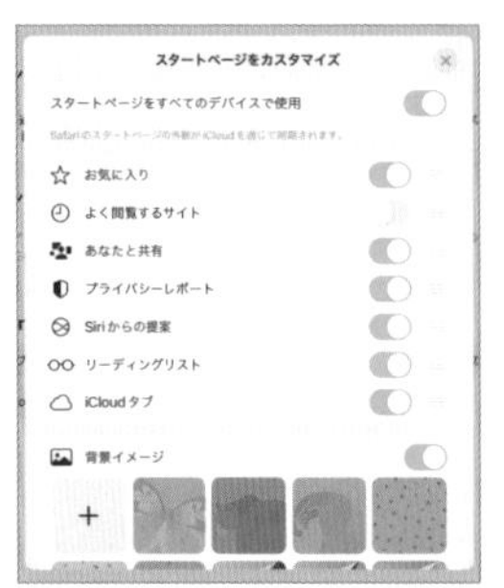

Safariで空のタブを開くと表示されるスタートページの表示項目のオン／オフを切り替えたり、背景画像を設定できるようになった。カスタマイズするには、スタートページ最下部にある「編集」をタップする。

5 機能拡張でSafariをパワーアップ

さまざまなアプリの機能を、Safariから直接呼び出して使える機能拡張に対応。機能拡張は「設定」アプリで「Safari」→「機能拡張」をタップすると一覧でき、ここでオン／オフを切り替える。またここで、「機能拡張を追加」をタップするとApp Storeの機能拡張ページを表示できる。

077 Safari リーダー機能でSafariでの情報収集をより効率的に

リーダー機能を使いこなして情報を収集しよう

iPad登場時から標準ブラウザとして活躍している「Safari」は、ウェブを快適に閲覧するためのさまざまな機能が搭載されている。

特に注目したいのはリーダー機能。リーダー機能はウェブページから本文となる部分だけを抽出し、広告を除去して読みやすい形で表示してくれる機能だ。リーダー機能を利用するにはスマート検索フィールド横にあるリーダーアイコンをタップする必要があるが、右の手順4のように操作することで、対応サイトを開いた際に自動で切り替えるようにもできる。

広告記事が多かったり、レイアウトが複雑で読みづらいサイトのみ自動でリーダー表示にしておくのもよいだろう。

複数のページに分割されたニュース記事を読む際にもリーダー機能は便利だ。分割されたページを結合して1つのページとして表示させることができる。

またリーダーで表示しているページをPDF形式にして保存することができる。すぐに消えてしまいそうなページを保存する際はブックマークに登録するよりもPDF形式でローカルにダウンロードしたほうがよいだろう。さらに、PDF形式で保存する際はマークアップを使って注釈を入れることもできるので、メモや補足情報などを書き込んでおくと便利だ。 なお、Appleのサイトなど、一部リーダー機能に対応しないウェブページもある点に注意しよう。

リーダー機能を使ってみよう

1 リーダー表示に切り替える

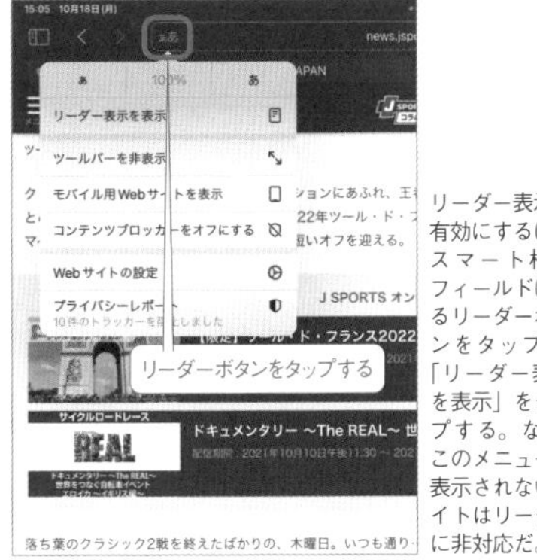

リーダー表示を有効にするには、スマート検索フィールドにあるリーダーボタンをタップし、「リーダー表示を表示」をタップする。なお、このメニューが表示されないサイトはリーダーに非対応だ。

2 元の表示形式に戻す

広告や余計な装飾が除去され見やすいレイアウトで表示してくれる。もう一度、リーダーボタンをタップして、「リーダー表示を非表示」をタップすると元の表示に戻る。

3 分割されたページを1つに結合する

リーダー表示にすると分割されたページを1つに結合して表示してくれる。分割点となる部分に線が引かれ、右端にページ数が表示される。

4 特定のサイトだけ自動的にリーダー表示にする

特定のサイトにアクセスしたときだけ自動的にリーダー表示にさせることもできる。手順1のメニューで「Webサイトの設定」をタップし、「自動的にリーダーを使用」のスイッチをオンにする。

5 ウェブページをPDF形式に変換する

表示しているページをPDFとして保存したい場合は、スクリーンショット撮影の操作（43ページの記事参照）をした後、画面左下のサムネイルをタップし、「フルページ」、「完了」とタップする。

6 マークアップで注釈を入れて保存する

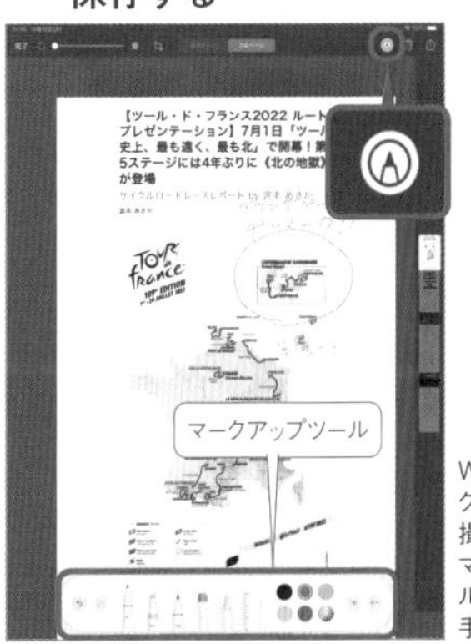

Webページのスクリーンショットを撮影した直後に、マークアップツールで注釈やメモを手書きできる。

Safari

078 複数のタブをまとめて閉じる

Safariではタブを無制限に開くことができるが、開き過ぎるとタブを1つ1つ閉じるのが面倒になる。開いているタブをまとめて閉じたい場合は、右上にあるタブボタンを長押しして「○個のタブをすべて閉じる」をタップしよう。またタブボタンを長押しして現れるメニューで「新規プライベートタブ」という項目をタップすると表示されるタブでは、閲覧履歴を残さずウェブサーフィンすることができる。

右上にあるタブボタンを長押し。「すべての○個のタブを閉じる」をタップでまとめて閉じることができる。

「新規プライベートタブ」をタップして開くタブで閲覧したページは閲覧履歴に残らない。家族と1台のiPadを共用している場合などに便利。

Safari

079 たくさん開いたタブを管理する

いろいろなページを行き来しているうちに、いつの間にか大量のタブを開いてしまっていた、という経験は誰にでもあるはず。開いているタブが多すぎると、どれが目的のウェブページなのかわからなくなってしまう。そこで、タブのウェブページをすばやく探す2つの方法を紹介しよう。

1つは、タブビューで検索する方法だ。ここでキーワードを入力すると、それが含まれるウェブページが検索できる。もう1つは、古いタブを自動的に閉じるように設定することだ。どちらの方法も簡単なので、ぜひ覚えておこう。

画面右上のボタンをタップすると表示されるタブビューで、検索ボックスにキーワードを入力すると、合致するページが表示される。

「設定」アプリで「Safari」→「タブを閉じる」とタップして、自動的に閉じるまでの期間をタップし、チェックを付ける。

マスト!

Safari

080 Safariから他アプリに画像やテキストをコピーする

Split Viewでアプリを並列表示にしてドラッグ&ドロップする

Safariで表示しているページからテキストや画像、URLをほかのアプリにコピーする場合はSplit Viewを活用しよう。Split Viewで分割した画面の片方にコピー先のアプリを表示する。Safariからコピーしたい対象のコンテンツを選択して長押しすると、少し浮いた状態になるのでそのままドラッグ&ドロップしよう。コピー&ペーストよりも効率的にデータをコピーできて便利だ。なおコピー可能なアプリはメモ、メール、ファイルなどApple純正アプリが中心となっている。

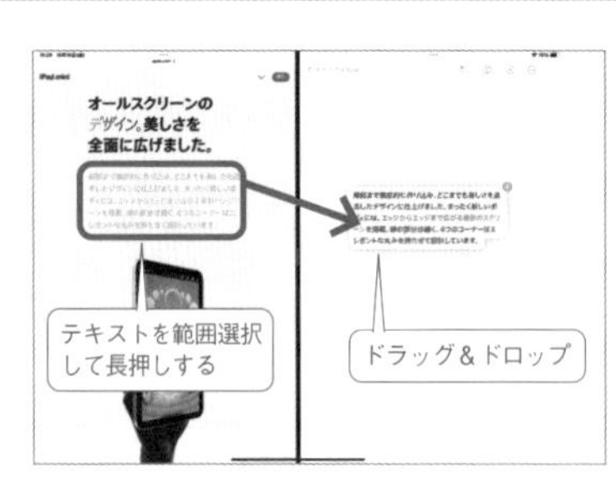

1 テキストを選択してほかのアプリにコピーする

Split ViewでSafariとコピー先アプリを表示させる。Safariで表示しているテキストを範囲選択して長押しし、少し浮かんだらドラッグ&ドロップしよう。

2 URLをほかのアプリにコピーする

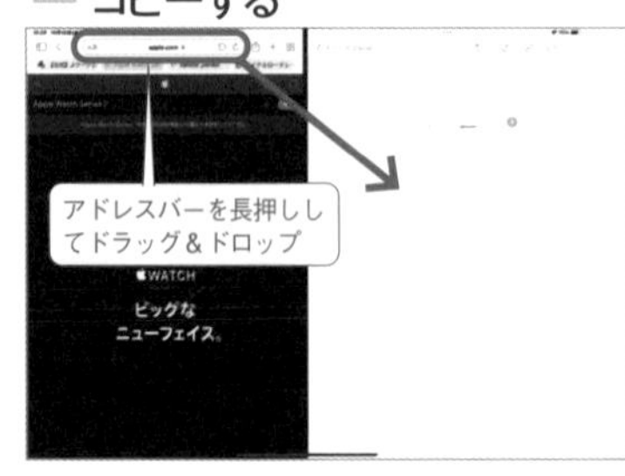

Safariで表示しているページのURLをコピーする場合は、スマート検索フィールドを長押しし、少し浮かんだらドラッグ&ドロップしよう。

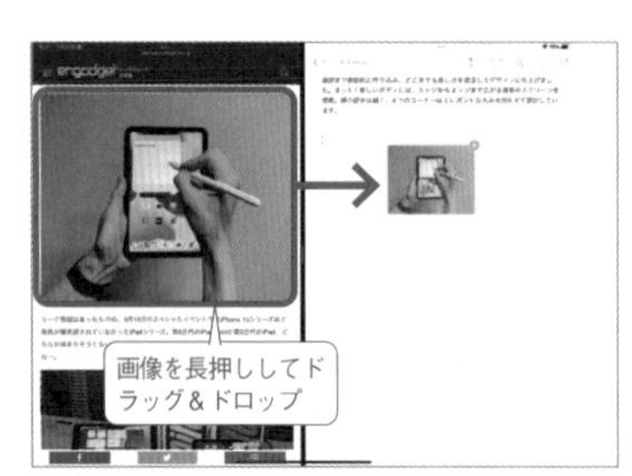

3 画像をほかのアプリにコピーする

Safariで表示しているページ内にある画像をコピーする場合は、画像を長押しし、少し浮かんだらドラッグ&ドロップしよう。

081 Safari ウェブページの見苦しい広告をカットする

コンテンツブロッカーを有効にして対応アプリをインストールする

Safariにはウェブ広告を非表示にしてくれる「コンテンツブロッカー」という機能が用意されている。ウェブ上の余計な広告を消したいなら有効にしておこう。なお、コンテンツブロッカーを利用するには機能を有効にするだけでなく、別途対応アプリをApp Storeからダウンロードする必要がある。

App

Adblock Plus
作者／Eyeo GmbH
価格／無料
カテゴリ／仕事効率化

1 Safariのコンテンツブロッカーを有効にする

「設定」アプリを開き、「Safari」を開く。メニューから「コンテンツブロッカー」を選択して、「すべてのWebサイト」のスイッチをオンにする。以降、Safariで広告が消去される。

2 特定のページだけ広告を表示する

Safariのスマート検索フィールドのリーダーアイコンをタップし、メニューから「コンテンツブロッカーをオフにする」をタップすると、そのページのみ広告が表示される。

082 ウェブ翻訳 Safariで表示した海外サイトを日本語に翻訳する

海外サイトを日本語に翻訳する

Safariでおもに海外サイトを閲覧することが多いユーザーは翻訳アプリ「Microsoft Translator」をインストールしよう。単体でも使える翻訳アプリだが、Safariの共有メニューから起動して表示中のページを翻訳することもできる。英語から日本語への翻訳はもちろんのこと、60以上の言語に対応しており、Safariだけでなく Chromeやほかのブラウザの共有メニューから利用することができる。海外サイトのウェブ閲覧が劇的に楽になるだろう。

1 共有メニューからMicrosoft翻訳を起動する

アプリをインストール後、Safariで翻訳したいページを開き、共有メニューから「Translator」をタップする。

2 英語ページを日本語表示に変換してくれる

翻訳する言語は自動判別されるが、画面上端に表示される黄色いエリアをタップして、言語を手動で切り替えることもできる。

App

Microsoft Translator
作者／Microsoft Corporation
価格／無料
カテゴリ／仕事効率化

083 Safari 無料でYouTubeのバックグラウンド再生をする

Safariのデスクトップモードで YouTubeを再生する

YouTube公式アプリが不便なのは、プレミアムユーザーでない場合、ほかのアプリに切り替えると自動的に動画が停止し、バックグラウンド再生できないこと。無料ユーザーでもバックグラウンドで再生したいなら、Safariを使おう。

Safariを使ってバックグラウンド再生する場合、最初にウェブページの表示方法を「デスクトップ用Webサイトを表示」に切り替えておく。この状態でYouTubeの動画を再生し、ホーム画面や別アプリなどに画面を切り替えると、一度は再生が停止される。そこで、コントロールセンターから再生を再開すれば、以降はSafari以外の画面でも再生が継続されるようになる。

1 Safariでデスクトップ用サイトを利用する

Safariで対象の動画を開く。リーダーボタンをタップして「デスクトップ用Webサイトを表示」をオンにする。なお、iPadOSでは標準でデスクトップ用Webサイトが表示されるようになっている。

2 再生させたまま新規タブを開く

デスクトップ用サイトの状態でYouTubeを再生したまま、新規タブを追加する。新規タブはアクティブにしておく必要はない。

3 バックグラウンドで再生できる

ホーム画面やほかのアプリに切り替えても、コントロールセンターを表示すると、再生コントロールにYouTubeの動画の情報が表示され、再生ボタンをタップして続きから音声を再生できる。

084 Safari ウェブページの埋め込み動画をSafariでフルスクリーン再生する

埋め込み動画はピクチャインピクチャにも対応

ウェブ上の動画を閲覧する際はSafariを使うと便利。現在では多くの動画配信サイトが、Safariでの動画視聴に対応しており、動画をフルスクリーンで再生できる。さらに、ピクチャインピクチャ機能も利用でき、フルスクリーン再生時にピクチャインピクチャボタンをタップすることで、動画が小さなウインドウで表示され、Safariを閉じてもその中で再生が継続されるので、動画を見ながら他の作業をするのに最適だ。なお、YouTubeの公式ページで再生する動画は、ピクチャインピクチャで再生することができない。

1 フルスクリーン再生できる

Webページの Safari対応の動画であれば、プレイヤーのフルスクリーンボタンをタップすることで、iPadの画面全体を使って迫力の動画を楽しめる。

フルスクリーン切り替えボタン

タップすると元の表示に戻る

2 ピクチャ・イン・ピクチャで再生する

プレイヤー左上にあるピクチャ・イン・ピクチャボタンをタップすると、動画が縮小表示される。ほかのアプリやホーム画面に切り替えても再生が継続される。なお、ピクチャインピクチャのウインドウをドラッグして移動することもできる。

085 多機能ブラウザ PCでChromeを使っているならiPadでもChromeを使おう

Googleアカウントで同期できる多機能ウェブブラウザ

Google Chrome(以降「Chrome」と表記)は、Safariと同様にインターネット上のウェブページを閲覧するためのブラウザと呼ばれるアプリだ。URLを入力してウェブページを表示する、タブで複数ページを同時に開く、よく見るページをブックマークで管理するといったブラウザとしての基本機能を完備しており、Safariの代わりに使うのに最適だ。使い勝手もSafariに近く、URLの入力や、ウェブ検索のキーワードの入力は、画面上端にあるアドレスバーから行うため、Safariに慣れていれば迷うことなく使い始められるだろう。

Chromeの利点はそれだけではない。ChromeはiPadだけでなく、WindowsやMac、Androidといったさまざまなデバイス向けにアプリが無料で提供されており、それぞれで同じGoogleアカウントでログインすることで、ブックマークや開いているタブに至るまで、同期できるのだ。これにより、自宅のPCで閲覧していたウェブページの続きを、外出先に持ち出したiPadで読むといったことが可能になり便利だ。Safariにも iCloudを使って他のデバイスと同期する機能が備わっているが、SafariのWindows版やAndroid版は存在しないため、iPadの他にこれらのデバイスを使っているのであれば、Chromeの方が日常的な使用に向いている。

なお、iPadOS 14以降の環境で、Chromeが最新バージョンであれば、Chromeを標準ブラウザとして設定できる。

App

Google Chrome ブラウザ
作者/Google LLC
価格/無料

Chromeを使ってみよう

Safariと比べてすっきり、シンプルな画面デザインのChrome。画面上部のタブをタップすることで、複数のウェブページを切り替えて表示できる。その下にはURLや検索キーワードを入力する検索ボックスが配置されている。

2 設定画面を表示する

Googleアカウントでログインすると、タブの同期などの機能が利用できる。まずは画面右上の「…」をタップし、「設定」をタップする。

3 Chromeにログインする

設定画面が表示されるので、「同期をオンにする」をタップし、続けて表示される画面でGoogleアカウントを入力する。

4 他デバイスのタブを表示する

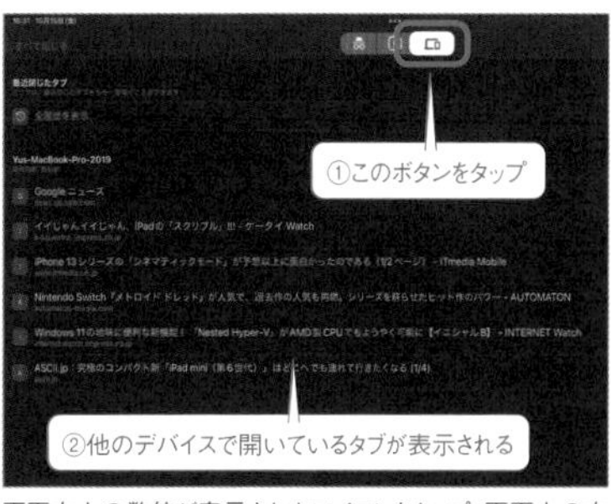

画面右上の数値が表示されたアイコンをタップ、画面上の右端のボタンをタップすると、他のデバイスで開いているタブが表示される。

point

Chromeを標準ブラウザにする

ChromeをSafariに代わって標準ブラウザにするには、「設定」アプリで「Chrome」→「デフォルトのブラウザApp」とタップし、「Chrome」をタップしてチェックを付ける。標準ブラウザにすると、他のアプリでURLをタップした場合に、Chromeが起動してそのウェブページが開くようになる。

086 Twitter Twitterでコミュニケーションを楽しもう

公式アプリだからこそ便利な機能が多数搭載

誰もが利用している世界最大の SNS「Twitter」。iPad で Twitter を利用するなら、ブラウザで Twitter のサイトにアクセスするよりも、公式アプリ「Twitter」を使ったほうがはるかに便利だ。ツイートの投稿、リプライ、RT、リスト管理、ダイレクトメッセージなど、Twitter が提供しているすべての機能が、アプリから利用できるようになっている。引用ツイートや重要な新着ツイートをトップに表示する新しいタイムライン、ダークモード機能など、ごく最近追加された Twitter の新機能にもばっちり対応している。

また、マルチアカウントに対応しており、複数の Twitter アカウントを簡単に切り換えることができるので、仕事用アカウントとプライベート用アカウントを作っている人におすすめ。「検索」タブを開けば、現在 Twitter で話題になっているニュースを一覧できるので、ニュースアプリとしても役立つだろう。

画像や動画を投稿する際も公式アプリは便利。iPad で撮影した写真を投稿する際は、内蔵している写真レタッチ機能を使って、トリミングをしたり、ステッカーを貼り付けたりできる。

App

Twitter「ツイッター」
作者／Twitter, Inc.
価格／無料

Twitterの公式アプリを使いこなそう

1 重要なツイートを優先表示

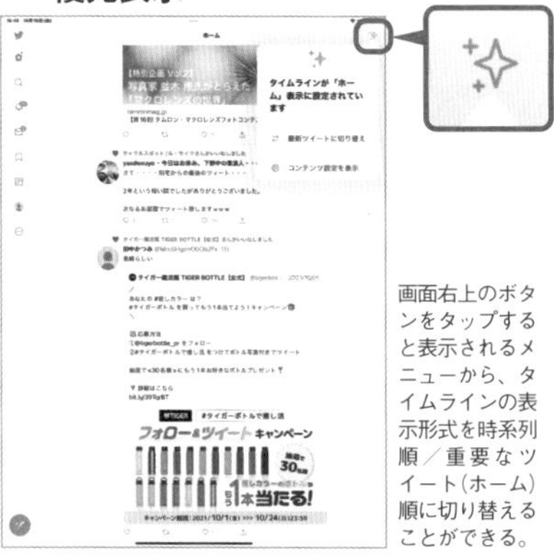

画面右上のボタンをタップすると表示されるメニューから、タイムラインの表示形式を時系列順／重要なツイート（ホーム）順に切り替えることができる。

2 最新トレンドもチェックできる

画面左の虫眼鏡アイコンをタップすると、Twitter上で話題になっているトピックをチェックできる。トピックのジャンルは、画面上のタブで切り替え可能。

3 写真にステッカーを貼る

タイムラインへの投稿には、写真を添付することもできる。写真にはユニークなステッカーを添付して演出可能だ。写真の隠したい部分に貼る利用法もある。

4 写真にフィルタをかける

写真を投稿する際、添付した写真の右下に表示される鉛筆アイコンをタップするとレタッチができる。フィルタを適用したり、トリミングが行える。

5 ダークモードにする

左端の一番下のアイコンをタップすると表示されるポップアップで、左下の豆電球アイコンをタップすると、ダークモードを有効にできる。

6 アカウントを追加する

左端の一番下のアイコンをタップすると表示されるポップアップで、右上のアイコンをタップすると、Twitterアカウントを追加できる。複数アカウントを使い分けたい場合に活用しよう。

SNS

087 特定期間に投稿されたツイートを検索する

Twitter から効率的に目的のツイートを探すなら、さまざまな検索コマンドを覚えておこう。Google と同じく Twitter では複数のワードを入力して検索する AND 検索に対応している。また検索フォームに「from:ユーザー名」を入力すると、特定のユーザー内のツイートに絞って検索することができる。さらに 2021 年 1 月から 12 月までなど指定した期間内のツイートのみ表示させたい場合は「since:2021-01-01 until:2021-12-31」と入力しよう。

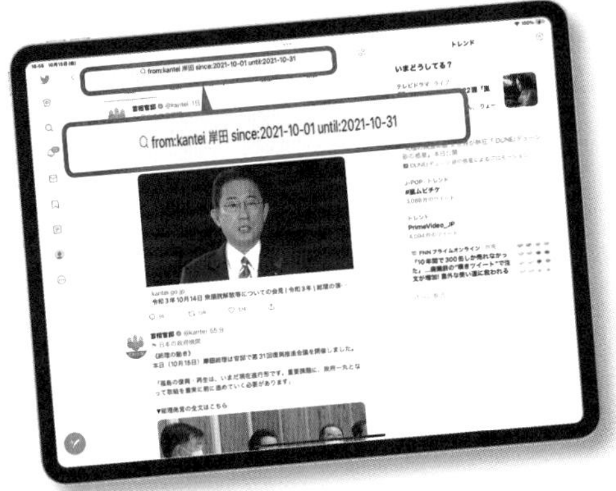

たとえば「首相官邸」アカウントが 2021 年 10 月につぶやいたツイートから「岸田」を含むものを抽出したい場合は「from:kantei」「岸田」「since:2021-10-01 until:2021-10-31」の 3 つのコマンドを AND 検索すればよい。

SNS

088 Twitterで通信量を減らすには?

Twitterを使っていると、最新ツイートやトップツイートが自動的に更新されて表示されるため、外出先で携帯電話回線を使ってインターネットを使っている場合は、思ったよりもデータ通信量が多くなってしまう。Twitterの公式アプリには、こうした意図しないデータ通信量の肥大を防いでくれる「データセーバー」という機能が搭載されているので、これを有効にしておこう。
データセーバーを有効にすると、動画の自動再生が無効になり、画像の画質が自動的に下げられる。

画面左下のアイコンから「設定とプライバシー」→「アクセシビリティ、表示、言語」→「データ利用の設定」をタップする。

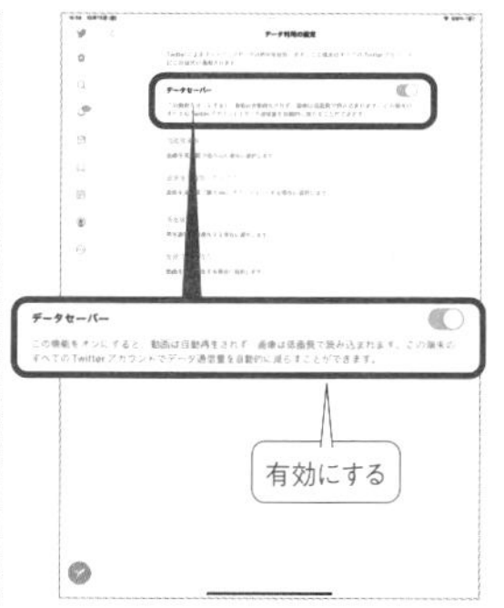

「データセーバー」のスイッチをタップして機能を有効にすると、以降はデータ通信量が抑えられる。

089 複数SNSのアカウントを1つのアプリで運用する

SNS

5大SNSをまとめて管理できる

複数のSNS アカウントを登録して、各アカウントのタイムラインなどの情報を一元管理できるアプリ。SNS ごとにアプリを切り替える必要がない。対応しているSNS は、Twitter、Facebook、Instagram、LinkedIn、YouTube。無料版は3 アカウントまで登録できる。また記事を投稿する際は、複数のSNS に同時投稿することができる。

App

Hootsuite
作者/Hootsuite Media Inc.
価格/無料

1 アカウントを追加する

左上のアイコンをタップ、「ソーシャルアカウント」→「+」とタップすると、SNS のアカウントを追加できる。無料プランのユーザーの場合、最大 3 つの SNS アカウントを追加できる。

2 複数SNSにまとめて投稿する

追加したアカウントを使って、複数 SNS に同内容の投稿をまとめて行える。スケジュールを設定してその日時が来たら自動投稿することもできる。

Twitter

090 写真の表示を最適化してTwitterに投稿する

Twitterでは写真を添えてツイートを投稿できるが、同時投稿する写真の枚数によっては、自動的にトリミング表示になり、タイムラインに表示される写真の構図が変わってしまったり、肝心の被写体が見えなかったりすることがある。これを避けられるアプリが「下書きメモ」だ。

下書きメモは文字通り、Twitterへの投稿を下書きするアプリだが、最大4枚までの写真を、タイムラインでトリミングされないように最適なサイズに変換できる点が特長となっている。事前に写真の構図やレイアウトをプレビューできるのも便利だ。

下書きメモでは、最大4枚までの写真を、元の構図を変えずに、タイムラインでの表示に最適化してプレビューできる。下書きは複数ストックすることもできるので、しっかり内容を見直してから、好きなタイミングで投稿できる。

App

下書きメモ for Twitter
作者／TAKASHI ISHIGAKI
価格／無料
カテゴリ／仕事効率化

Twitter

091 多段カラムでタイムラインやトレンドを見逃さない

Twitterをコミュニケーションだけでなく、最新の情報をチェックするツールとして使う人にとって、タイムラインだけではそのニーズを満たすことはできない。そこでおすすめしたいのが、Twitterの公式サービスの「TweetDeck」だ。

TweetDeckはウェブアプリとして提供され、ウェブブラウザー内で利用できる。公式アプリやサイトとの違いは、タイムラインやメンション、通知、トレンド、リストなどを別カラムに並べて表示できる点だ。これにより、複数のタイムラインを同時にチェックできる。

Safariなどのブラウザ上で、カラムを多段表示できることが特長のTweetDeck。各カラムは、カラムタイトルをドラッグして並べ替えることができ、別の要素をカラムとして追加することもできる。もちろん、TweetDeckからの投稿も可能なので、公式アプリと同様に使える。

App

TweetDeck（ウェブアプリ）
作者／Twitter, Inc.
価格／無料
URL／https://tweetdeck.twitter.com

SNS

092 公式アプリでFacebookのコミュニケーションを満喫しよう

本格的な写真のレタッチ機能は豊富「超いいね!」にも対応

Facebookの公式アプリも、Twitterと同様にiPad用に使いやすく設計されている。写真投稿機能では、さまざまなフィルタを使ってレタッチでき、スタンプや文字の挿入も可能。友達の投稿にも多彩な反応を選べる。ニュースフィードの見やすさも専用アプリならでは。各投稿にはもちろん、「いいね」や「超いいね」が付けられる。

App

Facebook
作者／Facebook, Inc.
価格／無料

1 「いいね」を付けよう

各投稿には、「いいね」や「超いいね」などのアイコンを付けたり、コメントを投稿したりできる。また、投稿の背景に画像を設定することも可能。

2 多彩な写真編集機能

Facebookの写真レタッチ機能はかなり豊富。フィルタを使ったり、スタンプを挿入したり、テキストを入れることが可能だ。

093 SNS Instagramで写真コミュニケーション!

iOS用アプリでInstagramのフル機能が使える

「映える」写真を共有できるSNSとして世界中で人気のInstagram。ブレイクのきっかけはスマホ用アプリで、もちろんiOS版もリリースされているが、残念ながらこのアプリはiPadには最適化されていない。それでも、写真の加工や投稿などをしたい場合は、拡大画面になってしまうがiOS版アプリを使うのも手だ。

なお、Safariなどのウェブブラウザを使い、Instagramの公式サイトにアクセスしても、写真を投稿したり、他のユーザーが投稿した写真やストーリーを見たりできる。ただ、一部機能は実装されたばかりということもあり、専用アプリに比べて安定性や使いやすさの面で劣ることがあるため、可能であれば専用アプリを使うことをおすすめする。

1 すべての機能を使うならiPhone用アプリ

iOS版アプリがiPadでも利用できる。iPadOS 15以降であれば、ランドスケープ表示にすることもできる。

App

Instagram
作者／Instagram, Inc.
価格／無料
カテゴリ／写真・ビデオ

2 アプリなら写真の投稿もできる

Instagramがブレイクしたきっかけとなった多彩なフィルターももちろん、iPadで利用できる。フィルターを使って、写真をドラマティックに仕上げよう。

上級技 094 パスワード管理 ショッピングやサービス利用のためのパスワードを一元管理

パスワードを強固かつ安全に管理する

Webサービスで利用するIDやパスワードが全部同じだと危険。かといってバラバラのパスワードは覚えきれない。そこで「1Password」を使おう。各サービスごとに異なるパスワードを設定しても、このアプリ経由であれば1タップでログイン可能となる。ほかのiOS機器でもパスワードを同期できる。

App

1Password
作者／AgileBits Inc.
価格／無料(アプリ内課金あり)

1 サービスのパスワードを設定

無料版を利用するには起動後、「スタンドアロン保管庫を作成」をタップ。メイン画面が表示されたら上部にある「+」をタップして各サービスのアカウント情報を登録しよう。

2 パスワードを自動入力できるようにする

iPadの「設定」アプリで、「パスワード」→「パスワードを自動入力」とタップすると表示される画面で、「1Password」にチェックを付けると、以降ブラウザで所定のウェブページにアクセスする際、アプリに登録したアカウント情報が自動入力される。

095 無料通話 さまざまなコミュニケーションに便利な「ZOOM」を使う

テレワーク、オンライン飲み会に必須のアプリ

新型コロナウイルスによる緊急事態宣言が発出された状況で、大きく注目されたアプリの1つが「ZOOM Cloud Meetings」(以降「ZOOM」と表記)だ。多くの人々が外出自粛を余儀なくされる中でも、経済活動としての仕事や生活を完全に止めることはできないというジレンマの中で、インターネット回線を使ってビデオミーティングができるZOOMは、オンライン会議ツールとしてだけでなく、iPadの画面を通じて仲間と対面しながら気楽に歓談するという、オンライン飲み会という新たな文化を作ったといっても過言ではないだろう。

ZOOMがここまで浸透した理由は、アプリをインストールしてアカウントを作ればすぐに、ビデオミーティングが始められる手軽さだろう。また、iPadだけでなく各種スマートフォン、パソコンなど、幅広いデバイス向けに無料アプリが提供されているため、使っているデバイスを問わずに使える点も魅力だ。無料アカウントでは、3人以上のビデオミーティングに時間制限(30分)があるものの、1対1であれば無制限で使える。ビデオミーティングでは、自分の背景に映る自宅の様子や生活感が心理的障壁になることがあるが、ZOOMには画像を使って背景を隠すことができる「バーチャル背景」という機能が用意されているため、心配は無用だ。同様の機能は現在では他の同種のアプリにも採用されているが、いち早く採用したのはZOOMだ。

ZOOMには他にも、音声通話やチャット、ホワイトボードを使った手描きイラストや文字の共有など、多彩なツールが用意されている。

ZOOMを使ってみよう

1 複数人とオンラインで対面できる

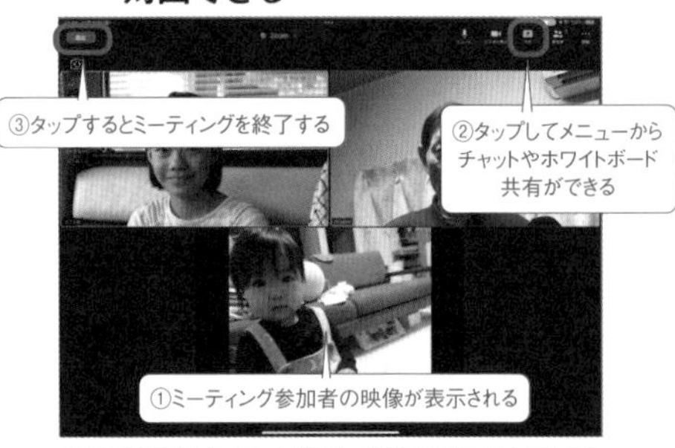

ZOOMのビデオミーティングでは、参加者のリアルタイムの映像を見ながら会話することができる。他の参加者の映像が表示されている枠をタップすれば、その参加者を画面中央に大きく表示することができる。

2 「ホーム」からミーティングを開始できる

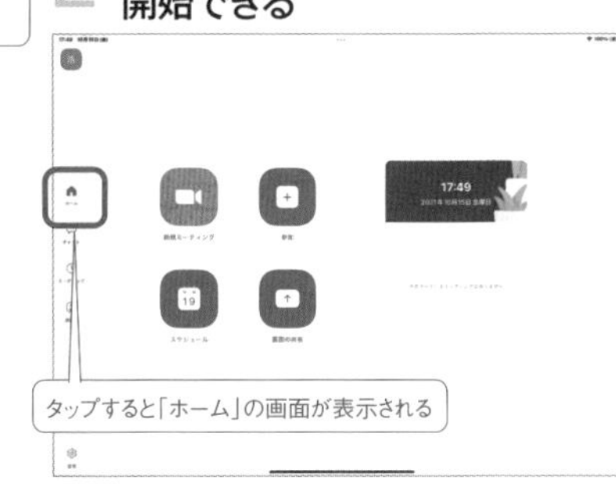

ミーティングを開始するには、「ホーム」の画面で「新規ミーティング」をタップする。ここからスケジュールや画面の共有も可能だ。

3 ミーティングに招待する

自分が始めたミーティングに相手を招待するには、ミーティングの画面で「参加者」→「招待」とタップし、招待方法をタップする。

4 ミーティングに参加する

相手からミーティングへの招待を受けた場合は、招待に記載されたリンクをタップする。もしくは「ホーム」で「参加」をタップし、相手のミーティングIDを入力する。

5 バーチャル背景を設定する

背景を隠すバーチャル背景を設定するには、ミーティングの画面で「詳細」→「背景とフィルター」とタップして、目的の背景を選択する。背景をぼかしたり、手持ちの写真を背景にしたりできる。

096 無料通話 スタンプ、電話、ビデオ通話、何でもアリのコミュニケーション、LINEを利用する

スマホ版LINEとデータ内容を同期して利用できる

無料音声通話といえば言わずと知れた国内最大の無料通話アプリ「LINE」だ。LINEはiPadでも利用することができる。

LINEを利用するにはApp StoreからiPad用LINEをダウンロードすればよい。既にほかのスマホで利用しているLINEアカウントにログインして利用するかたちとなる。ログインすると、iPad上でもスマホと同じように音声通話やメッセージの送信などに利用できるようになる。ほかにスタンプショップを利用したり、タイムラインを閲覧することも可能だ。なおiPad版LINEを利用するには、本人確認のため、ログイン時に表示されるコード番号を、スマホ版LINEを起動して入力する必要がある。以前はiPad版LINEにログインすると、スマートフォン側のLINEが強制ログアウトになってしまい、トーク履歴も消えて不便だったが、現在はiPadでもスマートフォンでも同時に同じアカウントにログインしてデータを同期できる。

さらに「LINE」アプリでは、新たに新規LINEのアカウントを取得することも可能。iPad版専用のLINEアカウントを作成したい場合はこちらを利用しよう。

App

LINE
作者/LINE Corporation
価格/無料

「LINE」のすべての機能が利用できる

1 定番の無料通話とビデオ通話

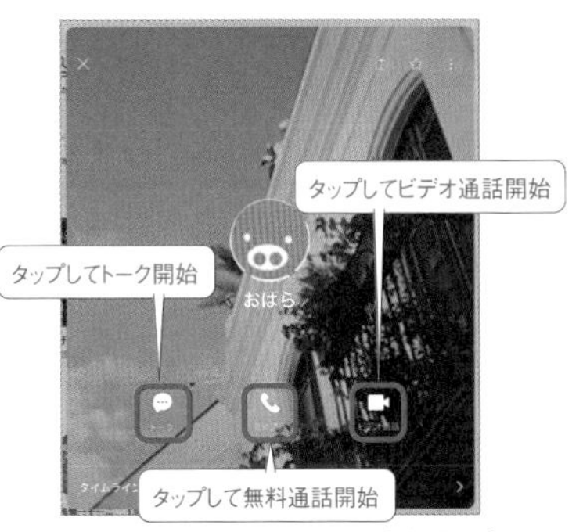

友だちリストで目的の友だちをタップ、相手のプロフィールが表示されたら、「無料通話」「ビデオ通話」をタップしてコミュニケーションを開始できる。

2 スタンプが楽しいトーク

手順1の画面で「トーク」をタップすれば、テキストチャットが楽しめる。LINEでおなじみのユニークなスタンプの数々も、もちろん使える。

3 好みのスタンプを手に入れよう

アプリ内からスタンプショップも利用可能。クリエイターズスタンプや動くスタンプなど、個性を発揮できるさまざまなスタンプが選び放題だ。

4 スタンプの管理は設定から

手に入れたスタンプを並べ替えたり、不要なスタンプを削除したりするには、LINEアプリの設定画面で「スタンプ」→「マイスタンプ」とタップする。

5 写真の加工も自由自在

トークルームに投稿する写真には、スタンプを添えたり、フィルターを使って雰囲気を一変させたりできる。これらの機能を使って「映える」写真にしよう。

point

アカウント共有の注意

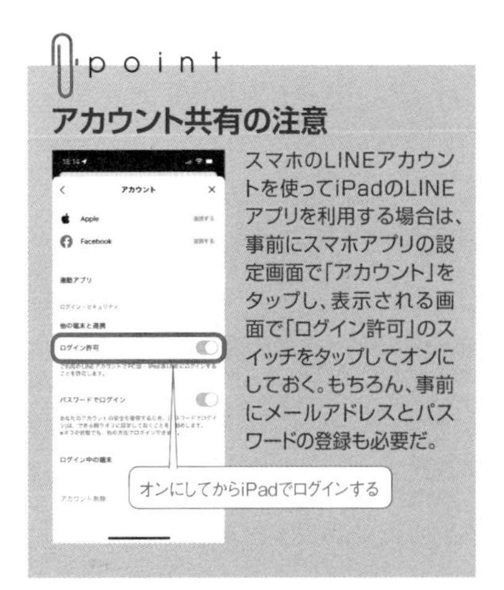

スマホのLINEアカウントを使ってiPadのLINEアプリを利用する場合は、事前にスマホアプリの設定画面で「アカウント」をタップし、表示される画面で「ログイン許可」のスイッチをタップしてオンにしておく。もちろん、事前にメールアドレスとパスワードの登録も必要だ。

あとで読む

097 気になったサイトは「あとで読む」を利用する

Safariのリーディングリスト機能はオフラインでも使えて便利だが、連携機能が豊富な「あとで読む」サービス「Pocket」は保存した記事をさらに活用できるアプリで、レイアウトがスタイリッシュでカッコいいのが特徴だ。Safariの共有メニューから呼び出してページを保存しよう。

App
Pocket
作者／Idea Shower
価格／無料　言語／英語

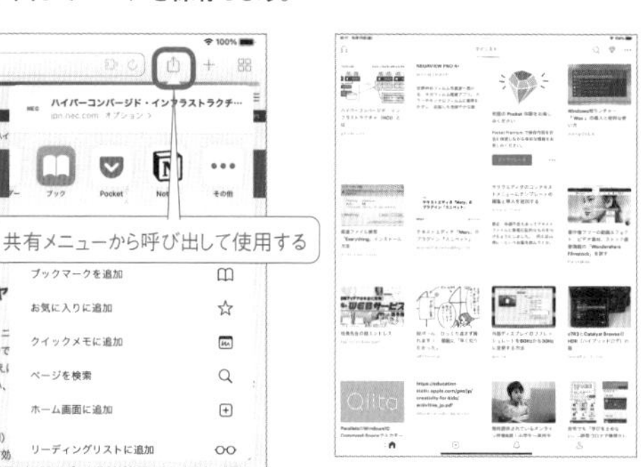

ウェブページを保存するには、Safariなどのブラウザの共有メニューで「Pocket」をタップするだけだ。

Pocketのアプリを起動すると、保存したウェブページのサムネイルが表示される。いずれかをタップすると、オフラインでその本文を読んだり、共有したりできる。

上級技　あとで読む

098 ウェブページやツイートをストックして、いつでも読み返す

Safariのリーディングリストや一般的な「あとで読む」アプリはウェブページしか保存できない。しかし「Keep Everything」なら、Twitterの気になるツイートや購読しているメルマガなど、あらゆるデータを「あとで読む」として一時保存することが可能だ。保存した記事はオフラインでも閲覧可能だ。

Keep Everythingはバックグラウンドで動作するアプリ。起動したらTwitterアプリで保存したいツイートを開き、右下の共有ボタンからその他の方法でツイートを共有」をタップし、次の画面で「Keep」をタップして保存できる。

App
Keep Everything
作者／groosoft
価格／無料

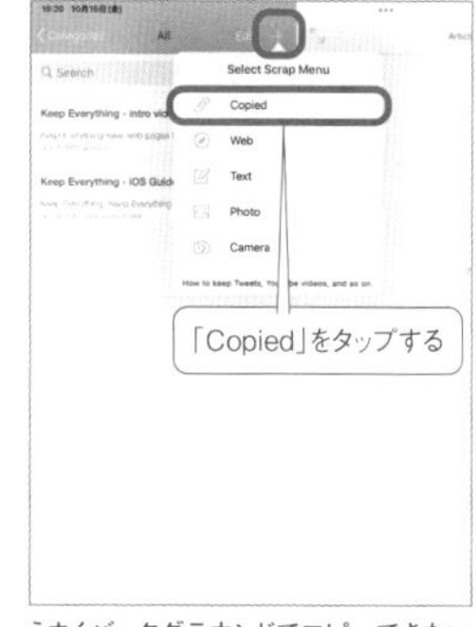

うまくバックグラウンドでコピーできないときは手動で追加しよう。保存したいものをコピーしたら、右上の追加ボタンから「Copied」を選択しよう。

ニュース

099 人気のRSSリーダー「Reeder 5」はおすすめ!

ウェブページの更新情報(RSS)を自動で取得し、最新のニュースやブログ記事をチェックするためのRSSリーダーの中でも、定番の地位を築いているアプリが「Reeder 5」だ。その特長はカスタマイズ性の高さと洗練された操作性で、ニュースはお仕着せではなく、自分でソースを選んでチェックしたいというユーザーに広く愛好されている。

App
Reeder 5
作者／Silvio Rizzi
価格／610円
カテゴリ／ニュース

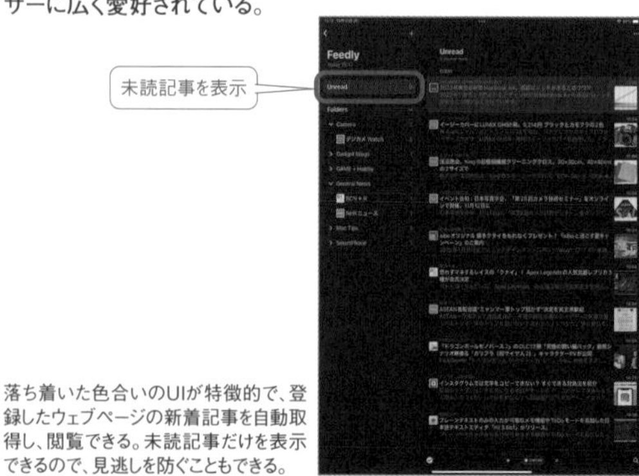

落ち着いた色合いのUIが特徴的で、登録したウェブページの新着記事を自動取得し、閲覧できる。未読記事だけを表示できるので、見逃しを防ぐこともできる。

ニュース

100 Googleが提供する最新ニュースをアプリでチェック

「Google ニュース」は信頼性の高い大手ニュースサイトから重要な記事をピックアップして表示してくれるアプリ。カスタマイズ機能が豊富で「フォロー中」にキーワードを登録すれば、キーワードに関する重要記事だけを効率的に読むことができる。また、現在位置情報から地元のニュース記事だけを拾い集めることもできる。

App
Googleニュース
作者／Google, Inc.
価格／無料
カテゴリ／ニュース

画面下の「フォロー中」をタップし、「トピック」の「+」をタップすると、関心のあるトピックやニュース配信元を選ぶことができる。

地域のニュースを読みたい場合は、「フォロー中」の「すべてを表示して管理」をタップして、目的の地域を登録しておこう。

101 ニュース ニュースをアラカルトで楽しむ

300チャンネル以上のコンテンツからニュース記事を収集

今話題のニュースを効率的にチェックするなら「スマートニュース」が便利。300チャンネル以上のコンテンツから話題のニュース記事を厳選して配信してくれる。「エンタメ」「スポーツ」「グルメ」「コラム」「テクノロジー」など多彩なカテゴリから自由に選択してフィルタリング表示することも可能。

App

スマートニュース
作者／SmartNews, Inc.
価格／無料

1 カテゴリを選択して記事をタップ

起動すると人気のニュース記事が一覧表示される。上部にあるカテゴリから気になるものをタップしてフィルタリングすることが可能。

2 記事を共有する

記事を保存したい場合は、右上にある共有ボタンをタップ。メールやTwitter、Evernoteなどに手軽に記事を共有することができる。

102 ニュース 識者のコメントを通じて、ニュースの深層を知る

業界の信頼性の高い専門家や著名人のコラムやコメントが豊富

「NewsPicks」は経済やビジネスに特化したニュースアプリ。国内・海外の最先端の経済ニュースを厳選して配信している。ほかのニュースアプリと異なりエンタテイメントやライフスタイルのようなジャンルは用意されていないが、その分、業界の信頼できる専門家や著名人のコラムや記事の解説コメントが豊富なのが大きな特長だ。

App

NewsPicks(ニューズピックス)
作者／UZABASE, Inc.
価格／無料

1 経済·ビジネス関する深い記事が読める

記事に寄せられたコメント数がヘッドラインに表示されるので参考にしたい。

2 記事に対する業界人たちのコメントが読める

各ニュース記事にはその記事に対して付けられたコメントも表示される。また、識者をフォローすることでその人がコメントを投稿したときに通知される。

103 セキュリティ インターネット利用時のプライバシーを守る

身元が特定されることを防ぐ機能

iCloudの有料プラン(130円～1300円／月)である「iCloud+」では、オンラインストレージの「iCloud Drive」の容量アップに加え、「プライベートリレー」も提供される。このプライベートリレーは、iPadやiPhone、MacなどのAppleデバイスでのインターネット利用のセキュリティを守るための仕組みで、最初に設定を有効にすれば、以降はユーザーがその存在を意識する必要はない。

プライベートリレーを有効にしたデバイスから、インターネットに接続し、ウェブページの閲覧やオンラインサービスの利用などをすると、本来なら接続先のサーバーに送信されるウェブページの閲覧履歴や、iPadが接続しているWi-FiルーターのIPアドレスと所在地などの情報が匿名化される。そのため、悪意のある第三者に万が一、これらの情報が盗まれても、自分のプライバシーが侵害されたり、身元が特定されたりする心配がなくなるのだ。

ただし、これらの情報を必要とするサービスを利用する場合、何らかの問題が生じることもあるので注意したい。実際、docomoやソフトバンクなどでは、自社が提供する個人認証が必要なサービスの利用において支障を来す恐れがあることから、プライベートリレーを無効にしておくことを推奨している(2021年10月現在)。

プライベートリレーとは?

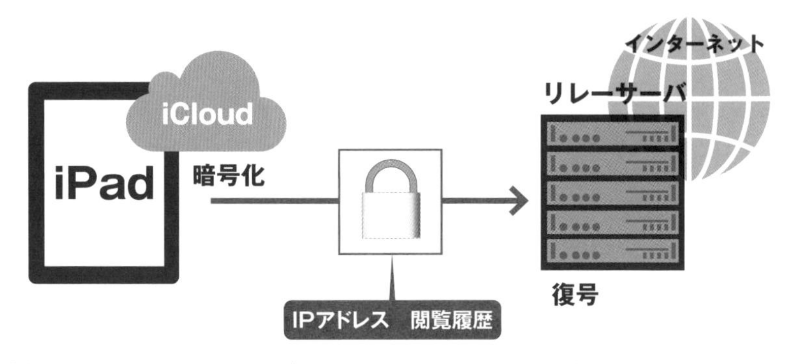

「プライベートリレー」では、自分のデバイスはまずiCloudに接続し、そこでIPアドレスなどの個人情報を暗号化したものをインターネット上に送信する。接続先にそのデータが到達する前にリレーサーバーでデータが復号、匿名化され、個人が特定できない状態で接続先に送信される。

プライベートリレーを有効にする

1 「iCloud+」にアップグレードする

「設定」アプリで「自分のアカウント」→「iCloud」→「ストレージを管理」→「ストレージプランを変更」とタップすると表示される画面で、目的の容量を選択して購入すると、iCloud+にアップグレードできる。

2 iCloudの設定画面を表示する

iCloud+へアップグレードすると、「設定」アプリで「自分のアカウント」をタップすると表示される画面に「プライベートリレー」が表示されるので、これをタップする。

3 プライベートリレーのスイッチをオンにする

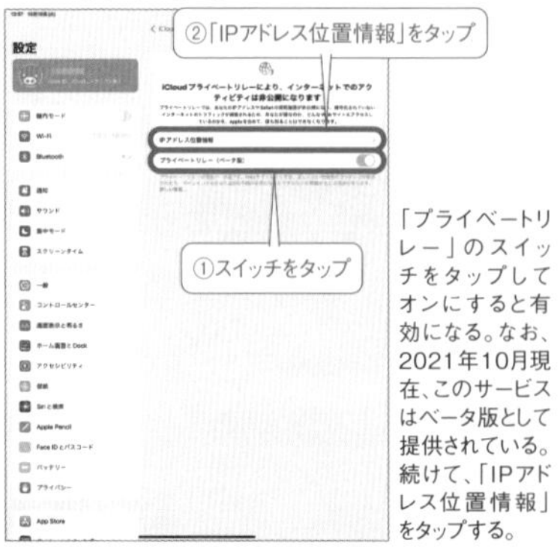

「プライベートリレー」のスイッチをタップしてオンにすると有効になる。なお、2021年10月現在、このサービスはベータ版として提供されている。続けて、「IPアドレス位置情報」をタップする。

4 匿名化のレベルを変更する

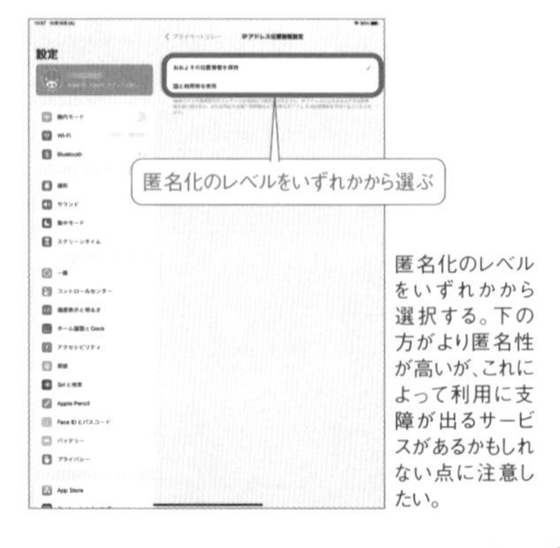

匿名化のレベルをいずれかから選択する。下の方がより匿名性が高いが、これによって利用に支障が出るサービスがあるかもしれない点に注意したい。

写真・音楽・動画

非常に多くの機能がある「写真」アプリで可能なことをまずは理解しておきたい。もちろん音楽系、動画系のテクニック、アプリも実用的で楽しめるものを大厳選!

104 外部ストレージ 外付けストレージを音楽、動画鑑賞に有効利用する

「ファイル」アプリでUSBストレージの読み書きができる

iPadOSではLightning-USB変換アダプタを利用すればUSBメモリや外付けハードディスク内のデータを読み書きできる。つまり、外付けストレージ内の写真やテキストはもちろんのこと何百MBもある大きな動画ファイルもiPadとともに持ち運びできるようになる。USBストレージメディア内にあるファイルを直接再生することもできるので、音楽や動画ファイルを大量にiPadと同期していたユーザーはストレージサイズを気にする必要はなくなるだろう。

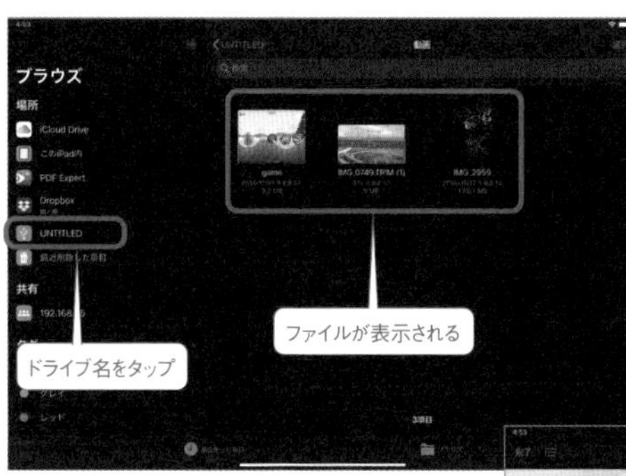

アダプタは、ホームボタンのないiPadなら「USB-C - USBアダプタ」(1,980円・Apple)、ホームボタンのあるiPadなら「Lightning - USB 3カメラアダプタ」(4,950円・Apple)がおすすめだ。

1 USBストレージを取り付ける

Lightning-USB変換アダプタを付けたあとファイルが保存されているUSBメモリを接続する。「ファイル」アプリを開くと左メニューのドライブ名が表示され、タップするとドライブ内のファイルが表示される。自分のiPadのコネクタに合ったアダプタが必要で、また、適切な接続をしても、電力が足りず、接続できない場合もある。

2 ファイルを再生する

中にある動画ファイルをタップすればiPad上で直接再生することができる。動画だけでなく音楽ファイルやPDFなどiPadで閲覧できるものであれば何でも再生できる。

105 写真 機能が豊富で便利な「写真」アプリを使いこなそう

目的の写真へのアクセスや整理が楽になった

iPadOS 14から標準アプリの多くが再設計され、サイドバーが追加されている。写真アプリもサイドバーが追加され、これまでの下部メニューのインターフェースと異なる使用感になった。

サイドバーを開くと「ピープル」「撮影地」「ビデオ」「Live Photos」など、以前のiPadOSでは「アルバム」タブ内で細かく分類されていた項目が一覧表示され、目的の項目にワンタップでアクセスすることができる。各項目をタップするとプルダウンメニュー形式で、その項目内に作られたアルバムが表示され、以前のように「戻る」「進む」といった操作をする必要がなくなっている。

アルバムや写真を整理する際にもサイドバーは優れている。マイアルバムに表示されているアルバムに限って、「編集」メニューから順番を自由に並び替えることができる。また、編集メニューではアルバムを削除したり、新たに作成することもできる。

また、iPadを横向きにすることでサイドバーを常に表示させることができ、各アルバム内の写真をドラッグ&ドロップでほかのアルバムに移動させることができる。複数の写真を選択した状態で移動させることもできる。

ほかのアプリとの連携性も高い。Split ViewやSlide Overで起動しているアプリ上に表示されている写真をドラッグ&ドロップで写真アプリに保存することが可能だ。

サイドバーを使いこなそう

1 サイドバーを表示させる

サイドバーを表示させるには、写真アプリ左上にあるサイドバーボタンをタップしよう。左からサイドバーが現れる。サイドバーボタンが見えない場合は、画面左から右にフリックしよう

2 プルダウンメニューを開く

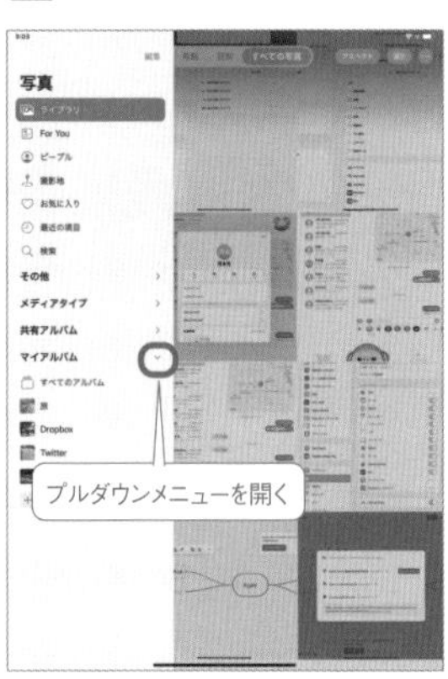

各項目にあるアルバムを開くには、項目横にあるプルダウンメニューをタップしよう。アルバムが展開される。

3 サイドバーを編集する

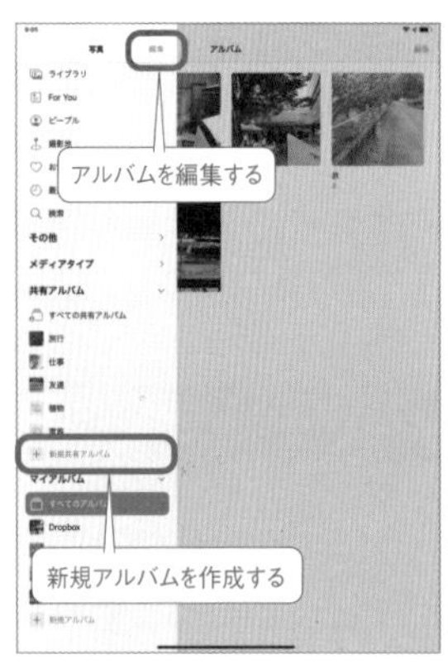

各アルバムをタップすると右側にフォルダ内のファイルが表示される。「新規アルバム」からアルバムを作成することもできる。アルバムを編集するには「編集」をタップする。

4 アルバムを並び替え、削除する

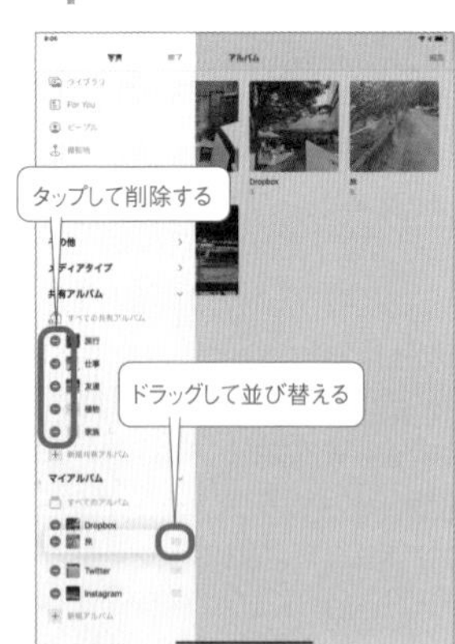

アルバム横に編集ボタンが表示される。並び替えをしたい場合は、右側のボタンを上下にドラッグしよう。削除する場合は左側の削除ボタンをタップしよう。

5 横向きにしてファイルを他のアルバムに移動する

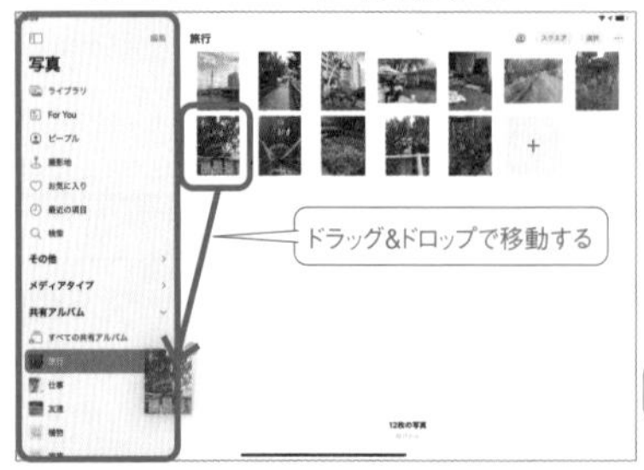

iPadを横向きにするとサイドバーが自動的に表示され固定される。この場合、アルバム内の写真をドラッグでほかのアルバムに直接移動させることができる。

6 ほかのアプリ上の写真をアルバムに保存する

Safariで表示している画像を写真に保存する際、Split Viewを利用すればドラッグ&ドロップで特定のアルバムに素早く保存できる。

106 写真 写真アプリの「For You」タブを使いこなそう

写真をまとめてスライドショーを作成してくれる

「写真」アプリには「ForYou」というメニューがある。「For You」タブを開くと、旅行先で撮影したと思われる写真やハイライトを自動的にまとめてくれる。ただまとめるだけでなく写真をつなげてムービーに変換して、スライドショー形式で再生することも可能だ。

また、作成されたムービーは自分で編集することもできる。編集画面でタイトル、タイトルイメージ、バックグラウンドで流すミュージック、フォントなどを設定しよう。作成したムービーは共有メニューから外部アプリへ保存することができる。

1 「For You」タブを開く

「写真」アプリから「For You」タブをタップすると、おすすめの写真や旅行先で撮影した写真をまとめてくれる「メモリー」などが表示される。

2 ムービーを編集する

「メモリー」で作成された写真を開くとスライドショームービーが自動で作成されている。再生画面をタップするとタイトルやミュージックなどを変更することができる。

上級技 107 写真 写真アプリのアクションボタンを使いこなそう

フィルタ機能を使って写真を絞り込む

写真アプリのライブラリ画面右上にiPadOS 14からアクションボタンが追加されている。写真を古い順または新しい順に並び替えたり、拡大縮小や表示形式の変更、アスペクト比の変更などができる。

特に便利なのはフィルタ機能だろう。ライブラリから「お気に入り」「編集済み」「ビデオ」「写真」ごとに写真を絞り込み表示でき、複数の条件を指定することもできる。なお、「編集済み」の写真とは、過去に写真アプリでレタッチされたもので、オリジナルの状態に戻すことが可能な写真だ。

1 アクションボタンをタップ

写真一覧画面右上にあるアクションボタンをタップする。アクションメニューが表示される。フィルタを利用する場合は「フィルタ」をタップ。

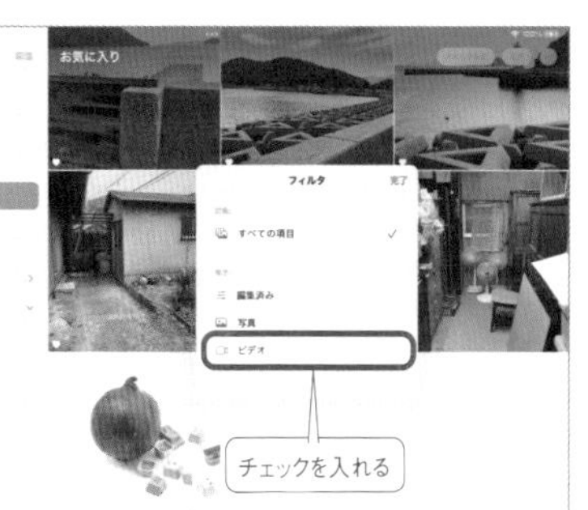

2 フィルタを選択する

利用するフィルタにチェックを入れるとそのフィルタが適用される。なお、アルバムによってアクションメニューやフィルタメニューは変化する。

写真

写真アプリの「ライブテキスト」機能を使おう

カメラ撮影した書類のテキストを読み取り簡単にコピーできる

iPasOS 15のカメラで書類を撮影すると、書類上からテキストの部分だけを認識して範囲選択した状態になる。認識されたテキスト部分はメニューからコピーしてほかのアプリにペーストしたり、選択範囲をカスタマイズしたり、辞書で調べることが可能だ。

また、選択した文字列を「ファイル」にドラッグ&ドロップするとテキストファイルとして出力できるので、簡易なOCRアプリとしても活用できるだろう。日本語にも対応している。

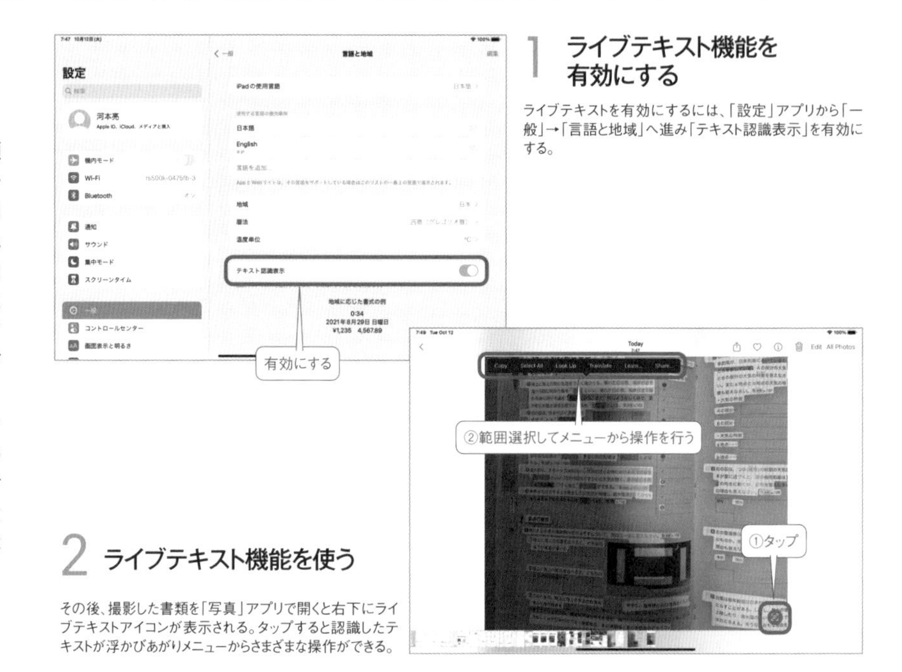

1 ライブテキスト機能を有効にする

ライブテキストを有効にするには、「設定」アプリから「一般」→「言語と地域」へ進み「テキスト認識表示」を有効にする。

2 ライブテキスト機能を使う

その後、撮影した書類を「写真」アプリで開くと右下にライブテキストアイコンが表示される。タップすると認識したテキストが浮かびあがりメニューからさまざまな操作ができる。

上級技 109

写真

写真アプリで写真や動画の撮影日時を変更する

海外で撮影した時間を自動で日本時間に変更することもできる

iPadOS 15では「写真」アプリで撮影した写真や動画の撮影日や撮影時間を編集することができる。「写真」アプリで対象の写真を開いたら、写真を上にスワイプするか画面下にある「i」ボタンをタップしよう。「調整」画面を開くと撮影日時を自由に編集できる。

また、「時間帯」変更機能が搭載されており、これを変更すると海外で撮影した写真の時差を自動的に正しい現在の撮影日時に修正してくれる。

1 写真を開いて「i」をタップ

アプリで対象の写真を開いたら右上の「i」ボタンをタップして「調整」をタップ。

①時間を指定する

②時間帯を変更する

2 日付を変更する

撮影日時を調整しよう。下にある「時間帯」で地域を指定すると、その地域の時間帯に自動修正してくれる。

110 写真 容量無制限の写真ストレージサービス Amazon Photosを使おう

Googleフォト有料化後の代替サービスとして注目の存在!

無料で容量無制限に写真を保存できることで評判の高かった「Googleフォト」のプランが変更されたことで、代替サービスを探しているユーザーは多いだろう。もし、Amazonプライムに入会、もしくは検討しているなら「Amazon Photos」がおすすめだ。

Amazon Photosは、Amazonプライム会員向けの容量無制限の写真ストレージサービス。プライム会員であれば、画像を圧縮することなくフル解像度の写真を無制限でアップロードすることができる。スマートフォン、タブレット、パソコンからアクセス可能で専用アプリをインストールすることでデバイス上に保存している写真を手動、もしくは自動でバックアップすることができる。ファイル形式はJPEGをはじめPNGやRAWなど幅広い形式に対応している。

共有機能も備えており、バックアップした写真を最大5人まで共有することができる。家族や友達との旅行で撮影した写真をアルバムでまとめて共有したいときに便利だ。また、共有リンクを作成して、不特定多数の人に写真を公開することもできる。

なお、動画もアップロードできるが保存可能容量は5GBまでと制限があり、それ以上保存する場合は追加料金を支払う必要がある。アルバム作成、検索機能、フィルタ機能もありGoogleフォトでできることの大半はAmazon Photosでも可能だ。

App

Amazon Photos
作者/AMZN Mobile LLC
価格/無料

iPadの写真をAmazon Photosにバックアップする

1 Amazonアカウントを入力

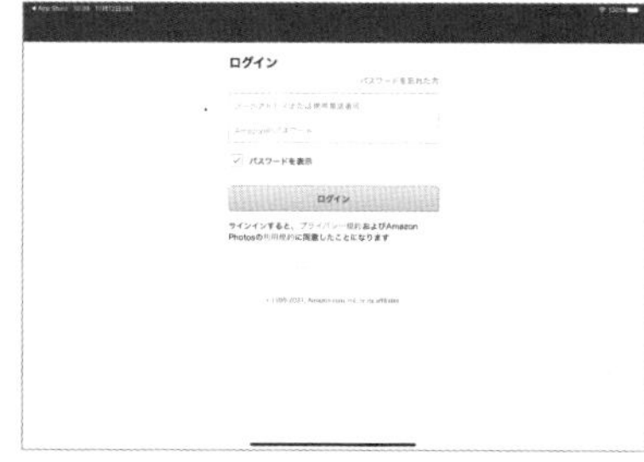

Amazonプライム会員であれば、Amazon Photos起動後に表示される画面で利用しているアカウント情報を入力しよう。

2 自動でバックアップする

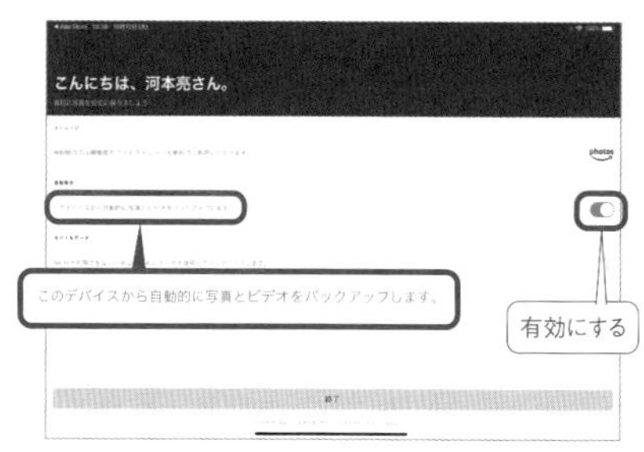

iPadに保存している写真をまとめてバックアップするなら「このデバイスから自動的に写真とビデオをバックアップします」を有効にしよう。

3 バックアップが始まる

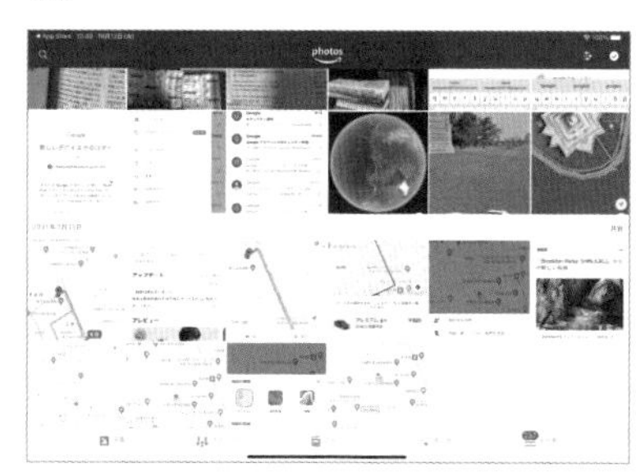

標準ではWi-Fiに接続しているときに自動的にバックアップされる。メイン画面右下の「その他」に残りのファイル数が表示され、バックアップ状況を確認できる。

4 右上のメニューボタンから操作する

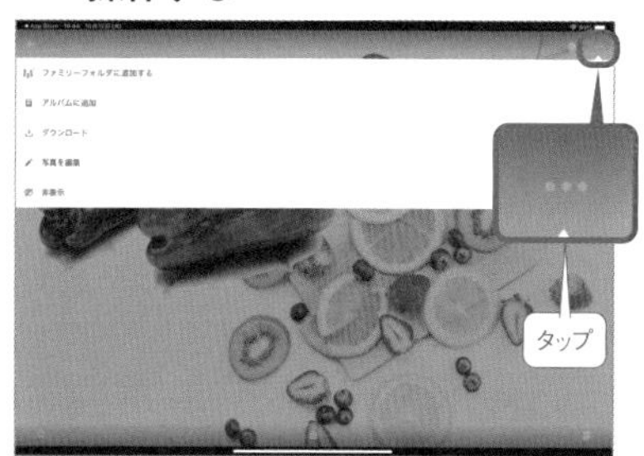

写真を開いて右上にある「…」ボタンをタップするとメニューが表示される。写真をダウンロードしたり、編集したりできる。

5 写真を外部に公開する

作成したアルバムは外部に公開することもできる。アルバムを開き右上のメニューボタンをタップして「リンクをコピー」をタップしよう。あとは、そのリンクを知らせればOKだ。

6 自動で写真を分類してくれる

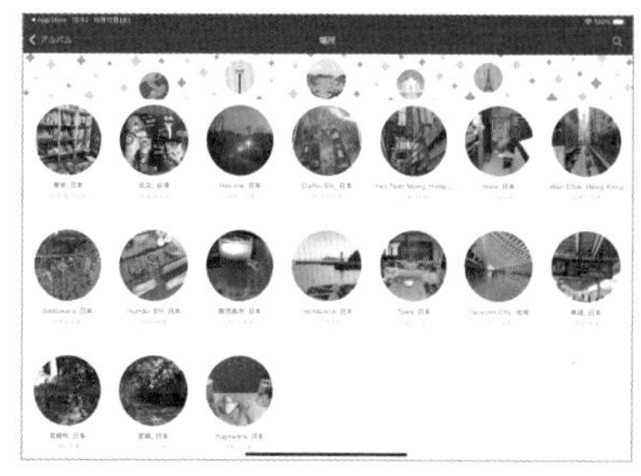

Amazon Photosは写真内容から自動で検索タグを付けたり分類してくれる。アルバム画面で「場所」をタップすると撮影場所に基づいて自動で分類してくれる。

111 Amazon Photos Amazon Photosでアルバムを作成して共有する

好きなアルバム名を付けてアルバムを作成する

Amazon Photosにアップロードした写真から自分でアルバムを作成する場合は、下部メニューの「アルバム」タブを開こう。追加ボタンをタップしてアルバム名を入力し、写真を選択すれば完了となる。作成したアルバムは共有リンクを作成して、ほかのユーザーと簡単に共有することができる。アルバムをまるごと共有したり、アルバム内から指定したファイルのみだけ共有するなど方法は多彩。「ファミリーフォルダ」機能を使えば招待したユーザーのみアルバムを共有して、ほかのユーザーと共同で写真を追加することが可能だ。

1 「アルバム」タブを開きアルバムを作成する

下部メニューから「アルバム」を選択する。「アルバムを作成」をタップして、アルバム名を入力したあと、追加する写真を選択しよう。

2 アルバムを共有する

アルバムを共有する場合はアルバムを開き、右上のメニューボタンをタップし、「共有」を選択しよう。共有リンクを作成することができる。

上級技 112 写真 再生できないGIFアニメをiPadで再生するには

「写真」アプリはGIFアニメをサポートしており、GIFアニメを直接再生することができるが、環境によってはうまく再生できないことがある。そのようなGIFアニメを再生したい場合は、共有メニューから「メール」に添付してみよう。うまく再生できることが多い。また、SafariからGIFアニメを保存する際に「写真」アプリではなく「メモ」アプリや「メール」アプリなどに保存する方がきちんと再生できる確率が高い。

「写真」アプリに保存した場合は、共有メニューから「メール」に転送するとメール上で再生できる。

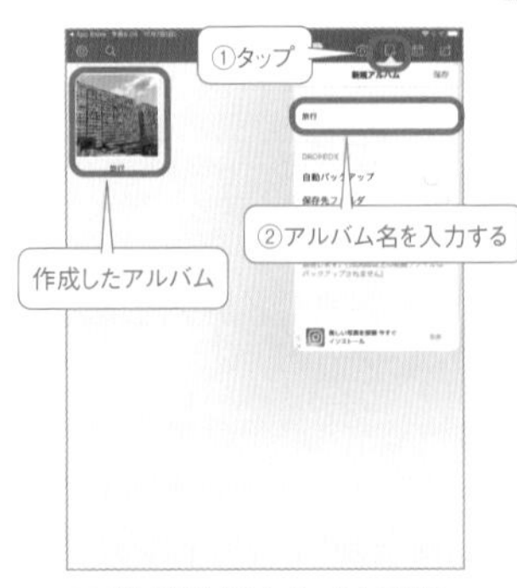

Safariから長押しして保存する際のメニューで「共有」を選び、「メモ」などほかのアプリに保存しよう。

113 写真 必要な写真のみをiPadに残す便利な方法

Google フォトや Amazon Photos にカメラロールに貯まった写真をバックアップするのもよいがパソコンにバックアップするユーザーも多いだろう。いつも iPad に必要な写真のみ残しておくなら「iフォトアルバム」を使おう。カメラロールから必要な写真のみ抽出して端末内に残すことができるアプリだ。

App
iフォトアルバム
作者／Naia Inc.
価格／無料

アプリを起動させたら、右上の追加ボタンをタップして新規アルバムを作成しよう。

作成したアルバムを開き、右上の写真ボタンをタップして追加する写真を選択して「インポート」をタップしよう。

114 グラフィック編集 テンプレートを使って簡単にSNS用の画像を作る!

膨大な無料素材から好きな物を選んでカスタマイズするだけ

「Canva」は初心者でも使いやすいグラフィック編集アプリ。あらかじめ用意されている膨大なテンプレートから好きなものを選択して、そのテンプレート上の文字や画像を置き換えるだけで、デザイン性の高いグラフィックを作成することができる。プロに外注しなくても誰でも簡単にプロレベルのグラフィックを作成できるのが最大の特徴だ。作成できるデザインのテンプレートは、名刺、チラシ、ロゴ、ポスター、メッセージカード、インスタグラムに掲載する広告など非常に多彩。

また、テンプレート上のグラフィックを編集する際8,000点以上の素材、ストック写真、イラストから選ぶことができるので自分で素材を用意する必要はない。もちろん手持ちの素材も利用することが可能だ。

基本はグラフィックアプリだが、動画エディターとしても使え、動画のクロップ、分割、トリミングなどの編集が行える。また、複数のオーディオトラックに音楽やサウンドエフェクトを追加することもできる。YouTube動画やTikTok動画などを作るのに便利な機能が満載で、無料で音楽素材も利用できる。また、Canvaは無料プランのほかに有料プランが用意されおり、利用できるテンプレートのレタッチメニューの数などで差異がある。無料版で物足りなくなった場合は、有料プランに切り替えるといいだろう。

App

Canva
作者/Canva
価格/無料

Canvaでグラフィックを作成しよう

1 テンプレートのカテゴリ選択する

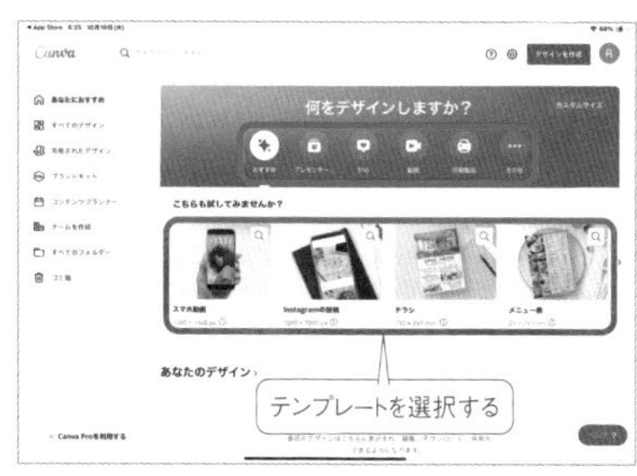

Canvaを起動したらまずはテンプレートを選択する。Instagram投稿用の写真、チラシ、広告などさまざまなテンプレートが用意されている。

2 テンプレートを選択する

このような画面に切り替わる。左上の「テンプレート」をタップして実際に利用するテンプレートを選択しよう。右側にテンプレートが表示される。テンプレートの編集したい部分をタップ。

3 テキストを編集する

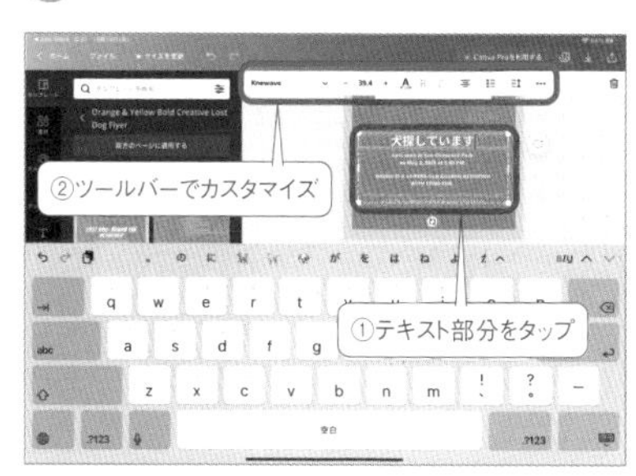

編集したいテキストをタップするとキーボードが表示されるので、テキストを入力する。上部のツールバーからテキストのフォント、サイズ、カラーの変更などができる。

4 各パーツの大きさやカラーを編集する

各パーツをタップすると周囲に丸いつまみが表示される。これをドラッグするとサイズを変更できる。カラーを変更する場合は、対象部分をタップして好きなカラーを選択する。

5 動画エディターで動画を作成する

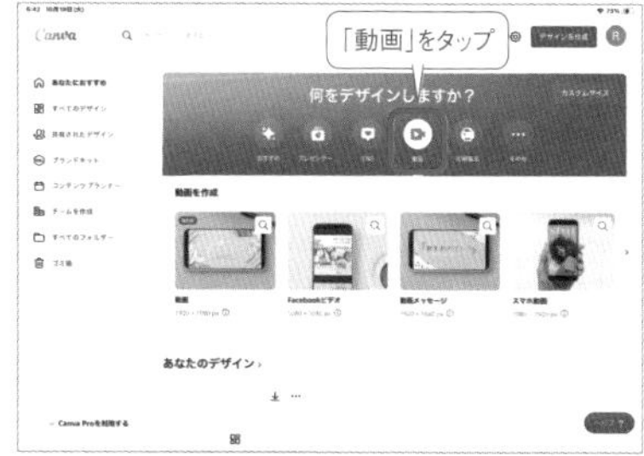

動画を作成、編集する場合は最初のメニュー画面の「動画」をタップして、作成する動画の種類を選択しよう。

6 テンプレートを選択して動画を編集する

テンプレートから利用するテンプレートを選択し、利用するクリップを登録しよう。クリップが表示されたらテキストや写真をカスタマイズしよう。

115 動画 iPadで簡単に動画編集するのに便利なアプリとは?

「写真」アプリ内蔵の編集ツールは使いやすく非常に多機能だ

iPadに標準搭載されている「写真」アプリは写真や動画を閲覧するだけでなく動画編集機能も備えている。以前は、指定したシーンをトリミングする程度しかできなかったが、現在はメニューが多彩になっており、写真編集時に利用可能なレタッチのほぼすべてが動画編集時にも利用できる。具体的にはスライダーを使って露出、ハイライト、シャドウ、コントラストなどの色彩調節が行える。普段、写真アプリのレタッチ機能を使っているのであれば、初めてでも迷うことなく動画編集ができるだろう。

また、トリミングや傾きの編集、左右の反転もできる。これによって間違えて縦で撮影してしまったときでもあとで簡単に横向きに変更できる。「16:9」や「4:3」など比率を指定して自動でトリミングもできるので、YouTubeなど動画サイトにアップしたいときにも役立つだろう。

本格的な動画編集を無料で行える「CapCut」もおすすめ

さらに本格的な動画編集をするなら無料の動画編集アプリ「CapCut」も併用してみよう。シンプルなインターフェースながら非常に多機能なのが特徴で、複数の動画を結合したり、動画内にテキストを挿入したり、バックグラウンドに好きな音声を追加することができる。ほかに、逆再生、速度変更、エフェクト、スタンプなども動画に追加できる。PCの動画編集ソフトよりも使い勝手がいいぐらいだ。

また、あらかじめ著作権問題をクリアした音楽などの素材も豊富に搭載されているので、YouTubeを通して一般公開したい動画を制作している人におすすめだ。

App

CapCut
作者:Bytedance Pte. Ltd
価格:無料　カテゴリ:写真/ビデオ

「写真」アプリで動画を編集する

1 動画から範囲選択して切り取る

「写真」アプリで動画を選択したら編集画面を開く。編集メニューが表示される。画面下部のオレンジ枠で動画から指定したシーンを切り取ることができる。

2 「調節」で色調を調節する

左メニューの調節ボタンをタップすると右側にさまざまなボタンが表示される。ここでは、露出、ハイライト、シャドウ、コントラストなど明るさや色調の調節ができる。

3 フィルタで色調を調節する

左メニューからフィルタボタンを選択すると右側にフィルタが表示される。フィルタを選択すると動画全体を簡単に雰囲気のある映像に変更できる。

4 グリッドツールを使う

動画の形を変更したい場合は、左メニューの一番下のグリッドツールボタンをタップ。四隅をドラッグしてトリミング範囲を設定しよう。

CapCutで動画を編集する

1 複数の動画を結合する

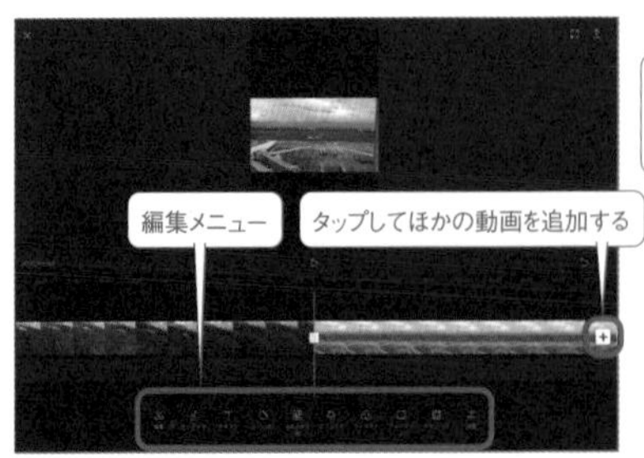

CapCutで編集する動画を登録するとこのような画面が表示される。ほかの動画を結合させる場合は右にある追加ボタンから追加しよう。下部メニューでさまざまな編集ができる。

2 テロップを動画に追加する

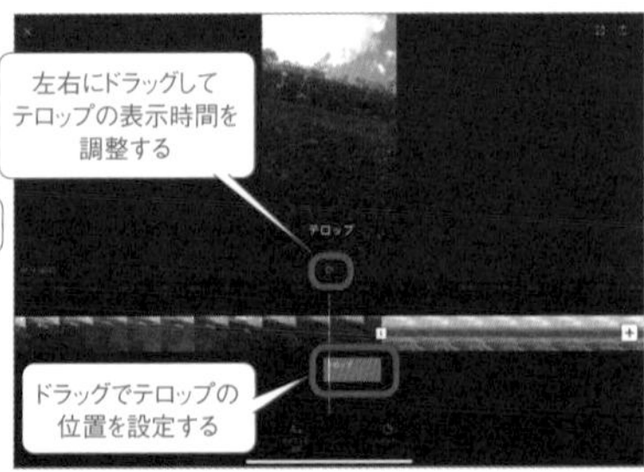

テロップ追加画面。追加したいテキストを入力したらドラッグ操作でテロップの表示位置を調整しよう。また下部メニューでテロップの表示時間も調整できる。

116 写真

iPadの画面を録画する2つの方法

「画面収録」やMacのQuickTime Playerを利用して録画する

iPadの画面をムービー形式で録画したい場合は、「画面収録」機能を使おう。画面収録機能はコントロールセンターから利用するプログラムで、録画開始ボタンをタップするだけですぐにiPadの画面を録画することができる。録画したムービーは「写真」アプリ内の「アルバム」の「ビデオ」フォルダに自動で保存される。また録画開始ボタンを長押ししてマイクを有効にすることでマイクを使って自分の声を収録することもできる。iPadの画面を利用したプレゼンテーション用動画やゲームの実況動画を作成するときは、マイク音声も一緒に収録しよう。なお、コントロールセンターの標準設定では画面収録機能はオフになっており、利用するには「設定」画面の「コントロールセンター」で機能を有効にしておく必要がある。

画面収録機能を使えば、手軽に録画できるものの、画面上部に収録中であることを示す赤い点滅が表示されたり、ロック画面では収録停止操作ができないなどいろいろ問題点もある。このような問題を解決する方法としては、Macユーザーであるなら標準搭載アプリの「QuickTime Player」を利用する手がある。Quick Time Playerは動画を再生するだけでなく録画する機能もあり、Lightningなどのケーブルで接続されたiOSデバイスの画面もムービーでキャプチャすることが可能だ。キャプチャ時は音声の録音も可能。iPadデバイス内の音声か内蔵マイクで拾う音声か選択しよう。

画面収録を使ってiPadを録画する

1 コントロールセンターをカスタマイズする

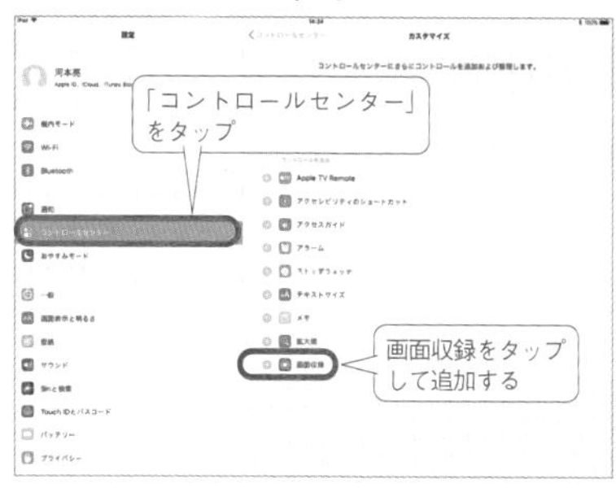

iPadの「設定」を開き、「コントロールセンター」から「コントロールをカスタマイズ」を開く。「画面収録」の追加ボタンをタップしてコントロールセンターに表示できるようにする。

2 コントロールセンターから画面収録を起動する

iPad画面右上端を下へスワイプしてコントロールセンターを表示する。iPadの画面を録画するには画面収録ボタンをタップする。

3 録画中は赤い線が表示される

3秒のカウントダウン後に録画が自動的に始まる。録画中はiPadの上端部分が赤く光る。録画を終了したいときは赤い部分をタップしよう。

4 画面収録確認ボタンで「停止」をタップ

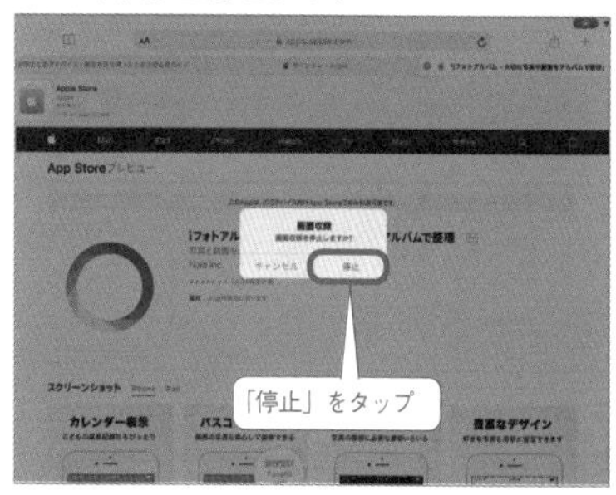

録画を終了するかどうかの確認ダイアログが表示される。「停止」をタップすると終了し、「写真」アプリの「アルバム」の「ビデオ」フォルダに動画が保存される。

MacのQuickTime Playerで録画する

1 「新規ムービー収録」を選択する

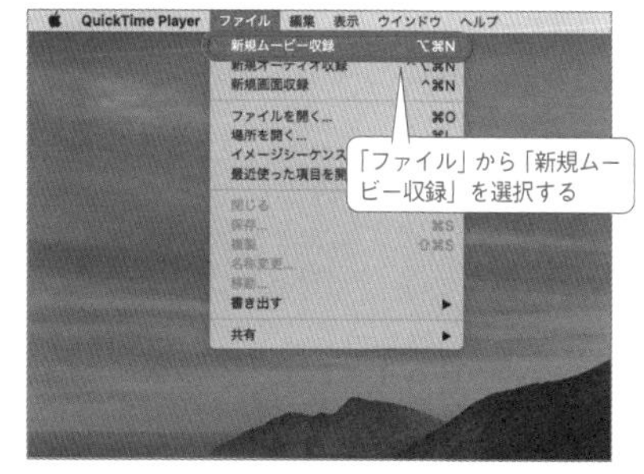

iPadとMacをケーブルで接続したら、Quick Time Playerを起動。メニューの「ファイル」から「新規ムービー収録」を選択する。

2 iPadを録画設定にして録画ボタンをクリック

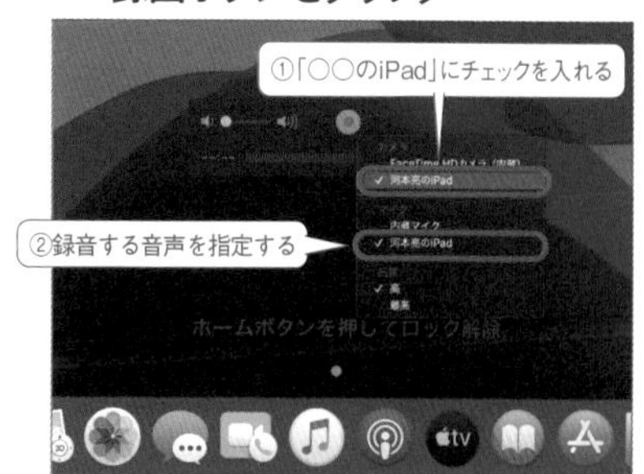

録画ボタン横のメニューから「〇〇のiPad」にチェックを入れる。また録音する音声の設定をiPadの音声かマイクか指定する。最後に録画ボタンをクリックしよう。

117 YouTube YouTubeの動画をiPadに保存するには?

再生中のYoTube動画を高速でiPadにダウンロードする

電波の届かない圏外でお気に入りのYouTube動画を再生するには、事前にiPadに対象の動画を保存しておく必要がある。しかし、YouTube公式アプリやSafariには動画を保存する機能は用意されていない。端末に保存するにはダウンロードアプリの「動画保存」を使おう。

動画保存は写真や動画などのメディアを管理するためのアプリ。本来はiPadで撮影した動画をフォルダ分類したり、名前を変更するための管理アプリだが、YouTube動画をダウンロードする機能が搭載されている。指定したYouTubeの動画をタップ1つで端末に保存することができる便利な機能だ。

ダウンロードした動画は動画保存のフォルダ内に保存され、内蔵のプレイヤーで再生することができる。シャッフル再生ができるなどプレイヤーとしての機能も豊富で、プレイリスト機能を使って分割された複数の動画もスムーズに連続再生できる。

ブラウザ機能は搭載されていないため実際にダウンロードするには、事前にSafariなどのブラウザで対象の動画のURLをクリップボードにコピーしよう。コピー後、アプリにURLを貼り付ければダウンロードできる。

App

動画保存アプリ
作者:shinichi fukui
価格:無料

動画保存アプリを使ってYouTubeをダウンロードする

1 YouTubeのURLをコピーする

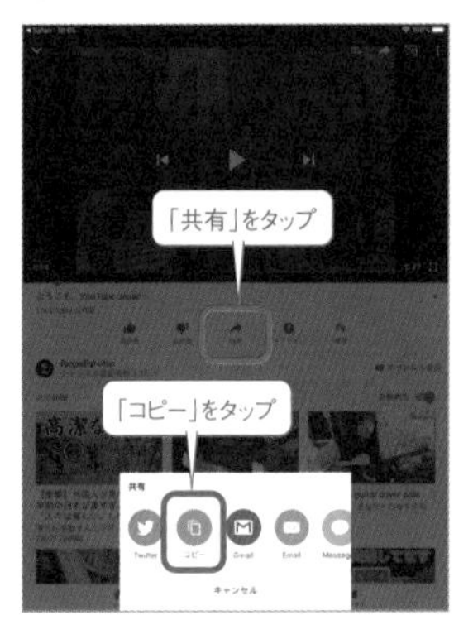

SafariやほかのブラウザでYouTubeにアクセスし、ダウンロード対象の動画を開いたら共有メニューから「コピー」をタップしてURLをクリップボードにコピーする。

2 「動画保存」アプリを起動する

「動画保存」アプリを起動する。左下の「+」をタップしてメニューが表示されたら「URL貼り付け」をタップする。

3 URLを貼り付けて追加する

URL貼り付け画面が表示されるのでクリップボードにコピーしているURLを貼り付けて「追加する」をタップする。

4 ダウンロード設定を行う

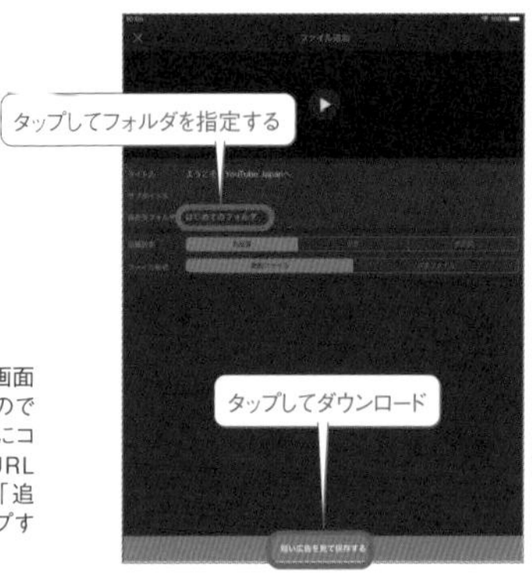

ファイル追加画面が表示される。「保存先フォルダ」で保存先フォルダを指定する。画質、ファイル形式を指定して一番下のダウンロードボタンをタップ。

5 ダウンロード完了を待つ

ダウンロードが始まる。ダウンロード時は約30秒ほどの広告を視聴する必要がある。視聴後、「追加しました」と表示されたら「完了」ボタンをタップ。

6 ダウンロードフォルダを開く

ダウンロードした動画を再生するには下部メニュー真ん中のボタンをタップ。フォルダ画面が表示されダウンロードした動画を再生できる。

118 プレイヤー あらゆる動画や音楽ファイルを再生できる万能プレイヤー

多くのクラウドサービスに接続してファイルを読み込める

「VLC for Mobile」はPCで人気の多機能プレイヤー「VLC」のiPad版。あらゆる動画ファイルや音楽ファイルを再生できるのが最大のメリット。再生できないファイルに遭遇したらとりあえずこのプレイヤーで再生してみよう。また、Dropboxをはじめ多くのクラウドサービスからファイルを直接読み込むことが可能だ。

App

VLC for Mobile
作者／VideoLAN
価格／無料

①「ネットワーク」をタップ
②「クラウドサービス」をタップ

1 メニュー画面を開いてファイルを選択

左上にあるアイコンをタップ。メニューが表示される。iTunesとiPadを接続して転送したファイルを再生するなら「すべてのファイル」からファイルを選択しよう。クラウドサービス上のファイルを読み込むなら「クラウドサービス」から。

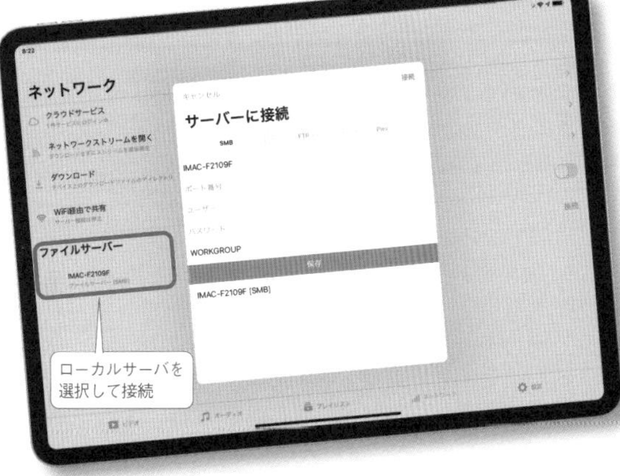

ローカルサーバを選択して接続

2 ローカルサーバのファイルを再生

VLCはWi-Fiネットワークに接続しているローカルサーバにアクセスしてファイルを再生することも可能。メニューの「ファイルサーバー」から接続しよう。

119 テレビ鑑賞 好みの無料ネットテレビを探し出そう

質の高いコンテンツの無料テレビもおすすめ

ネットで閲覧できる無料動画はYouTubeなど一般ユーザーが投稿したものだけでなく、テレビ視聴アプリをダウンロードすることで、大手民放が配信している番組を無料で閲覧することが可能だ。

NHKを閲覧したいなら「NHK＋」、映画やドラマ、アニメ、ニュースなどケーブルテレビのようなジャンルに特化した放送を見たいなら「ABEMA」や「GYAO!」、在京民放キー局5局で配信されているテレビ番組を無料で閲覧するなら「Tver」がおすすめだ。

App

NHKプラス
作者:NHK
価格:無料

App

TVer
作者:TVer INC.
価格:無料

App

GYAO!
作者:Yahoo Japan Corp.
価格:無料

App

ABEMA
作者:株式会社AbemaTV
価格:無料

120 動画 iPadで手軽に楽しめるオンデマンド動画配信

見放題サービスのコンテンツや金額を比較しよう

定額で見放題のオンデマンド動画配信サービスが現在盛り上がっている。各サービスともiPad用の視聴ビューアを提供しており、Wi-Fi環境があればiPad上で手軽に動画を楽しめる。ただ複数のサービスと契約するのはコストがかかる。そこで見放題サービスを比較してみよう。

「Hulu」は月額1,050円（税込）の定額見放題サービス。無料視聴期間は2週間。以前はプランが存在したが現在はプランが廃止され料金体系がわかりやすい。有名ハリウッド映画・ドラマ、日本の有名映画やTVドラマなどのコンテンツに強いのが特徴なので、映画好きの人には断然おすすめだ。

「Netflix」は月額990円（税込）（ベーシックの場合）の定額見放題サービス。無料視聴期間はなし。画質はSD画質だがiPadで視聴するのであれば、さほど違和感はない。国内外の有名映画やテレビドラマだけでなく、Netflixオリジナルの映画やドラマ、ドキュメンタリーなどとりそろえており、少しマニアックなコンテンツを楽しみたい人向きだ。

「U-next」は月額2,189円（税込）で31日間無料体験できる。ほかのサービスより価格が高めだが雑誌読み放題サービスや、毎月付与されるポイントで映画チケットや漫画を購入できるなどのメリットがある。

3大オンデマンド動画をお試し視聴してみよう

1 Huluを視聴する

Huluで視聴するにはまずクレジットカードや電子決済サービスの登録をする必要がある。登録後、2週間無料で視聴できる。コンテンツはおもに映画とドラマだ。

App

Hulu
作者／Hulu Japan, LLC
価格／無料

2 Netflixを視聴する

Netflixの登録やサブスクリプションの解除はiPadから行えない。ブラウザでNetflixのサイトにアクセスして登録や解除をする必要があるので注意。

App

Netflix
作者／Netflix, Inc.
価格／無料

3 U-nextでビデオを視聴する

U-NEXTのメニューには動画だけでなく「ブック」という電子書籍閲覧サービスがある。無料で読み放題の雑誌のほかにマンガやラノベなども閲覧できる。

App

U-NEXT
作者／U-NEXT Co.,Ltd.
価格／無料

point

メンバーシップ課金の解除方法

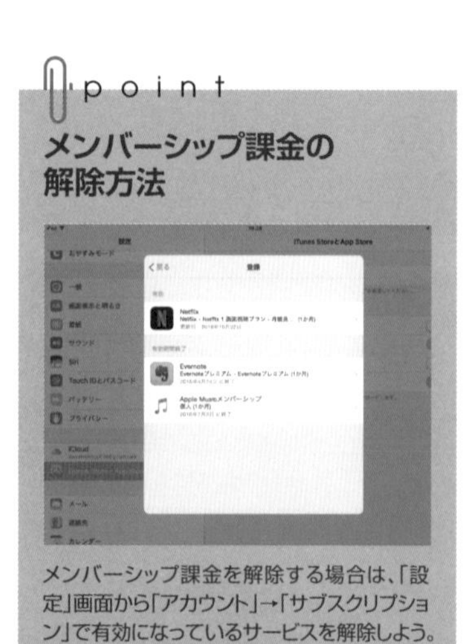

メンバーシップ課金を解除する場合は、「設定」画面から「アカウント」→「サブスクリプション」で有効になっているサービスを解除しよう。

121 音楽サービス 世界最大の音楽サービス「Spotify」で無料の音楽を楽しむ

無料プランでも楽しめるのがSpotifyの良さ!

世界で1億人のユーザーを誇るといわれる話題の音楽ストリーミングサービス「Spotify」。Apple Musicは無料期間が終了すると課金の必要があるが、Spotifyならば無料でも時折広告が表示されるものの、充分に音楽を楽しむことができる。また、スマホの場合はシャッフルプレイ専用となるが、iPadならば好きな曲のみを聴くことができるのも嬉しいポイントだ。これまで無料ユーザーは視聴時間に制限があったが、現在は制限が撤廃され無制限で視聴することができる。

今回は無料プランに絞って解説しよう。好きなアーティストや曲名、ジャンルなどを選んでタップしていくとすぐに音楽が再生されるが、しばらく音楽を聴いていると15～30秒ほどの広告が入る。耐えられないほどの広告ではないが、違和感があるのは確かだ。また、動画の広告も存在していて、タップして動画を見るとその後30分間は広告なしで音楽を楽しめる。

それ以外は、音質もまずまず(標準音質＝96kbps/秒)であり、自然に音楽を楽しめる構造になっている。好きなアーティストをお気に入りに入れたり、好きなプレイリストをフォローしたりしていけば快適な音楽再生環境となるだろう。

App

Spotify
作者／Spotify Ltd.
価格／無料　言語／日本語

無料プランで好きなアーティストの曲を楽しもう!

1 アカウントを登録する

アプリを立ち上げたら「新規登録(無料)」をタップしてアカウントを作成する。アプリ上で実名で登録することに問題がないなら「FACEBOOKでログイン」を選んでもOKだが、Eメールで登録の方が無難だ。メールアドレスの他、パスワード、ユーザー名(自分で設定する)などを入力しよう。あとは表示される条件に同意し、通知を受けるかどうかを選べば、すぐに音楽が聴ける状態になるだろう。

2 すぐに流行りの音楽を聴き始められる!

「ホーム」のトップから、おすすめのプレイリストやチャート、ニューリリースなど今、最も聴かれている音楽をすぐに聴くことができる。

3 無料プランは広告が表示される

数曲再生すると、15秒の音声広告が1～2本挟まれる。たまに表示される動画広告を再生すれば30分間は広告が再生されない状態になる。

4 多くのカテゴリから曲を選ぶことができる

アーティスト名で検索すると、アーティスト、アルバム、そのアーティスト関連のプレイリストなどが表示される。好きなカテゴリから曲を選ぼう。プレイリストにはさまざまなものがあり、中には24時間以上ある人気プレイリスト(Starbucks Coffeehouse Pop)も存在する。

122 Apple Music 月額980円で聴き放題のApple Musicを楽しもう

ライブラリに保存すればオフラインでも好きな曲を視聴できる

「Apple Music」は月額980円で7000万曲以上が聴き放題のAppleが提供している音楽配信サービスだ。Apple MusicはiPadに標準搭載されている音楽ライブラリアプリ「ミュージック」アプリから利用することができるApple Musicのみの月額980円プランのほかに、50GBのストレージやゲームや映画なども楽しめる月額1,100円の「One」がある。

使い方は簡単だ。検索フォームや「今すぐ聴く」「見つける」などのメニューから、視聴したい曲を探して曲名、またはアルバム名をタップしよう。インターネットに繋がっている環境ならすぐに視聴することができる。標準設定ではストリーミング形式で視聴することになるが、楽曲をダウンロードしてオフラインで視聴することもできる。iPadがWi-Fiモデルの場合や、外出先でiPadの通信のデータ量を使いたくない場合は、Wi-Fi環境時によく聴く楽曲をダウンロードしておけば、オフラインでも視聴できるのが嬉しい。

「ライブラリ」に追加することで、すぐにアクセスすることができ、またライブラリに追加した楽曲からプレイリストを作成することができる。なお「ミュージック」アプリはiTunesの機能も備えており、PCからiTunesでiPadに転送した楽曲を管理・視聴することができる。つまり音楽CDから自分でインポートした楽曲とApple Music上で配信されている楽曲を1つのライブラリ上で管理して楽しむことが可能だ。

Apple Musicで音楽を視聴しよう

1 Apple Musicの無料体験を開始する

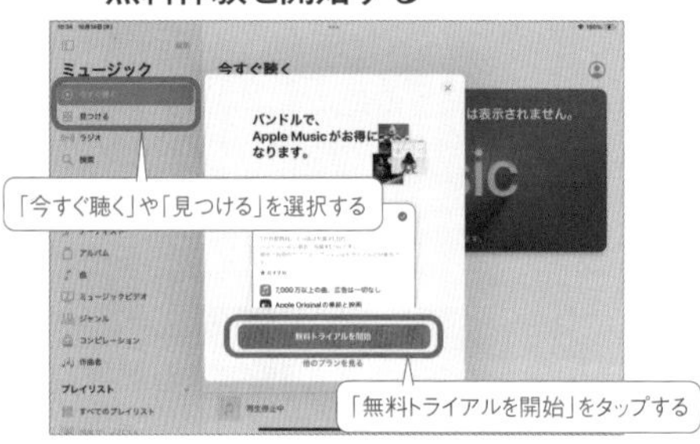

「ミュージック」アプリを起動する。Apple Musicを利用するには左メニューから「今すぐ聴く」や「見つける」を選択する。次に表示される「無料トライアルを開始」を選択する。

2 Apple Musicから音楽を探す

Apple Musicを開始したら聴きたい楽曲を探そう。「今すぐ聴く」ではユーザーに合った曲が表示される。「見つける」では新着ミュージックや注目トラックが表示される。

3 楽曲を再生したりライブラリに追加する

楽曲を再生するには「再生」をタップする。ストリーミングで再生が始まる。ライブラリに楽曲を追加したい場合は「追加」ボタンをタップしよう。

4 ライブラリから登録した楽曲を視聴する

メニューから「アルバム」をタップするとApple Music上でライブラリに追加した楽曲のカバーが一覧表示される。タップすると楽曲詳細画面に移動する。

5 iPadにダウンロードしてオフラインで再生する

Apple Musicの音楽をオフラインで視聴するにはライブラリ追加後、追加ボタンがダウンロードボタンに変化するのでタップする。するとiPad端末にダウンロードして視聴できる。

6 ダウンロードした楽曲を削除する

ライブラリから楽曲を削除する場合は、楽曲横の「…」をタップして「ライブラリから削除」を選択しよう。

123 Apple Music Apple Musicのプレイリストを友達と共有する

SNSや連絡先にある友だちのプレイリストを視聴することもできる

Apple Musicには「友だちのフォロー」という機能がある。設定を有効にすると自分のプレイリストや聴いている楽曲をほかのApple Musicユーザーと共有できるようになる。共有するユーザーの公開範囲はすべてのユーザーもしくはフォローしているユーザーのみなど調整することが可能だ。また逆に「連絡先」アプリやFacebookやInstagramなどのSNSでつながっている友だちが公開しているプレイリストを視聴することもできる。

1 共有設定を有効にする

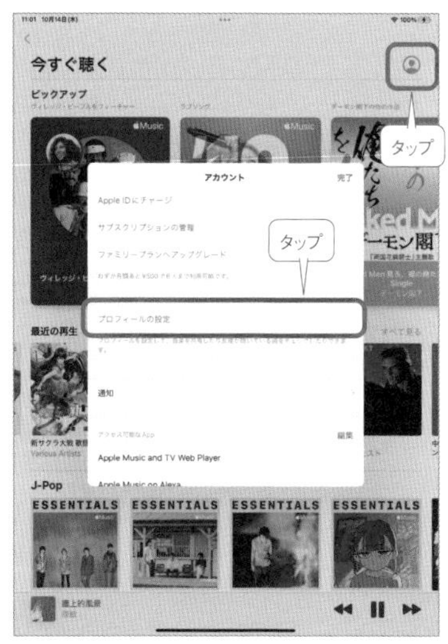

共有設定を有効にするには「今すぐ聴く」画面を開き、右上のプロフィールアイコンをタップし、「プロフィールの設定」をタップする。

2 音楽ファイルを共有する

フォローしているユーザーのアイコンをタップすると相手が視聴している楽曲が表示される。相手からも自分が視聴している楽曲が見える状態になる。

上級技 124 Apple Music Apple Musicで歌詞から楽曲検索する

Apple Musicでは検索ボックスに歌詞の一部を入力して、その歌詞に該当する楽曲を検索できる。歌詞の一部を検索ボックスに入力すると、その歌詞を含む曲やアルバムのほか関連のあるプレイリストやアーティスト名が一覧表示される。検索結果画面では「曲名」と「歌詞」を分類して表示してくれる。

以前は、日本語の歌詞には対応していなかったが2019年春以降日本語歌詞にも対応している。もちろん英語やほかの言語でも歌詞で楽曲を検索することが可能だ。

「検索」タブを開き上部の検索ボックスに歌詞の一部を入力する。

入力した歌詞を含む楽曲が一覧表示される。目的の楽曲をタップするとすぐに再生することができる。

125 Apple Music Apple Musicで再生中の曲の歌詞を表示させる

Apple Musicで再生中の楽曲の歌詞を表示させたい場合は、画面右下の再生バーをタップする。再生コントロール画面が拡大表示されるので、歌詞ボタンをタップしよう。歌詞を表示させることができる。

なお、この画面ではリピート再生、シャッフル再生、Apple Musicがおすすめする、プレイリストを自由に並び替えて再生する機能など、楽曲に関するさまざまな操作が行える。画面右上の「…」をタップすると操作メニューが表示される。

歌詞を表示させたり再生中の楽曲に対するさまざまな操作を行うには、画面右下の再生バーを一度タップする。

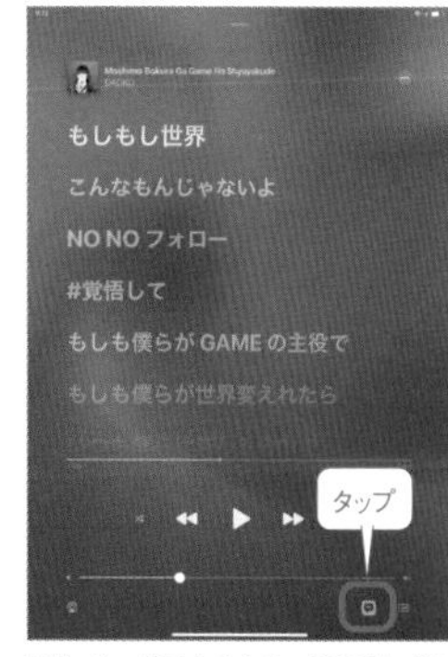

再生バーが拡大される。「歌詞」ボタンをタップしよう。歌詞を表示させることができる。

ムービー再生

126 音楽や動画再生でスライダーを細かく操作

音楽や動画再生アプリで細かく再生位置を調整したい場合にぜひとも使いたいテクニックがこれだ。シークバーで、シークボタンをタップしたまま指を下にドラッグして左右へ動かす（スクラブする）ことで、より詳細な位置の指定が可能になる。指の位置（天地の高さ）によって、高速→半分の速度→1/4の速度→細かく…と変えられるのだ。長時間の動画を見るときなどに重宝する。

シークバーをタップすると「スクラブ」と表示されるので、そのまま指を下にドラッグして調整スピードを変更しよう。画像では動画再生アプリ「VLC」を使っているが、アプリによってはこの機能は使用できない。

音楽再生

127 曲の再生箇所を追って歌詞を表示するプレーヤー

流行っているJ-POPや邦楽はもちろん、洋楽にも対応した、リアルタイムで歌詞を表示してくれるプレーヤー。現在再生している箇所の色を変えてくれるのでカラオケの練習には最適だ。一部の洋楽など、再生箇所のデータがない場合は、テキストのみが表示される（これだけでも便利）。歌詞が見つからない場合は手動で検索する画面に切り替わる。歌詞のリクエストを送ることも可能だ。

歌詞の表示の行数や、ハイライトの色など細かく設定することができる。歌詞だけでなく、ランキングや音楽ニュースもゲットできる!

App

プチリリ
作者／SyncPower Corporation
価格／無料
言語／日本語

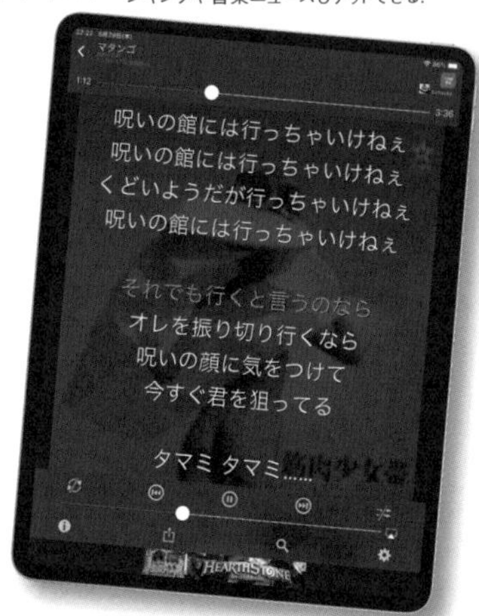

128 音楽情報 好きなアーティストの新作情報を完璧にゲットできる!

Apple Musicから新作情報を見やすく教えてくれる!

サブスクリプションの発達で音楽を聴くのは簡単になったが、いわゆる昔ながらの「新譜情報」的なものは入手が難しくなった。MusicHarborを使えば、自分のライブラリにあるアーティストの最新リリース情報をApple Musicから引き出して教えてくれる。もちろん試聴もできるので、音楽好きなら試してみよう。

App

MMusicHarbor
作者／Marucos Antonio Tanaka
価格／無料　言語／英語

ローカルにあるファイルのアーティストをフォローするなら「Local music library」をタップ

1 ライブラリにあるアーティストをアプリに登録する

アプリをインストールしたら、「Settings」→「Import artists」でライブラリにあるアーティストをフォローしよう。

今後リリースされるものは「Upcoming」をチェック!

クリックで試聴できる

2 フォローしたアーティストの情報をゲット!

サイドバーの「Latest Releases」から、フォローしたアーティストの情報、最新楽曲の試聴が可能になる。

129 録音 録音レベルを調整できる録音アプリ「HandyRecorder」

オートの録音レベルの音が苦手な人でもこれなら OK!

ボイスメモをはじめとした録音アプリは、録音レベルがオートのものがほとんどだが、この「HandyRecorder」ならば、会議、音楽Live録音、自然の音を録るなど、自分の好きな録音レベルに細かく設定できる。小さ過ぎず、ピークでも割れないレベルに微調整して聴きやすいレベルで録音しよう。

App

HandyRecorder
作者／ZOOM Corporation
価格／無料
言語／英語

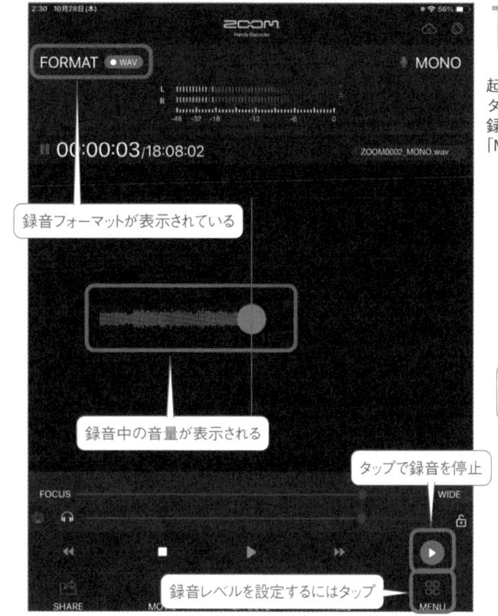

1 録音レベルを変更するには「MENU」を開く

起動直後の状態でも、赤の録音ボタンを押せばすぐ録音できるが、録音レベルを設定するには「MENU」をタップしよう。

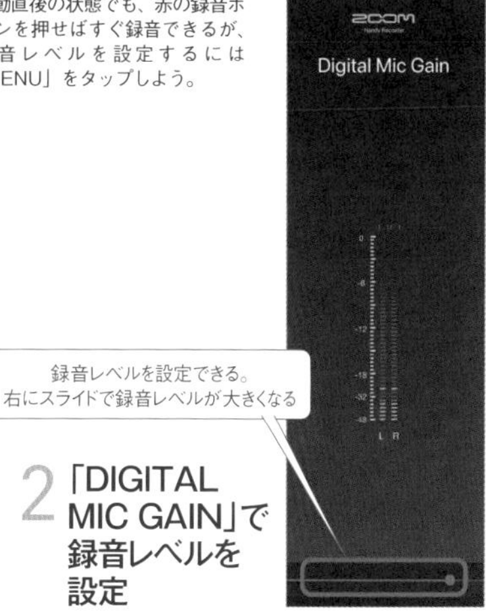

2 「DIGITAL MIC GAIN」で録音レベルを設定

「MENU」→「DIGITAL MIC GAIN」で、バーをスライドさせて録音レベルを設定できる。なお基本的にiPadのマイクは本体上部の中央と背面の本体上部にあるので、そちらを対象に向けよう。

130 譜面 無料でTab譜を見られる凄いサイト「Songsterr」

楽器演奏者なら絶対に知らないと損な超便利サイト!

何十万曲以上ものTAB譜を無料で閲覧できるサイトが「SongSterr」だ。ギターはもちろん、ベースやドラム譜もある。洋楽が中心だが、邦楽もわずかながら存在している。凄いのはTAB譜を見られるだけでなく、再生できる点だ。自分の練習したい曲を検索して、パートを選べば快適に楽器練習ができる!

App

SongSterr
作者／Guitar Tabs LLC
URL／https://www.songsterr.com/

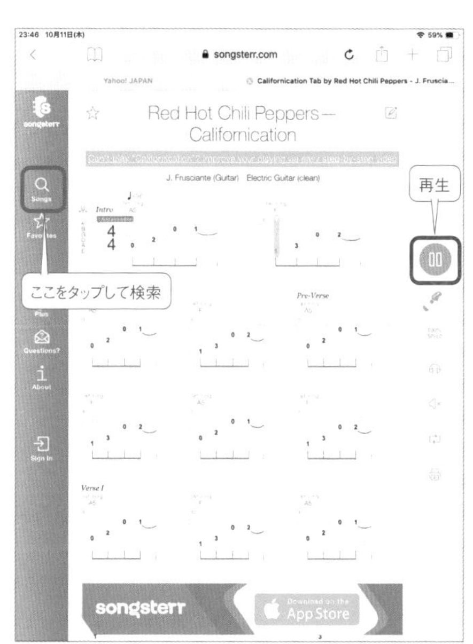

1 アーティスト名／曲名で検索しよう

TAB譜を見たいアーティスト名や曲名を「Songs」をタップして選択しよう。メジャーな洋楽ならほぼ間違いなくヒットする。再生ボタンですぐに再生できる。

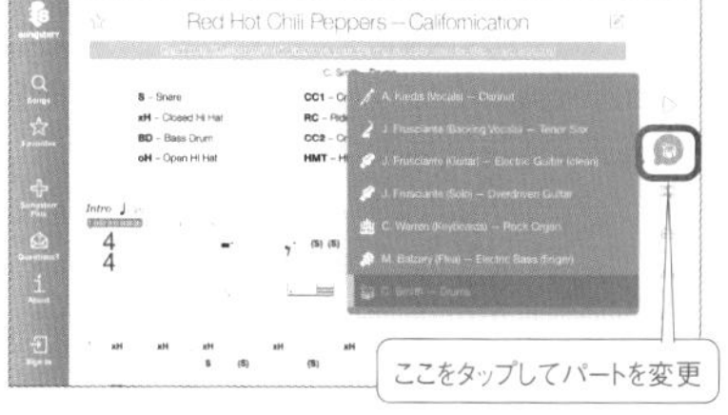

2 見たい／聴きたいパートに変更する際は

右側の再生ボタン下の楽器のボタンをタップして表示／再生するパートを変更できる。なお、同名のアプリもあるが、基本月額課金がマストなので最初はWeb版で試すのがおすすめだ。ただ課金すればテンポのコントロールなども自由に行えるので本気でやりこみたい人は課金しよう。

131

音楽再生

YouTubeの音楽をプレイリスト化してバックグラウンド再生!

好きな曲をYouTubeから選んでバックグラウンド再生できる

YouTubeの公式PVなどの音楽動画を利用して、好きな音楽をiPadで楽しめるアプリ。検索してその楽曲を聴く通常の方法はもちろん、再生リストを作ってバックグラウンドで連続再生する使い方が非常に快適。会員登録すれば、他人のプレイリストを聴くこともできるがその辺りは慎重に判断しよう。

App

PartyTU
作者／TEC DIGITAL TECHNOLOGY INC.
価格／無料　言語／日本語

1 検索して聴きたい曲を聴く

画面下の「検索」タブで、検索キーワードを入力し、聴きたい曲をタップすればすぐに聴く(動画を再生)ことができる。

2 作成したプレイリストの曲を聴く

画面下の「再生リスト」で作成したプレイリストの曲を聴ける。アプリを閉じても、スリープ状態でもバックグラウンド再生が可能だ。

132

楽器練習

好きな曲のコード進行を表示し、ギターやピアノで弾く

テンポやキーも変えられるので練習しやすい!

iPad内にある音楽ファイルを再生すると、コード進行を表示してくれるギター&鍵盤練習用アプリ。曲のテンポやキーの変更ができ、特定部分のリピート、メロディの消去、カポの設定までできて無料なのだから凄い。楽曲のインポート方法が少ない点だけが残念だ。

App

Chord Tracker
作者／Yamaha Corporation
価格／無料
言語／日本語

曲を選んでタップすればコード解析を開始

設定に移る。DropboXへの接続もこちらから

1 iPad内の音楽ファイルが表示される

起動するとiPad内の音楽ファイルが読み込まれる。8曲のデモソングも収録されている。Dropboxから楽曲を読み込むこともできる。

2 コード進行が表示される

コード解析が進み、すぐにコード進行が表示される。もちろん楽曲の再生も可能。テンポやトランスポーズで練習しやすい設定にしよう。

133 エンターテイメント タイムフリーが超便利! Radikoでラジオを楽しみまくる!

過去一週間以内の放送はいつでも視聴できる!

地上波のラジオ放送をクリーンに視聴できる人気アプリ「Radiko」は、iPhoneアプリであるがiPadでも問題なく利用できる。リアルタイムでのラジオ放送の聴取は簡単で、画面の上部の「ライブ」タブを選ぶと現在放送中の番組が表示されるので、好きなものを選べば再生される。好きな番組の放送直前に通知してくれる「マイリスト」機能も便利だ。

そして、過去1週間以内に放送された番組であれば、いつでも視聴できる「タイムフリー」機能が非常に便利だ。再生を開始してから24時間以内であれば、合計で3時間まで聴くことができる。一時停止や巻き戻し、早送りも可能なのでリアルタイムより効率よく聴くことができる。好きなタレントがゲスト出演すると知りながら仕事中で聴くことができなかったり、録音アプリなどを使うのが面倒な人はぜひ使ってみよう。

注意すべき点として、このアプリは配信エリアを判定するために、起動時には位置情報が必要になる。また、便利機能としては、指定時間の経過後に音声をオフにしてくれるオフタイマーや、番組のレコメンド機能などもとても役立つ。なお、スポーツ中継など一部聴取できない番組もあるので注意。

App

Radiko
作者／radiko Co.,Ltd.
価格／無料

Radikoの便利な機能を使ってみよう!

1 リアルタイムで放送を聴く

起動して、位置情報をOKするとすぐにリアルタイム視聴が可能になる。聴きたい番組をタップしよう。

2 すぐに番組が再生される

すぐにバッファが完了し、ラジオ再生が始まる。番組情報を見るには「番組紹介」をタップしよう。

3 タイムフリーを聴くには?

下部のタブの「タイムフリー」をタップしよう。次に上部のタブで聴きたい放送局を選び、日付の部分をタップする。

4 聴きたい番組のあった日付を選ぶ

過去一週間の日付が表示されるので、聴きたい番組のあった日付を選び、スクロールさせて番組をタップすれば視聴できる。

5 オフタイマーはマイページから

マイページから「オフタイマー」を選ぶと、再生停止時間が設定できる。15分～120分の間で設定できる。

6 検索機能も便利だ!

アーティストや出演者などで検索するのも便利だ。すぐに聴ける範囲での検索結果を表示してくれる。

時計

134 アラームに好きな曲を使おう

毎日のように寝る前にベッドサイドでiPadを使う人は多いはず。それならば、目覚ましにもiPadを使えば快適なはずだ。iPadではアラームに音楽を使えるので、どうせなら好きな曲を設定して使いたいところ。標準の「時計」アプリの「アラーム」タブで、アラームを鳴らす時間や曜日、曲やスヌーズ設定をセットして使ってみよう。アラームは複数登録できるので、土日のパターンや変則的なパターンも登録できて便利だ。

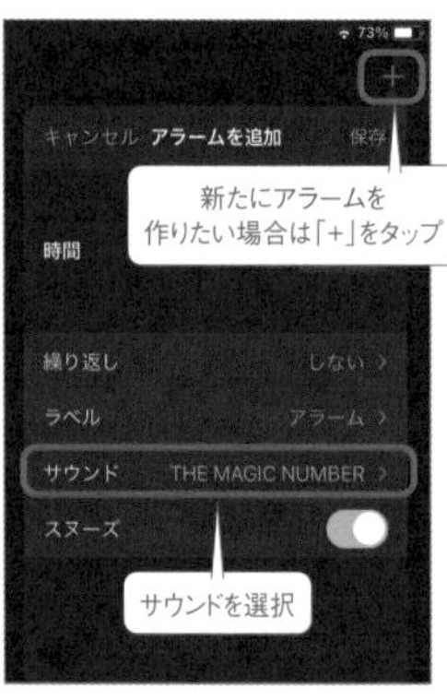

「時計」アプリを起動したら、画面下の「アラーム」を選択。左上の「編集」をタップしてサウンドを設定したいアラームの「サウンド」をタップ。

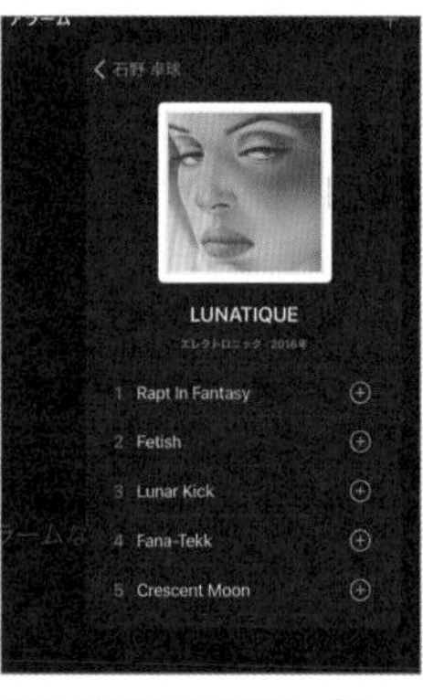

サウンド選択画面が現れる。「ミュージック」内にある音楽ファイルを指定することもできる。

音感養成

135 シンプルなゲームで絶対音感を養成しよう

絶対音感を養成するゲーム的アプリはいくつか存在するが、シンプルな見た目とほどよい難度で人気なのがこの「Pitch」。落ちてくるボールがバーに当たったときの音を下のキーボードで選ぶ形だ。最初はゆっくり落ちてくるボールが、次第にペースが上がり、音色も変わっていく。

App

Pitch 絶対音感
作者/Horosco
価格/無料
言語/日本語

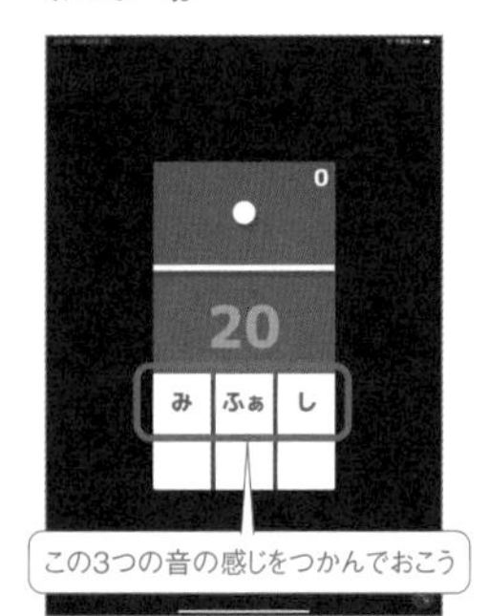

ゲームをスタートするとまずは下の3つのキーの音が何度か鳴らされる。音の感じを覚えておこう。あとはボールが音を出したらそのキーを押すだけだ。

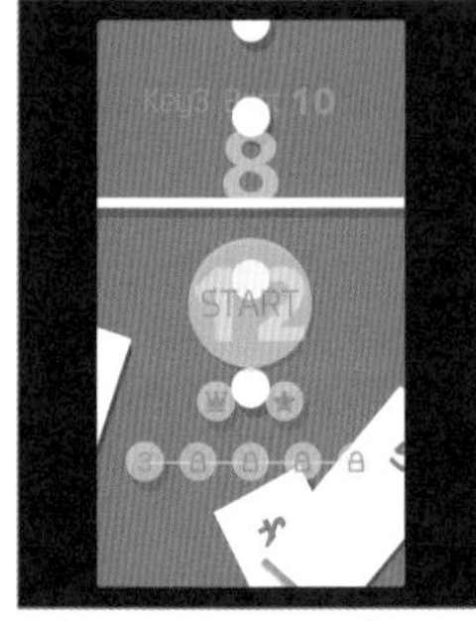

間違うとゲームオーバーで画像のような画面になる。音色の変わり目が難しいが、音感は確かに鍛えられるはずだ。最初は3音だけだが、ゲームを進めると音の数も増えていく。

音楽再生

136 SoundCloudで快適に最新の音楽を聴きまくる!

古くから続いている音楽共有サイトだが、今でも盛んに世界中の最新の音楽がアップされている。ここの音源のポイントは、1時間ぐらいのDJ-MiXが多いことと、バックグラウンド再生も可能なので、作業用の音楽としても重宝する。

App

SoundCloud
作者/SoundCloud Ltd.
価格/無料　言語/英語

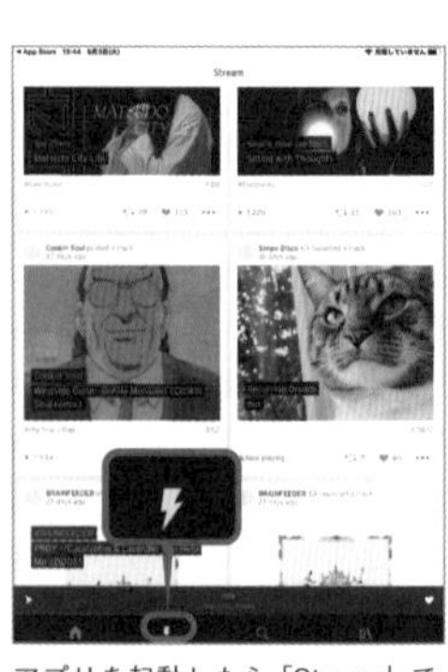

アプリを起動したら「Stream」で、自分のフォローしたアーティストの更新をチェックできる。洋楽も邦楽も本当に充実している。

アーティストのPlaylist画面。楽曲を聴く以外にも、いいねをつけてお気に入りに入れたり、シェアしたりすることが可能だ。

Podcast

137 iPad単体でPodcastを購読して楽しもう

Podcastとは、iPadやiPhoneなどで、ラジオを聴くようにさまざまな放送が楽しめるアプリだ。人気ラジオ番組のPodcast版が楽しめるのはもちろん、語学やニュース、思想、哲学などまで、多彩な番組が楽しめる。

App

Podcast
作者/Apple
価格/無料　言語/日本語

Podcastは可変速再生にも対応(0.5~2倍)。忙しい時のニュースチェックや語学番組にも便利な機能。「見つける」や「検索」から新しい番組を追加購読しよう。

仕事効率化

豊富なOffice系のツールやPDF関連ツール、
進歩の凄まじい各種クラウドツール、
そしてiPadとApple Pencilの素晴らしさを最も
発揮できる手書きツールの使い方を徹底的に解説!

138 メモ メモアプリの内容をタグで整理しよう

ハッシュタグを付けて整理できるようになった

iPadOS 15の「メモ」アプリでタグ機能が追加された。メモ本文内で「#」から始まるキーワードを入力するとそのメモにタグが追加される。タグを使ってメモを探すにはフォルダ画面を開こう。メニュー下に「タグ」項目という項目が追加されており、これまで追加したタグが一覧表示される。タグ名をタップするとそのタグが付いたメモを絞り込み表示してくれる。

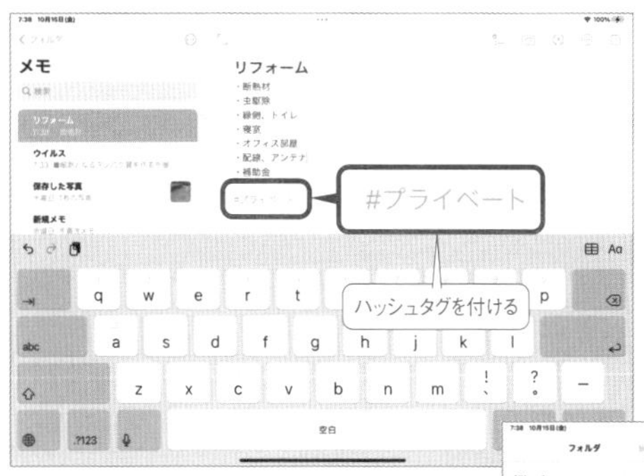

1 ハッシュタグ「#」を付ける

メモ本文内に「#」を入力したあと、メモに関するキーワードを入力しよう。自動的にリンクカラーに変更する。

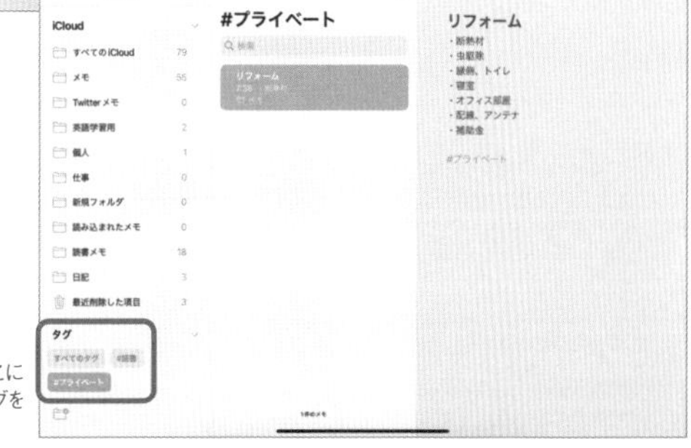

2 ハッシュタグで絞り込む

メモのフォルダ一覧画面の一番下にあるタグを開く。ここにこれまで追加したタグが一覧表示されるので適当なタグをタップしよう。

クリップボード

139 MacやiOS間でテキストを簡単に共有する

iCloud経由でクリップボードを共有できる

MacやiPhoneとクリップボードを共有をするなら、「ユニバーサルクリップボード」機能を有効にしよう。同じApple IDでiCloudにログインしているだけで、MacやiPhoneのクリップボードに保存した内容をiPad上で即座にコピーして利用することができる。テキストだけでなく画像やムービーなどにも対応している。

なお、この機能を利用するにはHandoff、Bluetooth、Wi-Fiを有効にし、またiOS 10以上の端末、Macは2012年製以降である必要がある。

各種設定条件を整えてMac上のテキストをコピー

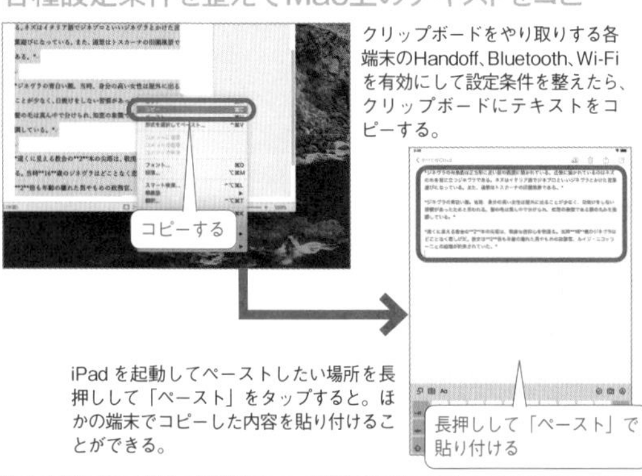

クリップボードをやり取りする各端末のHandoff、Bluetooth、Wi-Fiを有効にして設定条件を整えたら、クリップボードにテキストをコピーする。

iPadを起動してペーストしたい場所を長押しして「ペースト」をタップすると。ほかの端末でコピーした内容を貼り付けることができる。

テキストエディタ

140 縦書きで原稿作成ができる

「縦式」はシンプルな縦書きのテキストエディタ。400字詰めの原稿用紙と同じ体裁でテキスト入力することができ、ルビ、傍点、縦中横、見出し、改ページ、センター寄せに対応している。作成したテキストはPDF形式で出力でき、A4、B5など原稿用紙の大きさに合わせて印刷することもできる。

App

縦式
作者:Kazuyuki Mitsui
価格:無料

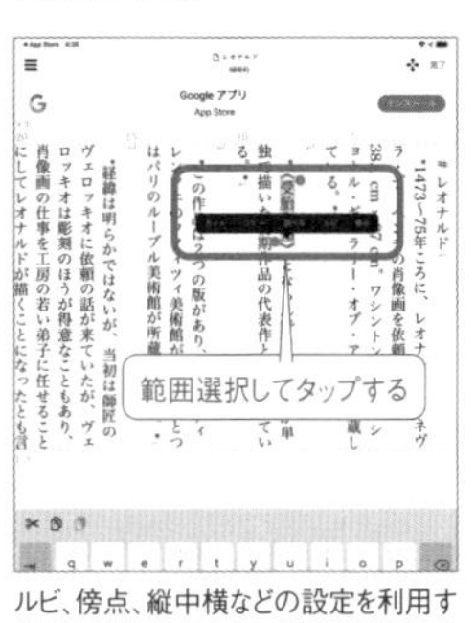

ルビ、傍点、縦中横などの設定を利用するには対象のテキストを範囲選択してタップしよう。メニューから適切なものを選択する。

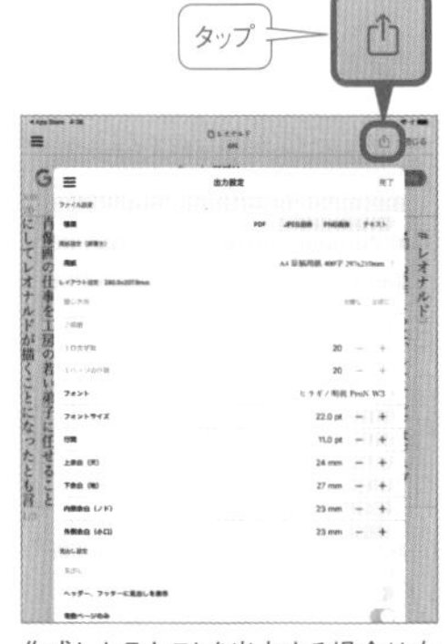

作成したテキストを出力する場合は右上の共有ボタンをタップ。ファイル形式、用紙などを設定しよう。

141 手書き 手書きしたメモをテキスト変換できるノートアプリ

講義ノートや手書きした内容をテキスト管理するのに便利

Neboは、手書きした内容を素早くテキスト形式に変換できるノートアプリ。書いた文字をダブルタップするだけでテキストに変換することができる。デジタル変換した文字は上部メニューにあるツールを使ってさまざまな編集ができる。手書きでメモしたあとに、PC上でテキストデータとして管理したいときに便利だ。

App

Nebo
作者／MyScript
価格／無料
カテゴリ／仕事効率化

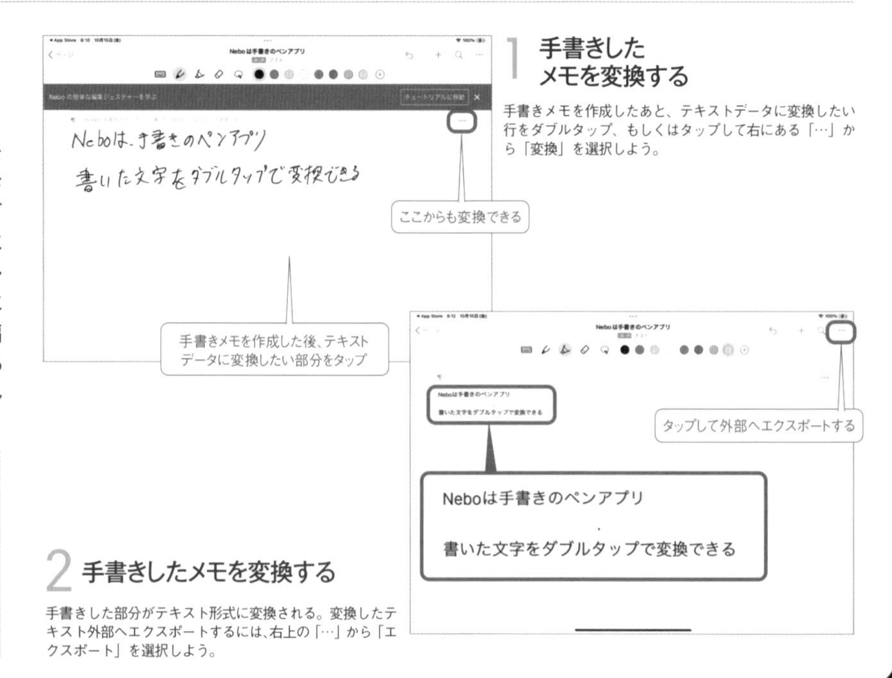

1 手書きしたメモを変換する

手書きメモを作成したあと、テキストデータに変換したい行をダブルタップ、もしくはタップして右にある「…」から「変換」を選択しよう。

2 手書きしたメモを変換する

手書きした部分がテキスト形式に変換される。変換したテキスト外部へエクスポートするには、右上の「…」から「エクスポート」を選択しよう。

マスト!

142 文字入力 文字入力を快適にするテクニック

知っていると大きな差が付く文字入力Tips

iPadの操作の中でも、大きなウエイトを占めているのがキーボードを使った文字入力。アプリの文字入力エリアをタップすると画面上にキーボードが表示され、キーをタップして文字を入力していくが、通常の操作ではなかなか気が付かない、便利な機能が数多く用意されている。

特にキーボード種別のカスタマイズは、iPadをセットアップする際に同時に設定しておきたいポイント。標準では50音の日本語かなや絵文字キーボードが組み込まれているが、使用しない場合はこれを削除しておけば、キーボードを切り替える時の手間が軽減され、文字入力が効率的になる。もちろん、削除したキーボードは後で追加することもできるし、他言語のキーボードを利用する場合はそれを追加してもいい。

また、英語キーボードであれば、予測変換や自動修正（スペルチェック）といった入力支援機能が使えたり、文頭を自動的に大文字にしてくれる。これらの機能は、設定の「一般」→「キーボード」から、機能をオン／オフできる。iPadで文書作成や編集作業などを考えているなら、これらも事前に見直そう。

ここで紹介するものの他にも、本書20ページで紹介した「キーボードを切り替えずに文字を入力する方法」や、28ページの「キーボードを固定したフリック入力」も参考にカスタマイズしていこう。

知っているとお得な文字入力の便利機能

1 キーボードを素早く切替える

日本語や英数キーボードを素早く切替えるには、キーボード切り替えボタンを長押ししてみよう。キーボードの種類がポップアップする。

2 音声で文字を入力する

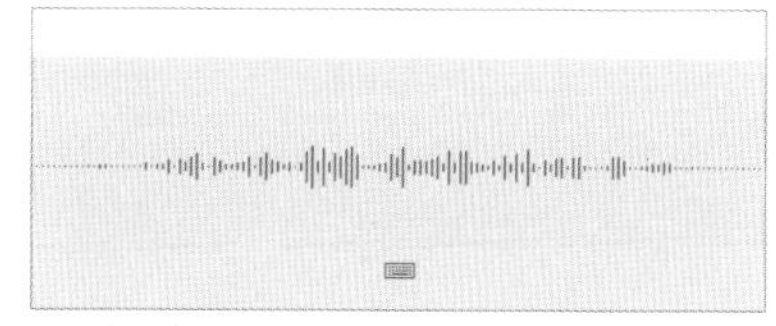

キーボード切り替えボタン横にあるマイクのアイコンのボタンをタップすると、音声入力で文字を入力できる。精度はかなり高いので、静かな場所であれば正確に文字を入力できる。

3 使わないキーボードを削除する

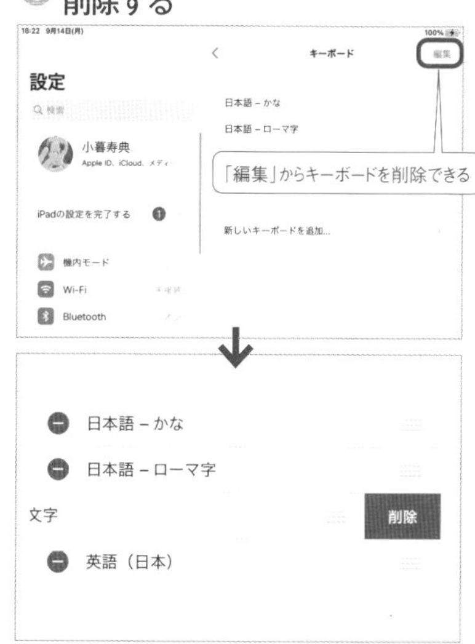

「設定」→「一般」→「キーボード」→「キーボード」を開き「編集」をタップ。削除したいキーボードの削除アイコンをタップして不要なキーボードを削除すれば、入力時にキーボードを切り換えるときもスムースになる。

4 キーボードに無い文字を入力

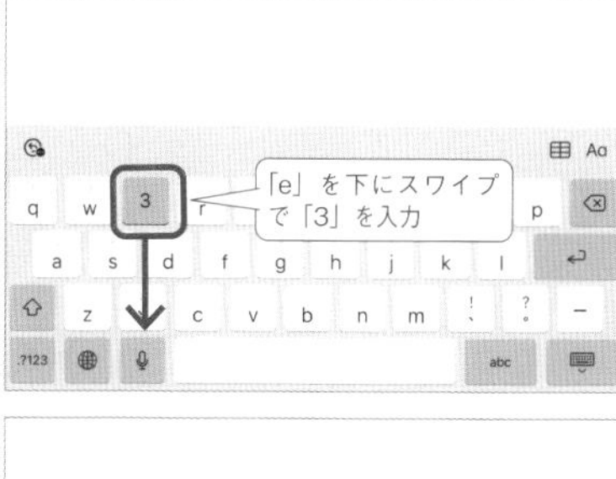

キーをロングタップすることで、キートップには表示されていない記号や文字を入力することができる。たとえば、英数キーボードの「¥」を長押しすると、ユーロやポンドといった世界の主要通貨記号が入力できる。

5 スペルチェックと予測機能

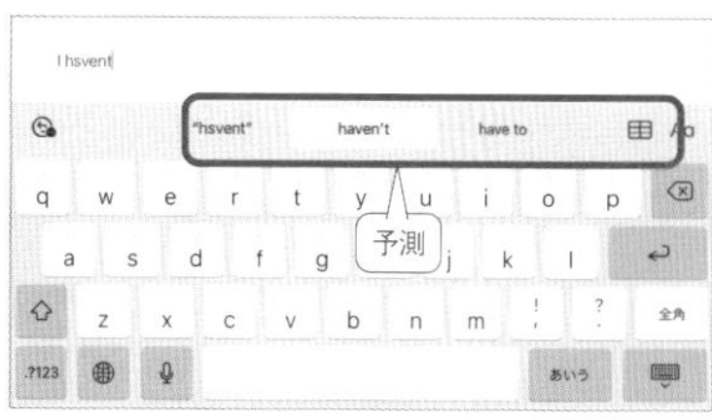

スペルチェック機能（「設定」→「一般」→「キーボード」→「スペルチェック」）オンにすると、英文入力時に自動的にスペルミスを修正する。また、「予測」をオンにすれば、英単語の予測変換機能が利用できる。

6 iPadでフリック入力する

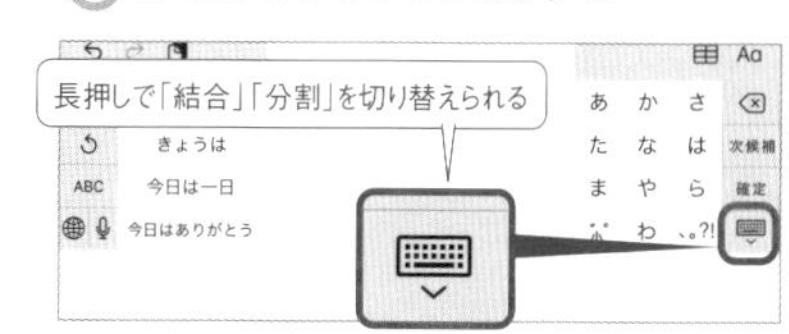

iPadでもフリック入力が利用できる。キーボードを「日本語かな」に切り替えたら、キーボードアイコンをロングタップして「分割」をタップしてみよう。

143 多機能メモ 便利な多機能エディタ「Bear」を使う

タグを付けてメモを管理 HTML風記述も可能で ブロガーにもおすすめ

標準の「メモ」も優秀だが、ブログやSNSに慣れた人は、「Bear」が便利。HTML風での記述が可能で、写真や手書き画像の挿入も可能だ。また、メモ内に「#」でタグを付けるとタグでの管理ができるという特徴もある。たくさんのメモから特定ジャンルのメモを探し出すことも簡単で、SNSとメモのいいとこどりだ。

App
Bear
作者／Shiny Frog Ltd.
価格／無料
カテゴリ／仕事効率化

1 メモでHTML風記述が行なえる

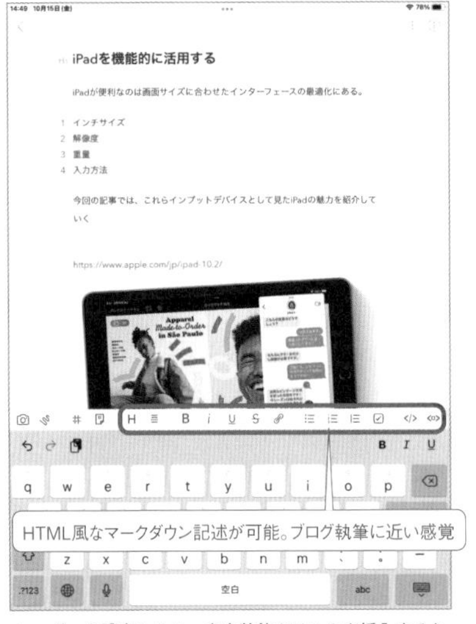

ヘッダーを設定したり、文字装飾やリンクを挿入するといったドキュメントや、HTML風の記述が行なえる

2 「#タグ」でメモを管理

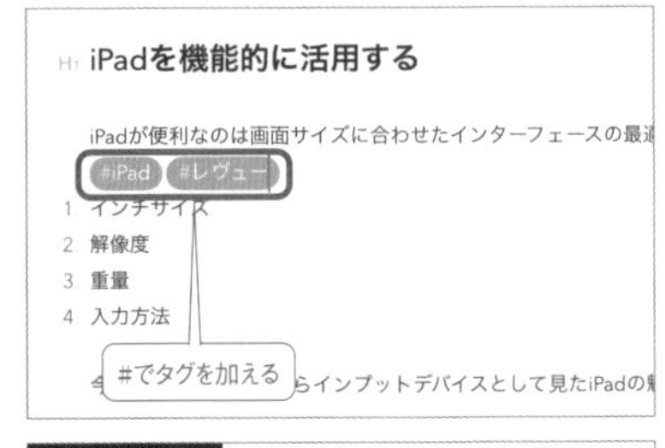

「#」ボタンで、キーワードをタグで囲むことで、メモ内容をタグ付けして管理できる。SNSのような管理方法が便利

144 カレンダー 標準カレンダーより便利なカレンダーアプリ!

見やすい表示と直感的操作が魅力のカレンダーアプリ

シンプルなインターフェイスと、直感的な操作でスケジュールを管理できるカレンダーアプリ。iPad上のすべてのカレンダーに加え、Googleカレンダーのアカウントを独自に追加できる。ドラッグ操作による日時の変更など、ストレスなく使える操作性が最大の特徴だ。

App
Calendars by Readdle
作者／Readdle
カテゴリ／仕事効率化
価格／無料

1 直感的に使えるインターフェイス

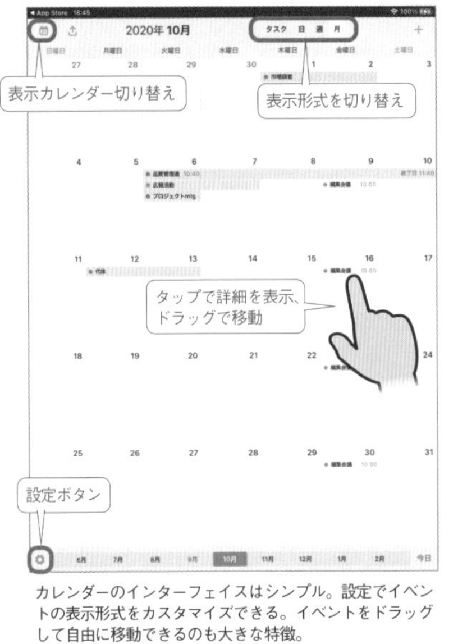

カレンダーのインターフェイスはシンプル。設定でイベントの表示形式をカスタマイズできる。イベントをドラッグして自由に移動できるのも大きな特徴。

2 カレンダー長押しで新規イベントを作成

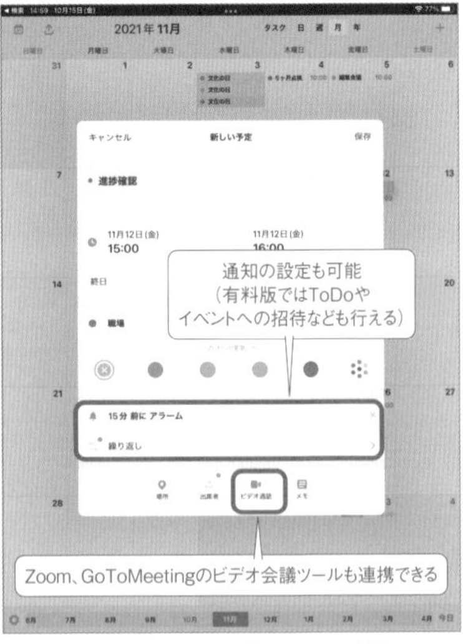

イベントを追加したい日時を長押しすると、新規イベント作成画面に。繰り返し設定や、位置情報の追加も可能。アラームを設定すると、通知して知らせてくれる。

145 タスク管理 ボードでタスク管理できる「Trello」を使おう

ホワイトボードのようにタスクを「貼って」管理 視認性抜群の管理術

タスク管理をビジュアル的に行なえるのが「Trello」だ。タスクのジャンルを「ボード」という単位で作成し、その中にタスクのリストを作成、タスクは「カード」で作成する。感覚的には、タスクのジャンルごとにホワイトボードを作り、そこに付箋やメモでタスクを貼っていくという方式だ。

App
Trello
作者／Trello, Inc.
価格／無料
カテゴリ／ビジネス

1 ボードにタスクのジャンルを追加する

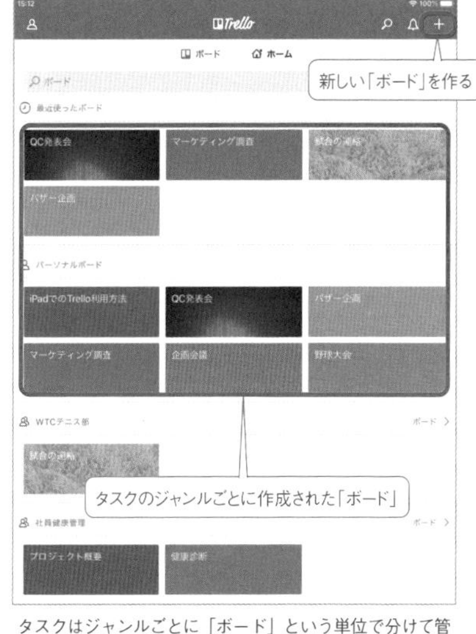

タスクはジャンルごとに「ボード」という単位で分けて管理される。

2 ボード内にタスクを貼り付けていく

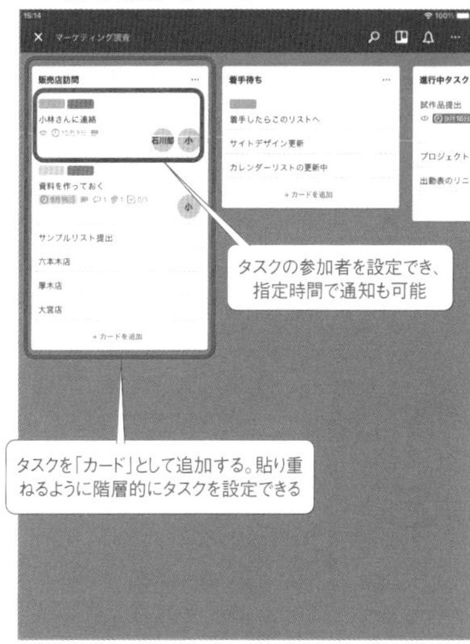

タスクの内容は「カード」という単位で作成する。カテゴリを作成し、その下に階層的にタスクの内容を追加していく。

146 カレンダー ページ分割されない、便利なカレンダーアプリ

月ごとのページ分割なし! 直感的に利用可能

カレンダーアプリの多くは月ごとにページが変わったり、月の変更時に余白が表示されるなど、「月」の区切りを意識したデザイン。しかし「くるまきカレンダーHD」は、月を背景色の違いで区切ることで、ページ分割を廃止している。おかげで、月またぎ案件でも予定が見やすく、直感的に確認できる。

App
くるまきカレンダーHD
作者／LITTLEN STAR Inc.
価格／370円

1 月をまたいでもスクロールして予定を確認

月ごとのページ分割がなく、月をまたいだ予定なども、縦スクロールだけで素早く確認することができる。非常に直感的に使えるカレンダーだ。

2 iOS標準カレンダーと同期可能

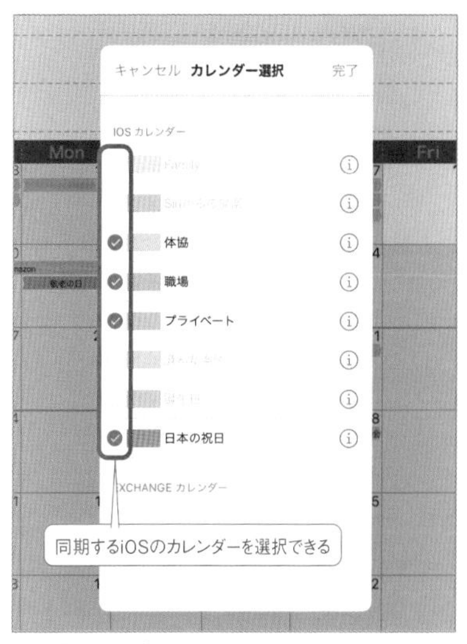

「設定」ボタンから「カレンダー選択」を選ぶと、同期するカレンダーを選択できる。iOSのカレンダーと標準で同期できるのは便利だ。

147 Split View 効率アップできるSplit Viewの組み合わせ例はこれ

自分の趣味に応じてアプリの組み合わせを探そう

Split Viewを使えばiPadの画面を分割して2つのアプリを並行利用できるが、どのアプリを組み合わせればよいかわからないユーザーも多いはず。筆者の場合、最もよくSplit Viewを利用する組み合わせは電子書籍アプリとノートアプリだ。電子書籍の内容を手書きでまとめたいときや模写したいときに役立つ。絵を描く人なら写真とグラフィックアプリの組み合わせがベストだろう。また、iPadOS 13からSplit Viewでは同じアプリを並列起動できるようになっている。Safariを2つ起動して類似ニュース記事を比較したり、エディタアプリを起動して2つのテキストを比較したりするときに便利だ。

1 電子書籍+ノートアプリ

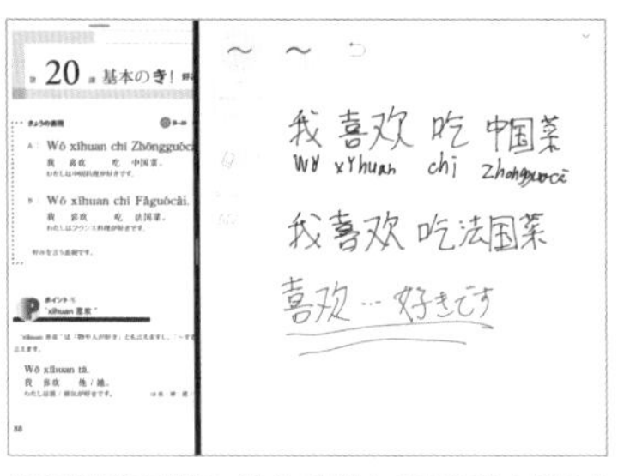

電子書籍の内容をハイライトではなく、手書きで自由にまとめたいときはノートアプリと併用すると便利。語学などで書き写しするときにも使える。

2 動画+SNS

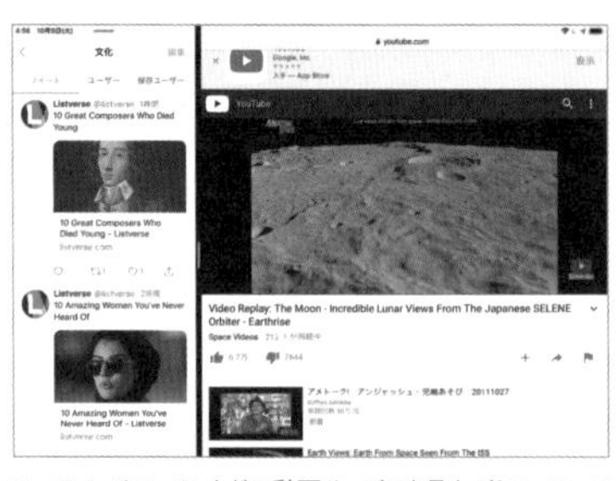

YouTubeやNetflixなどの動画サービスを見ながらTwitterのタイムラインをちら見したり、実況動画を見ながら対象動画のハッシュタグを追ったりするときにも便利。

3 Safari+Safari

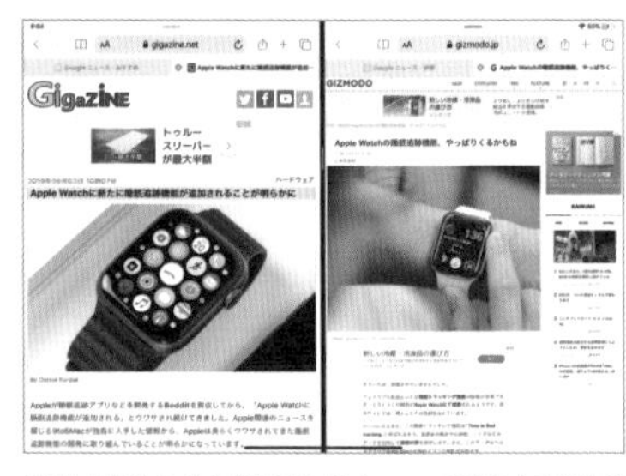

見出しは異なるが内容は同じようなニュース記事内容を比較したいときはSafariを2つ起動して比較しよう。

148 スクリーンショット スクリーンショットを撮り即座に注釈を入れて送信する

マークアップツールで画像に注釈を入れて保存する

iPadでは電源ボタンとホームボタン（ホームボタンのないiPadはトップボタンと音量ボタン）を同時に押したときに働くスクリーンショットを撮影できる。撮影したスクリーンショットは即座に手書きの注釈を入れることが可能だ。注釈には「メモ」アプリのマークアップツールと同じものを利用する。撮影した写真に手書きでメモを入れられるほか、矢印や四角などのシェイプを挿入することもできる。注釈を入れたスクリーンショット画像はiPad内に保存できるほか、さまざまなアプリと共有することが可能だ。

1 スクリーンショット撮影後にマークアップ画面へ

スクリーンショット撮影後、左下端に表示される画像をタップするとマークアップツールが起動する。ペンを選択して直接手書き注釈を行おう。

2 注釈を入れた画像を共有する

マークアップ画面で右上の共有ボタンをタップすると注釈を入れた画像を保存したり、ほかのアプリに共有することができる。

149 ショートカット 標準アプリ「ショートカット」とはどんなツール?

よく行うiPad操作をタップ1つで行う

「ショートカット」はさまざまなアプリ動作をひとつにまとめることができるアプリ。iPadOS 13から標準でホーム画面に追加されている。特定のアプリ操作を実行するためいくつもタップしていた作業を省略できるのが特徴だ。たとえば、SNSのアプリを起動することなくショートカットからタップ1つで投稿作成画面を起動し、投稿することができる。なお、iPadユーザーがよく使うショートカットがあらかじめ用意されているが、自分でオリジナルを作成したり、iPadが自動的にショートカットを作成して提案してくれる。

1 あらかじめ用意されているものを使う

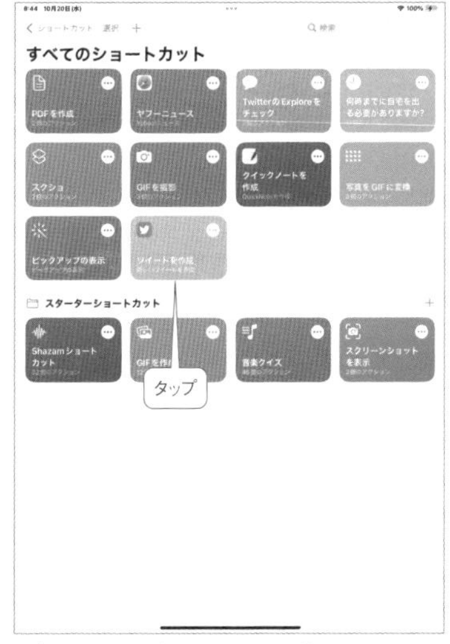

まずはあらかじめ用意されているものを使ってみよう。Twitterの新規ツイート画面を直接起動するには「ツイートを作成」をタップ。

2 Twitterの新規ツイート作成画面が起動

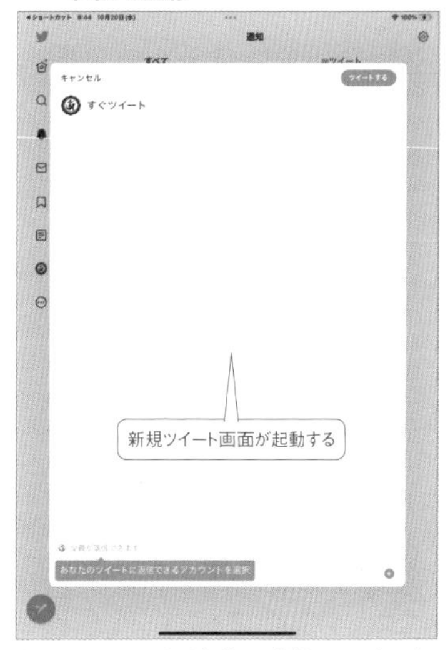

するとTwitterのアプリを起動して、新規ツイートボタンをタップするという作業が省略され、いきなり新規ツイート作成画面が表示される。

150 ショートカット ショートカットのおすすめメニューはこれ

ショートカットメニューはあらかじめiPad内にたくさん用意されているが、数が多くどれを選べばよいか悩むユーザーもいるだろう。ショートカットメニューから「ギャラリー」を開こう。「お使いのAppからショートカット」でiPadにインストールされたアプリからユーザーがよく利用しそうなアプリ操作を提案してくれる。適当なものを選択して続いて表示される「ショートカットを追加」をタップすれば「マイショートカット」に設定を追加できる。

また、「必須ショートカット」項目では「PDFを作成」や「プレイリストを作成」など誰もが使うアプリ操作のショートカットを提示してくれる。

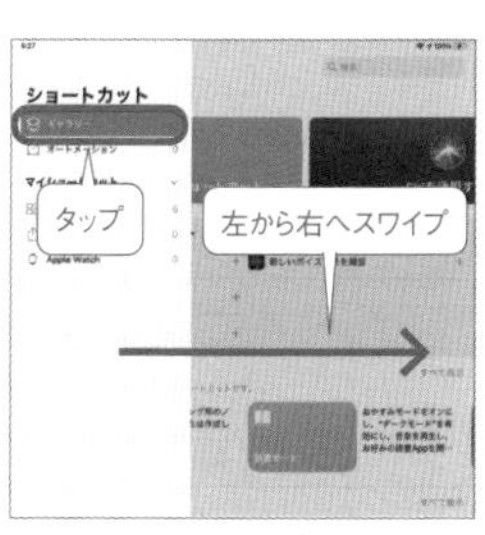

おすすめのショートカットを探すには左から右にスワイプして「ギャラリー」をタップする。人気ショートカットが一覧表示される。

ショートカット追加画面が表示される。「ショートカットを追加」をタップすると「マイショートカット」に登録される。

151 ショートカット ショートカットをホーム画面から素早く起動

「ショートカット」は目的のアプリの操作をスムーズに行うためのものだが、毎回「ショートカット」アプリを起動しないとならず標準では意外と使いづらい。そこで、よく使うショートカットはホーム画面に設置しよう。「ショートカット」で作成した設定はホーム画面から起動させることができる。ほかのアプリと同じくDockにも追加することができるので、よく使うショートカットは画面下から引出して素早く目的のショートカットを起動できる。また、好きな名前に変更したり、ほかのアプリと1つのフォルダにまとめることも可能だ。

ショートカット一覧画面からホーム画面に追加したいショートカットの右上のメニューボタンをタップする。

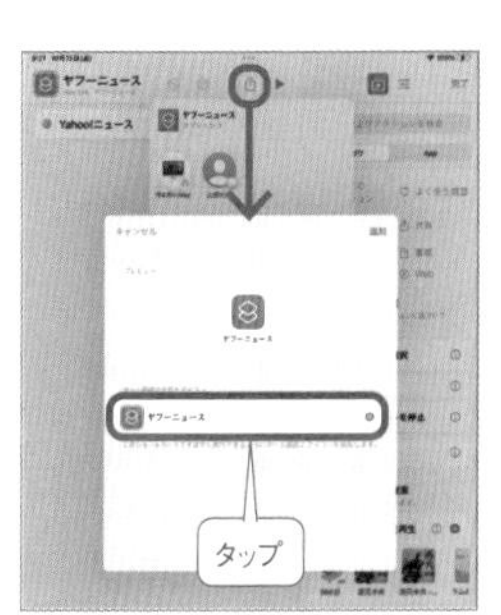

次に中央上の共有ボタンをタップして「ホーム画面に追加」をタップすればショートカットがホーム画面に追加される。

152 Office 10.1インチ以下のiPadユーザーなら必携! 無料で使えるMicrosoft純正Office

無料ユーザーでも基本的な編集や新規作成が可能!

ビジネスでマイクロソフトOfficeを利用しているなら、iPadにもぜひ純正のOfficeアプリを用意しておきたい。PC・Mac版と比べると機能こそ限定されるものの、高い互換性を保ったままOfficeドキュメントを気軽に展開・編集することができる。以前はWord、Excel、PowerPointとアプリが別れていたが、現在は「Microsoft Office」に機能が統一化されたので、このアプリだけインストールしておけばOKだ。画面右下の「作成」ボタンをタップすることで、新規ドキュメントの作成も可能で、この際は「メモ」やカメラを使って文書を読み込む「スキャン」といった機能も利用できる。ファイルの保存先は、標準では「OneDrive」がストレージとして設定されているが、設定から「Dropbox」や「Box」など、リンクするストレージを追加して選べるのも現代的だ。

なお、ドキュメントの閲覧だけならMicrosoftアカウントを登録するだけで利用できるが、10.1インチ以上のiPadで編集を行いたい場合は、Office 365のサブスクリプションが必要となる点に注意。現在利用しているOfficeのライセンスをチェックしてみよう。

App

Microsoft Office
作者／Microsoft Corporation
価格／無料

オフィス文書を正確に表示できる純正アプリ!

1 1アプリでWord、Excel、PowerPointを使える

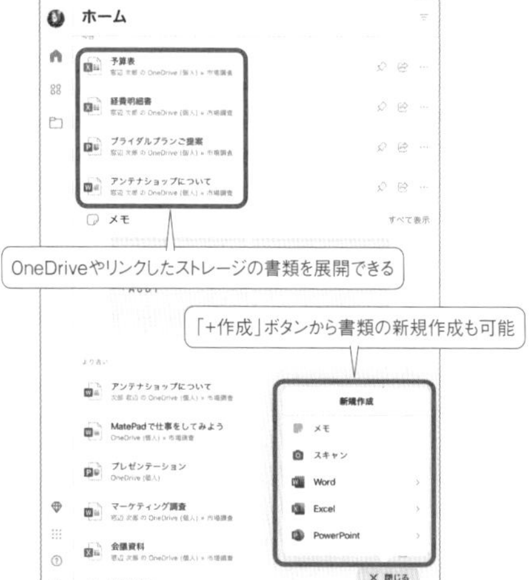

Officeの定番3アプリが統合されている「Microsoft Office」アプリ。OneDriveと同期し、「+作成」ボタンからOfficeドキュメントの他、メモや書類のスキャンを素早く作成できる。

2 10.1インチ以下のiPadなら無料で編集作業まで行える

iPad miniなど、10.1インチ以下のタブレットなら表示に加えて編集も可能。10.2インチを超えるタブレットの場合はMicrosoft 365のサブスクリプションが必要だ。

3 マウス対応でさらに使いやすく

iPadではマウスでの操作にも対応している。マウスで範囲を指定してコピー＆ペーストなど、PCライクに使えるので、Bluetoothマウスやトラックパッドを用意しておくと、さらに使い勝手が良くなる。

4 Split Viewでデータのドラッグもできる

Split View対応で、アプリをまたいでデータやグラフオブジェクトのドラッグが可能。メモに表データを貼り付けたり、グラフを直接貼れるのは便利だ。

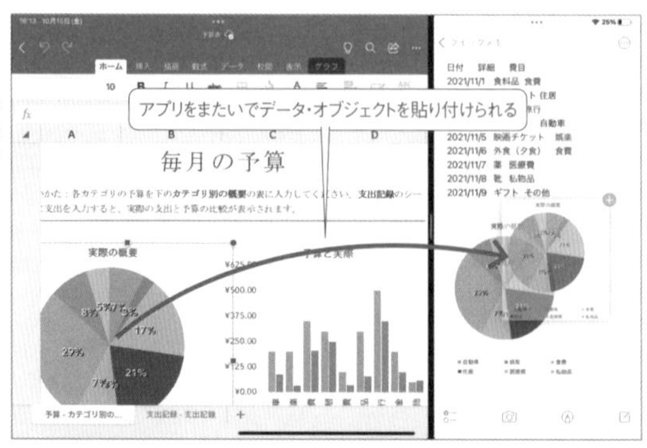

153 Office Officeアプリでは手書きも使える

フリーハンドでドキュメント内に手書きを挿入可能

Microsoft Office アプリは「描画」タブからペンツールやラインマーカーツールを使って、手書きの文字やイラストを挿入することができる。ペン先の種類をはじめ、インクの種類も実に多彩で、TPO に合わせて利用していけば注釈を入れる際に役立ち、また書類の注目度も上げられる。

また、Apple Pencil 対応モデルであれば、Apple Pencil を画面に当てるだけで描画モードへと素早く切り替わる。iPad Pro ユーザーはぜひ活用してみよう。

1 「描画」タブからペンを選択

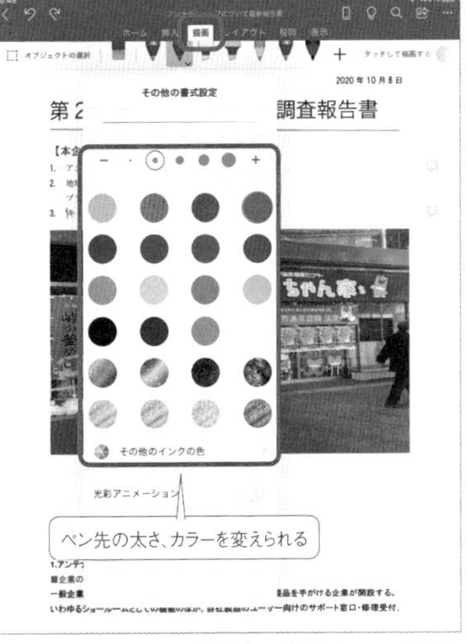

手書き入力を行なうには「描画」タブを開き、ペンを選択。「v」をタップすると太さやカラーを変更できる。

2 タッチや Apple Pencilで入力する

画面にタッチで自由にイラストや注釈を加えられる。書類の内容に合わせて利用してみよう。

マスト!

154 共同編集 複数人で共同して書類を作成・編集するには

Googleドライブの共有機能を活用して文書を共同編集する

グループワークなどで、他人と共同で文書や表計算ドキュメントを編集したい場合は、「Googleドライブ」が便利。定番のGoogleアカウントでファイルを共有し、共同編集することができる。なお、Microsoftのサービスでも同様の共有機能が使えるので（88ページで解説）、使いやすい方を選ぼう。

App

Googleドライブ
作者／Google, Inc.
価格／無料　言語／日本語

1 他ユーザーへファイルを共有する

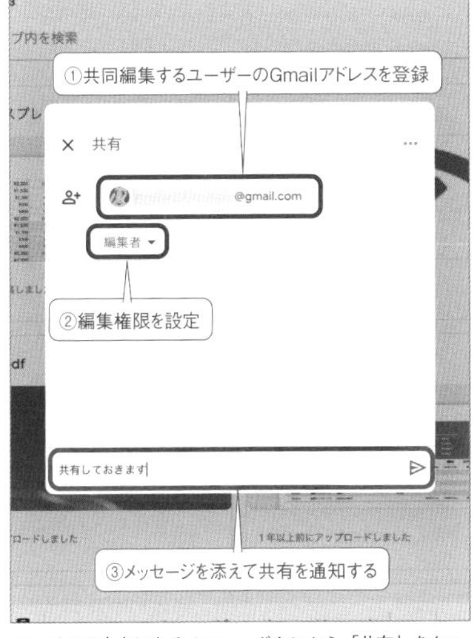

ファイルの右上にあるメニューボタンから「共有」をタップ。相手・権限を指定してメッセージを添えて共有に誘おう。

2 共有されたドキュメントを編集

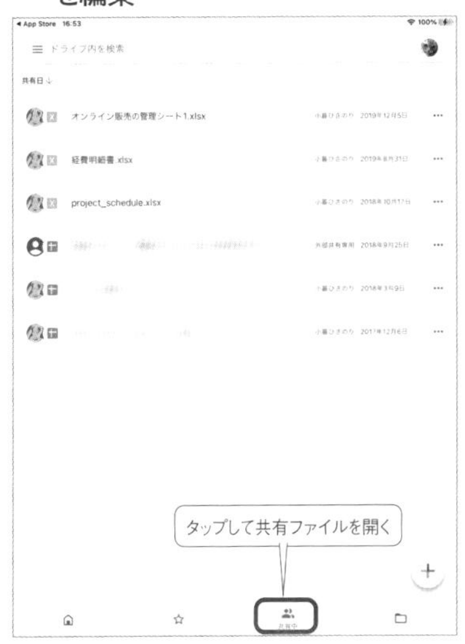

共有したファイルは、「共有中」タブからアクセスできる。ファイルをタップして、複数ユーザーで同じドキュメントを編集することができる。

155 Office ビジネスで文書を共有・編集するなら OneDriveがベスト!

安心してファイルを編集できるOfficeとの連携力!

OneDriveはMicrosoftが提供しているオンラインストレージサービス。利用するには無料の「Microsoftアカウント」を取得すればOK。5GBのストレージを利用することができる。また、「Office 365」を利用しているユーザーであれば、契約しているプランに応じてオンラインストレージの容量も拡張される(1TB〜)のも魅力だ。

OneDriveの利点は多々あるが、なんといってもOffice系アプリとの連携力は強力だ。ワードやエクセルなどのOfficeアプリの保存場所として指定でき、特定のユーザーを招待しての共同編集も可能。Webアプリを使って、OfficeやMicrosoftアカウントを導入していないユーザーともファイルを共同編集できるのも便利だ。こうしたWebを通じた編集機能はGoogleドライブやiWork(iCloud)でも利用できるが、OneDriveはMicrosoft純正というところがポイント。Webアプリを使うにしても、PC・Mac版のOfficeアプリとの互換性が高く、デザインのズレやエラーも起こりづらく、安心して利用できる。Googleサービスは利用しているユーザーも多くて人気だが、ビジネスでOffice文書を共有・やり取りするのであれば、OneDriveを選ぶほうが無難だ。

App

Microsoft OneDrive
作者／Microsoft Corporation
カテゴリ／仕事効率化
価格／無料

Officeとシームレスに連携するクラウドサービス

1 同期されたファイルにアクセスする

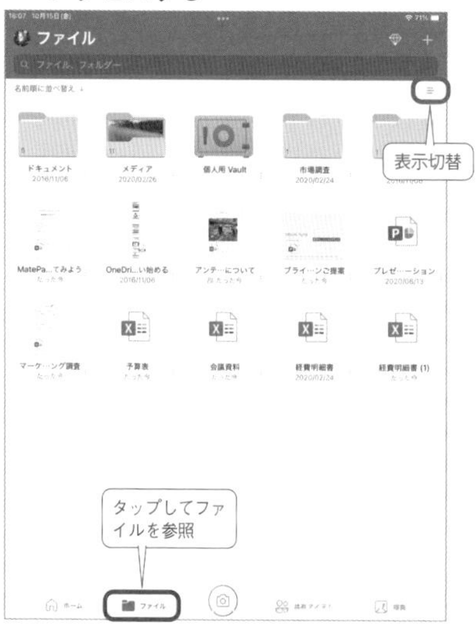

マイクロソフトアカウントを取得・登録すれば、パソコンから同期したファイルが表示され iPad で利用できる。右上のメニューボタンをタップして、ファイルの選択やフォルダ作成などが可能。

2 純正オフィスアプリとスムーズに連携

OneDrive に同期されたオフィスファイルをタップすると、ファイルのプレビューが表示される。画面上部のアプリアイコンをタップすると、該当するアプリで編集が可能だ。

3 写真やファイルをアップロードする

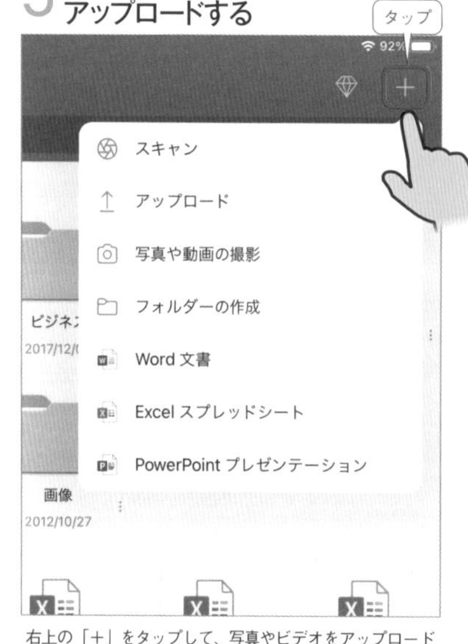

右上の「+」をタップして、写真やビデオをアップロードできる。また、他アプリの共有ボタンからファイルをOneDriveへ送信して、ファイルをアップロードできる。オフィス文書の新規作成も可能(各オフィスアプリが起動)。

4 ファイルを選択して共有や様々な処理を行う

共有メニューから「リンクのコピー」で共有URL を作成できる。「Microsoft Office」アプリでの共有と違い、リンク共有の有効期限も設定可能（プレミアム契約が必要）。

156 Office Pages、Numbers、Keynoteなど便利なApple純正アプリを使おう

アップル純正のオフィスアプリでビジネス文書作成

iPadでオフィス文書をオフライン編集できる、現時点でもっとも信頼性の高い選択肢が、アップルの「iWork」アプリを使用する方法。iWorkはMS-Officeの読み込みや、MS-Office／PDF形式での書き出しに対応。「リーディング表示」にも対応している。これは誤タップによる意図しない編集を防ぐための機能で、まずは「編集不可」状態で書類が展開される。編集するには画面右上の「編集」をタップすればいい。他にも、Pagesは翻訳機能が、Numbersではレーダーグラフ、Keynoteではライブ映像の埋め込みなど、さまざまな新機能が加わってバージョンアップされているので、ぜひ活用してみよう。

App

Pages
作者／Apple
価格／無料
言語／日本語

App

Numbers
作者／Apple
価格／無料
言語／日本語

App

Keynote
作者／Apple
価格／無料
言語／日本語

3つのアップル純正オフィスアプリ「iWork」

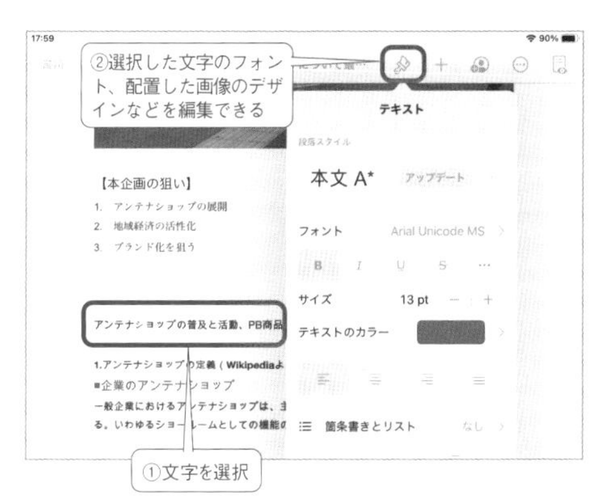

美しい書類が手軽に作成できる「Pages」

自由度の高いワードプロセッサアプリ。テキストを写真・グラフ・イラスト・手描きなどでデザインできる。選択しているテキストを素早く他言語に翻訳して置き換える新機能も便利。

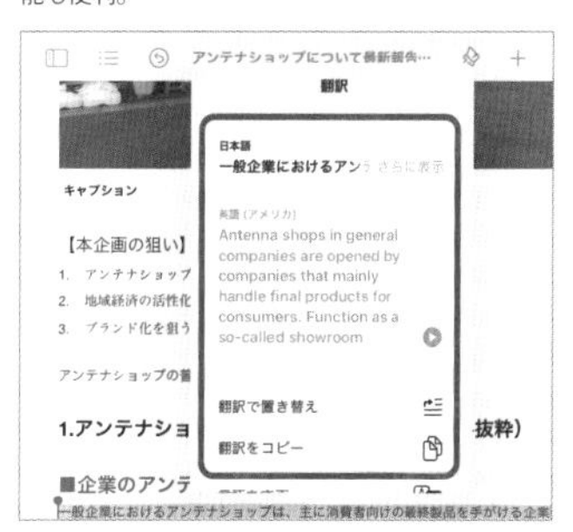

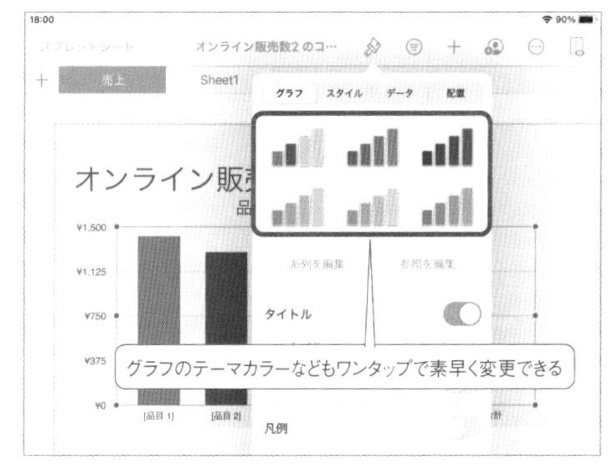

手軽で自由度の高い表計算「Numbers」

ひとつのシート内に表やグラフ、イラストなどを自由にレイアウトできる。新たにレーダーグラフの表示にも対応し、データ比較の可視化が簡単に行なえる。

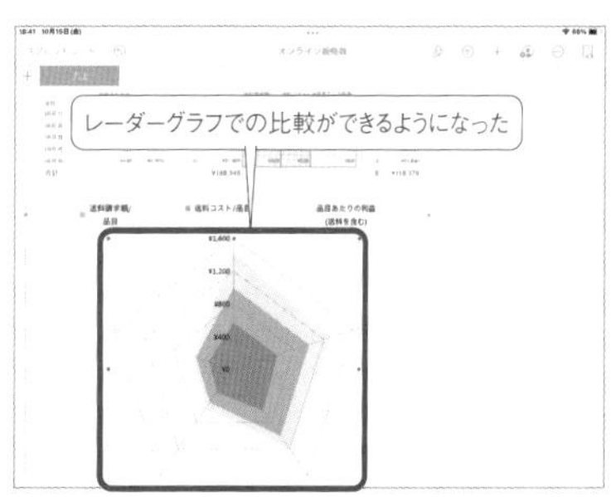

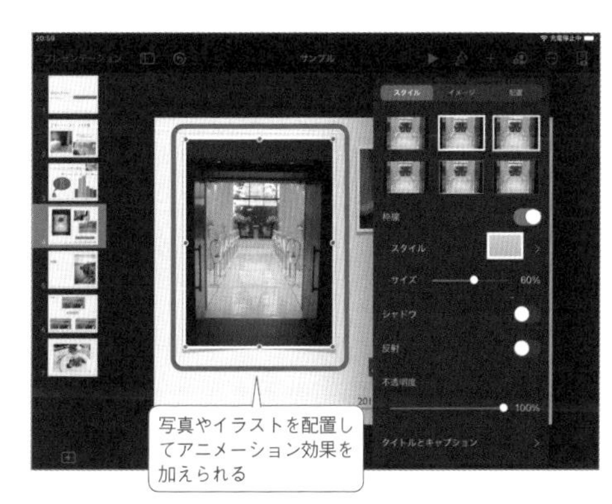

使いやすいプレゼンテーション「Keynote」

見やすく美しいスライドを作成できるKeynoteは、ビジネスパーソンからの評価も高い。新機能としてインカメラの映像をスライド内へ表示できるようになり、実況風プレゼンが可能になった。

157 クラウド PCとのデータのやりとりに便利なクラウドストレージ

クラウドを意識せずにパソコンとデータ交換する

iPadとPCでデータをやり取りしたい場合、そのつどケーブルで接続するのは面倒だ。そこで便利なのがクラウドストレージ。「Dropbox」は定番のクラウドサービスで、個人向けのBasicプランなら2GBのストレージを無料で利用することができる。ドキュメントを撮影して、PDF形式でアップロードできるなど、ビジネス文書の管理にもマッチしている。

App

Dropbox
作者／Dropbox
価格／無料　言語／日本語

1 DropboxからPDFなどを表示する

Dropboxを使えばファイルや文書をクラウド経由で同期することができる。「共有」メニューからファイルの共有も可能だ。

2 スキャンして書類を取り込む

書類をカメラでスキャンしてDropboxに直接PDF形式で取り込めるなど、ビジネス文書管理に最適。有料プランではOCRでの全文検索機能も利用できる。

158 クラウド iPadとパソコン間であらゆるファイルをスムーズに渡すには

DocumentsとDropboxをうまく連携させるのがコツ

iPad とパソコン間でデータを連携させる方法として、クラウドストレージを使用する方法が一般的だ。各サービスの公式アプリを使用する方法もあるが、複数のサービスをまとめて管理できる「Documents」もオススメ。クラウド上の指定したフォルダのみ同期する機能を活用すれば、スムーズなデータ連携が可能になる。

App

Documents by Readdle
作者／Readdle
価格／無料　言語／日本語

1 Dropboxのフォルダを同期する

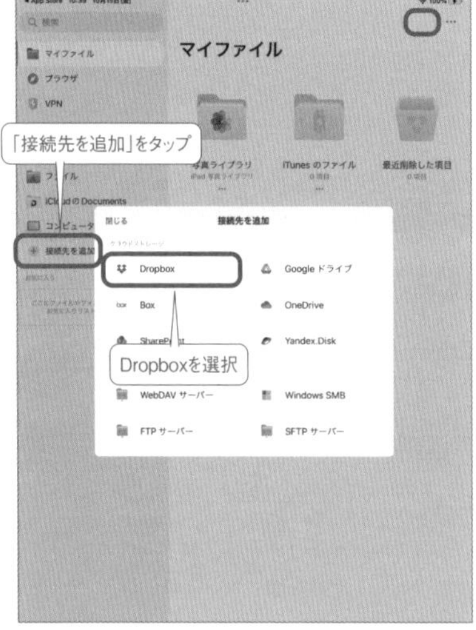

Dropbox と Document の「書類」を常に同期させたい場合は、サイドメニューから「接続先を追加」をタップして接続先一覧から Dropbox を選択しよう。

2 特定のフォルダのみ同期する

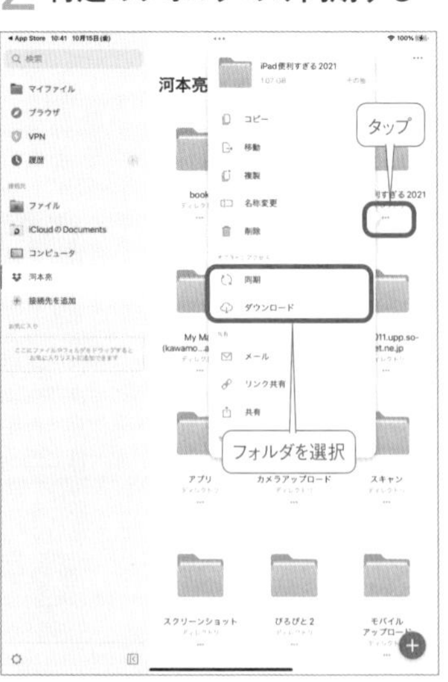

接続後、フォルダ下の「…」をタップ。メニューが表示され「同期」を選択するとそのフォルダだけ同期できる。同期とは別にダウンロードすることもできる。

159 クラウド パソコンのブラウザから iPadのデータにアクセスする

Documentsを使ってファイルのやり取りをする

オンラインストレージを利用していなくてもDocumentsは、iPadとPC内のデータを自由にやり取りできる。サイドメニューにある「コンピュータ」をタップしよう。表示されるURLアドレスにパソコンのブラウザでアクセスすればブラウザ経由でデータのアップロードやダウンロードができるようになる。

Documents
作者／Readdle Technologies Limited
価格／無料

①タップ
②ブラウザにコードを入力

1 認証コードを確認する

サイドメニューから「コンピュータ」をタップ。PCのブラウザで「docstransfer.com」にアクセスして表示されるコードを入力する。

②PCからファイルをアップロード
①iPadからファイルをダウンロード

2 ブラウザからファイルを操作する

iPadに接続されブラウザ経由でDocumentsにアクセスできる。iPadからファイルを取り出したり、PCのファイルをiPadに送信することができる。

160 ホワイトボード 無料で使える 多機能オンラインホワイトボード

豊富なテンプレートや他人とのシェア機能が便利

「Miro」はホワイトボードアプリ。ほかのノートアプリと異なり、ピンチアウト操作でキャンバスを放射状に無制限に拡大して手書きのメモを作成できる。また、マインドマップ機能や、アイデアを整理するのに便利なカードなどビジネスシーンで役立つさまざまなツールが搭載されており、50種類以上のテンプレートも用意されている。

作成したホワイトボードはほかのユーザーと簡単にシェアすることができる。公開URLを発行するだけでなく特定のユーザーに共同編集する権利を与えることもできる。

ピンチアウトで拡大する

1 ツールを使ってアイデアを入力する

画面左に表示されるツールを使ってアイデアを入力していこう。入力したメモをタップするとさらにツールが表示され、加工できる。キャンバスを拡大したい場合はピンチアウトしよう。

2 ホワイトボードをシェアする

ホワイトボードをシェアする場合は、右上の「Share」をタップしよう。共有設定画面が表示される。メールで共有するならメールアドレスを入力する。共有リンクを作成することもできる。

App

Miro
作者:RealtimeBoard Inc.
価格:無料
カテゴリ:仕事効率化

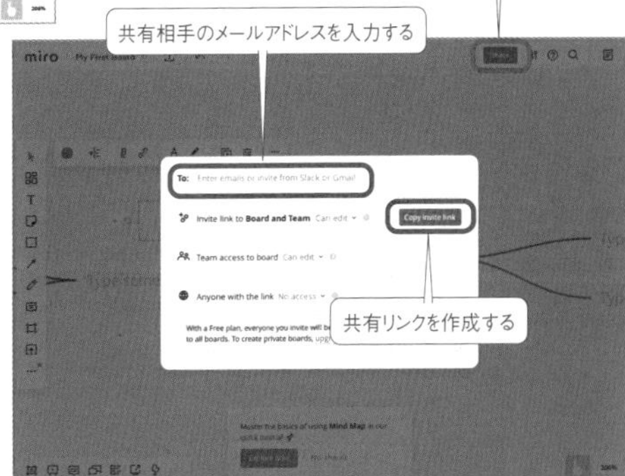

161 スケッチ おしゃれなスケッチアプリ「Paper」

本物のパレットのように色を混ぜ合わせてカスタマイズできる

「Paper」はiPadでアイデアやメモなどちょっとしたことを記録するのに便利なノートアプリ。ほかのノートアプリよりもシンプルな構成だが、カラーカスタマイズ時に本物のパレットのような色の混ぜ合わせができる。万年筆、鉛筆、マーカーといった基本的なツールのほか、有料版としてオートシェイプ、ローラーが用意されている。

App

Paper
作者／WeTransfer BV
価格／無料

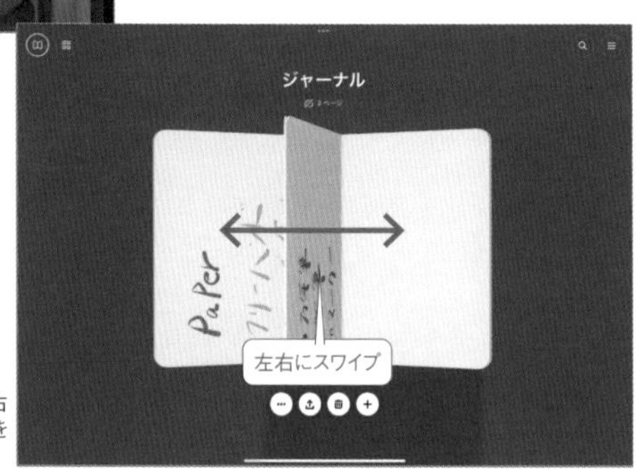

1 横向きにしてカラーパレットを利用する

アプリ起動後横向きにすると丸いカラーパレットが現れる。これをペンや指で回転させることで色がゆっくり変化していく。

2 3D形式のノート管理画面

作成したノートは3D形式の管理画面で管理できる。左右にスワイプするとページがめくられて、起動しなくても内容をチェックできる。

162 スケッチ Good Notes 5は究極の手書きノート!

超ロングセラーの手書きノートアプリ! ノート管理が便利

「GoodNotes 5」はiPadユーザー内で圧倒的に人気が高い定番ノートアプリ。Apple Pencilを使えばまるで紙に本物のペン書いているような書き心地が得られる。管理能力が高く、パソコンの「フォルダ」のように作成した膨大なノートを分類できる。本格的にノートアプリを使いたい人におすすめだ。

App

GoodNotes 5
作者／Time Base Technology Limited
価格／980円

1 直感的に使える安定したインターフェイス

GoodNotes 5は数あるノートアプリの教科書ともいえる。画面中央にキャンバスを備え、上部のメニューバーに機能が集約されている。左右スワイプでページを切り替える。

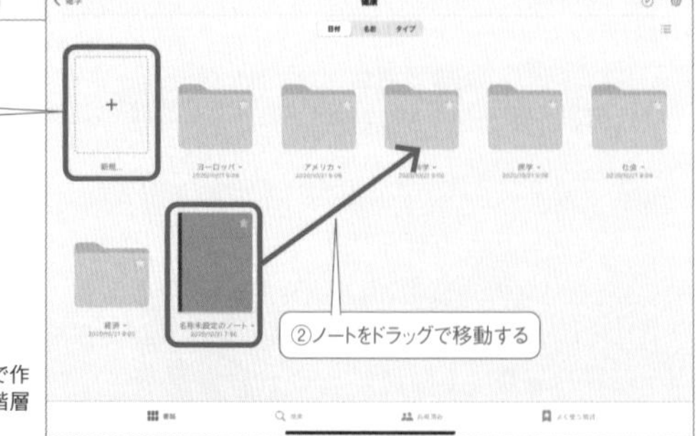

2 PCのような感覚でファイル管理ができる

WindowsのエクスプローラやMacのFinderの感覚で作成したメモを整理できる。フォルダは無限に作成でき、階層構造を作ることもできる。

163 手書き 本格的な手書きノート「NoteShelf」は超便利だ!

豊富なペン先とツールを用意している手書きノートアプリの代表格

「Noteshelf2」はiPadで人気の定番ノートアプリ。数あるノートアプリの中でもシンプルで使いやすいインターフェースでありながら、非常に多機能であり、また安定した動作感が魅力だ。カスタマイズしやすいペン先、投げ縄ツール、オートシェイプ、各種ファイルの挿入、フォルダを使った整理などあらゆる手書き機能を搭載している。本格的な手書きノートを使いたい人におすすめだ。

App

Noteshelf
作者／Fluid Touch Pte. Ltd.
価格／1,220円

1 ペン先を自由にカスタマイズできる

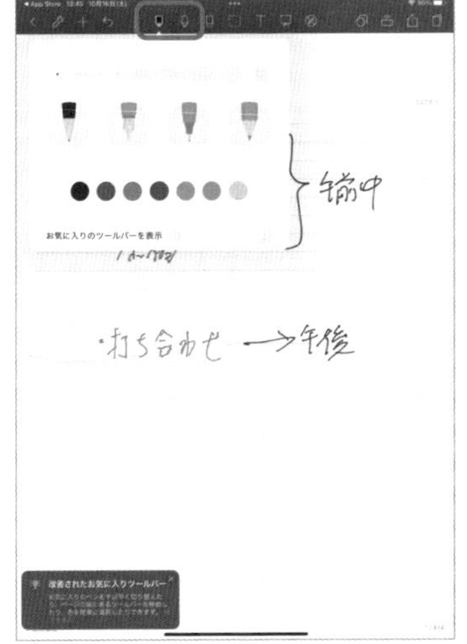

利用できるペンの種類が非常に豊富。6種類のペン先と自由にペンの太さを組みわせることができ、カラーコードを指定して自分の好きなカラーでドローイングができる。

2 あらゆるファイルを挿入できる

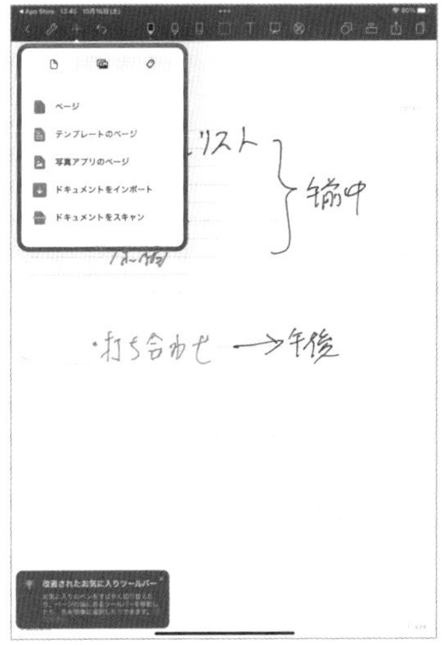

ノート上にはイメージファイルや絵文字、オーディオ、さらにはPDFなどドキュメントファイルを挿入することができる。

164 手書き Noteshelfで作成した各ページは他のノートに自由に移動できる

カテゴリごとにノートを作成してページを分類していこう

Noteshelfで作成した手書きのページは、「ノート」という単位で管理される。ノートはフォルダのようなもので、「らくがき」「英語学習」「仕事メモ」などカテゴリごとに作成すれば各ページが管理しやすくなる。

特に便利なのは、各ノートで作成したページは自由に他のノートの好きな場所に移動することができること。当初は「日記」として書いたつもりだったが、「仕事メモ」などほかのカテゴリのノートに移したくなった際、自由に該当のページを切り抜いて移動させることができる。

1 移動させるページを選択する

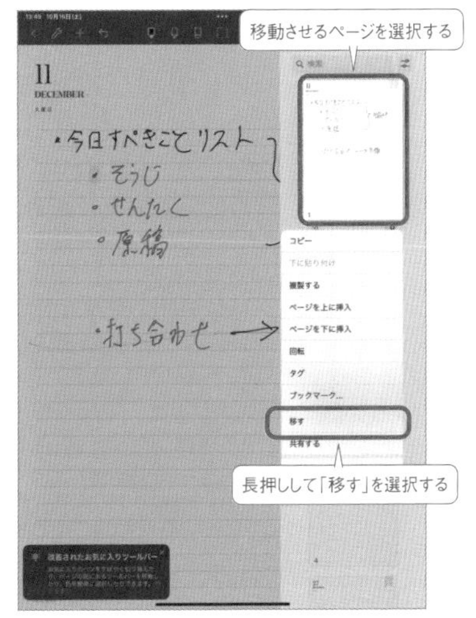

Noteshelfツールバー右端のサムネイルアイコンをタップ。移動させたいページを長押しして「移す」をタップする

2 移動先のノートを選択する

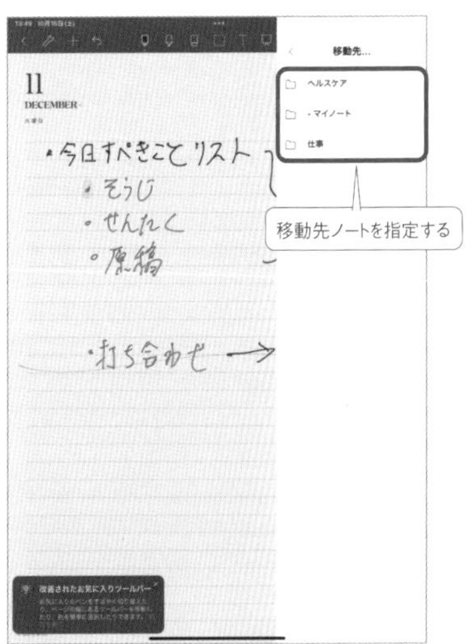

移動先ノートを指定しよう。該当のページが切り取られて指定したノートに移動する。

手書き

165 Noteshelfの「拡大入力」機能が便利!

手書きノートで文字を書くと、実際の紙に書くより文字が大きくなりがちになる。この問題を解決したい場合は、Noteshelfの「拡大入力」機能を使おう。拡大入力パネルが表示され、小さな文字でもきちんと書けるようになる。拡大入力パネルでは、手書きで文章を入力するのに便利な機能を多数搭載している。行間の値を指定すれば、常に指定した行間で改行でき、読みやすい文章を作成できる。またWordと同じようにマージンを設定して、ページ端に余白を残すことも可能だ。

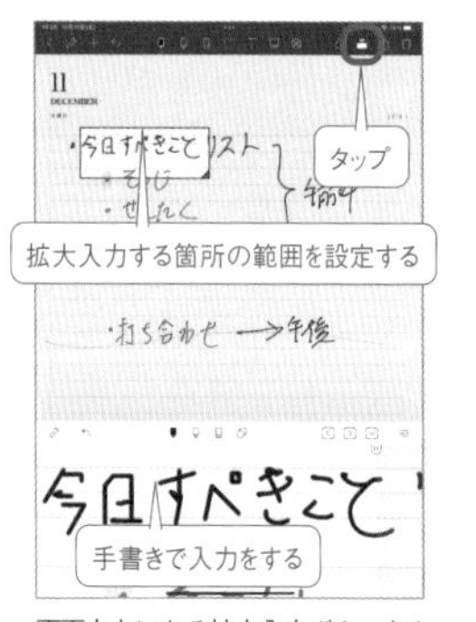

画面右上にある拡大入力ボタンをタップする。拡大入力パネルが表示される。拡大入力する箇所を範囲指定して、手書き入力を行おう。

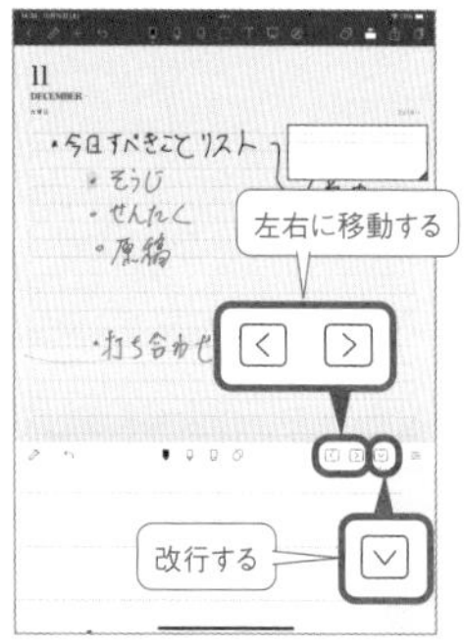

拡大入力パネルは、右上にある「↓」ボタンをタップすると改行できる。また「←」「→」ボタンで左右に移動できる。

PDF

166 Webページに手書きで注釈を入れよう

ウェブサーフィンをしているときに見つけた資料ページを保存する際、その場で気になる箇所に注釈を付けて保存するなら「PDF Viewer」を使おう。Safariで表示中のウェブページを簡単にPDF化して、指やスタイラスペンを使ってテキストをハイライト表示したり、メモを追加することができる。

App

PDF Viewer
作者／PSPDFKit GmbH
価格／無料

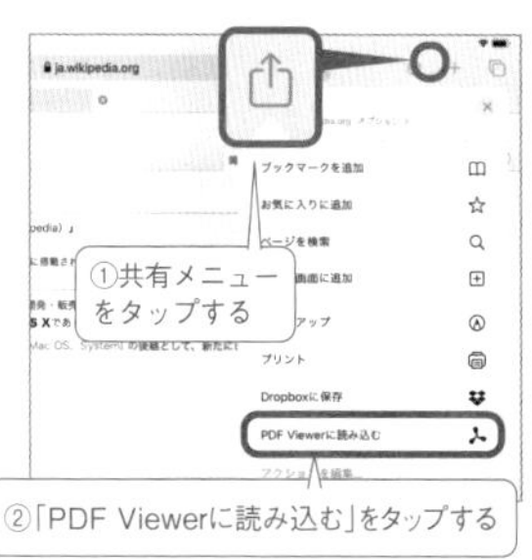

注釈を付けて保存したいページをSafariで開いたら、右上の共有メニューをタップして「PDF Viewerに読み込む」をタップする。

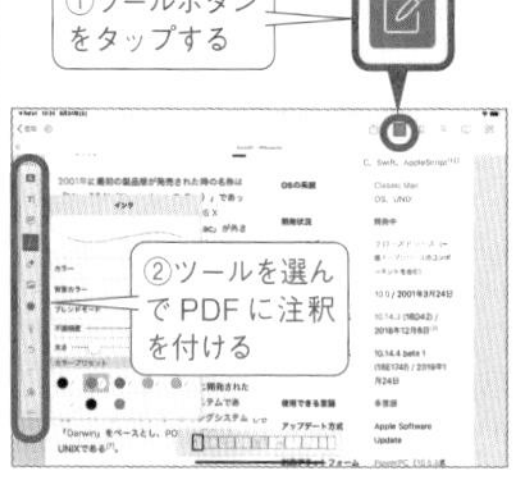

ページがPDF化して取り込まれる。上部メニューにあるツールボタンをタップすると、注釈ツールが画面左に表示されるので、好きなツールを使って注釈を付けよう。

167 PDF Dropbox上のPDFへの注釈はAdobe Acrobat Readerを使おう

Dropbox上から直接起動して注釈を付けて保存できる

Adobe Readerをインストールしていれば、Dropbox上からすぐに注釈を付けて上書き保存できる。わざわざほかのPDFアプリから読み込んで書き出す必要はなく便利。ほかのPDF注釈ツールに比べると機能はそれほど多くはないが、App Storeから無料でダウンロードして使えるのは大きなメリットだ。

App

Adobe Acrobat Reader
作者／Adobe　価格／無料
カテゴリ／ビジネス

1 PDFをDropbox上で開いて編集ボタンをタップ

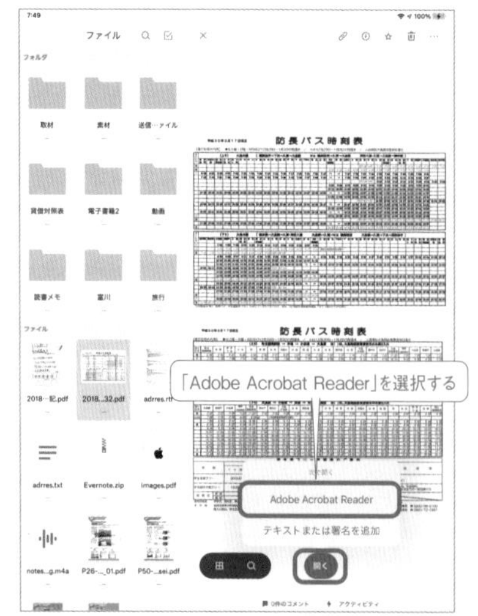

編集したいPDFを選択して、右下にある「開く」ボタンをタップする。Adobe Acrobat Readerで注釈を入れるなら「Adobe Acrobat Reader」を選択する。

2 注釈ツールを使ってPDFに注釈を付ける

注釈を入れる場合は画面の注釈ボタンをタップする。画面上部に表示される注釈ツールで注釈を入れていこう。

168 OCR 撮影した画像の文字をテキスト化する

OCR機能を搭載したスキャンアプリで紙の文書を取り込もう

「Adobe Scan」はカメラで撮影した紙上のテキストをスキャンするアプリ。OCR機能を搭載しており、テキスト内容を解析してデジタルデータに変換してくれる。変換されたテキストはクリップボードにコピーすることが可能だ。スキャンされた文書はAdobe Document Cloudに自動で保存され、ほかの端末で同期することもできる。

App

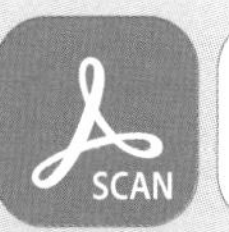

Adobe Scan
作者／Adobe
価格／無料

②「PDFを保存」をタップ

①ツールでレタッチする

1 カメラ撮影後に補正をする

Adobe Scanで紙の文書を撮影するとレタッチ画面に移動する。切り抜き範囲や角度、明るさを調節して、右上の「PDFを保存」をタップしよう。

2 テキストをコピーする

スキャンしたPDFをAdobe Scan上で開く。テキストが読み取られ選択した状態になり、コピーできるようになる。選択すると、下部メニューから「テキストアクション」を

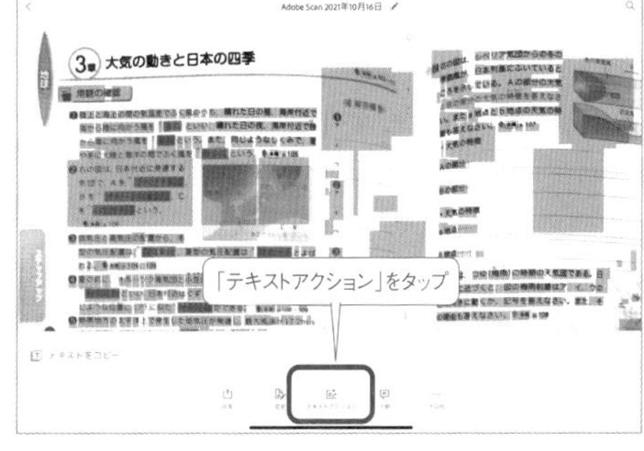

169 Dropbox 文書や名刺をスキャンしてDropboxに保存する

Dropboxはドキュメントスキャン機能を搭載しており、Dropbox保存している写真をモノクロや、グレースケール形式に変換できる。写真を白黒に変更することでデータサイズを圧縮したり、文字がくっきり読めるようになる。

またDropboxから直接カメラを起動して、ドキュメントスキャン機能で書類を取り込むことができる。撮影時にDropboxが自動で書類部分だけをトリミングしてくれる。手動でトリミングすることも可能だ。

1 ドキュメントスキャナを起動する

タップ

紙の書類を撮影してスキャンする場合は、Dropboxメニューの「+」をタップして「ドキュメントをスキャン」を選択しよう。

2 自動で範囲選択され撮影される

青い枠線で範囲が選択される

カメラ画面が起動するので書類にカメラを向ける。青い枠線で自動でスキャン範囲を選択してくれる。シャッターボタンをタップしよう。

上級技 170 キーボード 文字入力を極めたい人におすすめのキーボードはこれ!

フリック入力に慣れているため、iPadのキーボード入力に慣れない人は「片手キーボードPRO」を使おう。カスタマイズ性が非常に高い片手キーボードアプリで、片手でフリック入力ができるほかキーボード表示領域であれば、自由に配置できる。ほかにもキーボードを好きな配色に変更したり、サブキーボードに好きな記号を登録することが可能だ。

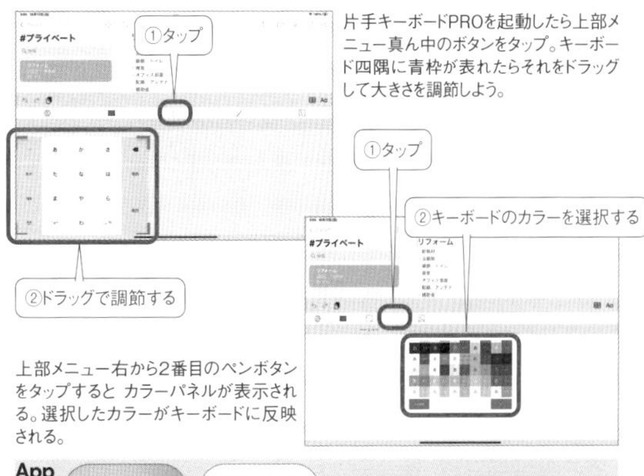

片手キーボードPROを起動したら上部メニュー真ん中のボタンをタップ。キーボード四隅に青枠が表れたらそれをドラッグして大きさを調節しよう。

上部メニュー右から2番目のペンボタンをタップすると カラーパネルが表示される。選択したカラーがキーボードに反映される。

App

片手キーボードPRO
作者／TAWASHI KAMEMUSHI
価格／490円

171 クラウドノート 仕事の多くがこれひとつでOKな超多機能ノート「Notion」

原稿書き、表計算、タスク管理など、これ1つでかなり多くのことができる

多機能ノートアプリといえばEvernoteが有名だが、無料プランは端末制限や機能制限があり使いづらく感じている人は多いだろう。無料でEvernote並のノートアプリを使いたいなら「Notion」がおすすめだ。

Notionはクラウド形式のノートアプリ。作成したノートはクラウド上に保存され、無料ながら複数の端末に制限なしでノートを同期することができる。シンプルなインターフェースながら非常に多機能な点もNotionの特徴だ。ノート作成、写真挿入、タスクリスト、ノートのシェア、テキスト装飾、URLリンクの貼り付けなど標準的なノートアプリに搭載されている機能はほぼカバーしている。データベースという表機能を使えば、エクセルのように情報を分かりやすくデータベース化することも可能だ。

また、マークダウン記法に対応しており、Magic keyboardやFolioなどを利用している人であれば、キー操作で効率的に改行、見出し、箇条書き、ナンバリング作業が行える。

作成した各ページは画面左にあるページ一覧で階層化して整理することができるほか、各ページ内に小ページを作成、管理することができる。ほかのユーザーとノートを共有したい場合は共有機能を利用しよう。公開URLを作成すればだれでも閲覧することができるほか、共同でページを編集したり、コメントを付けてもらうこともできる。

App

Notion
作者:Notion Labs, Incorporated
価格:無料

Notionを使ってみよう

1 ページを作成する

Notionでページを作成するには左メニューの「Add a page」または下部にあるページ作成ボタンをタップしよう。

2 見出しとカバーを設定する

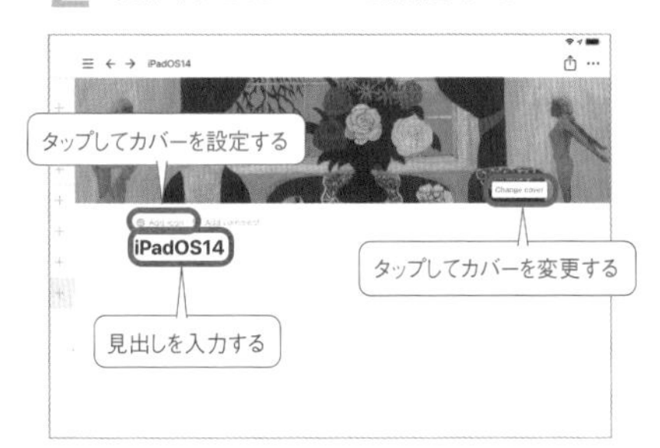

新規ページが作成される。まずは見出しを入力しよう。「Add icon」をタップすると自動的にカバーが設置される。カバーは「Change cover」から好きなものに変更できる。

3 ツールバーを利用する

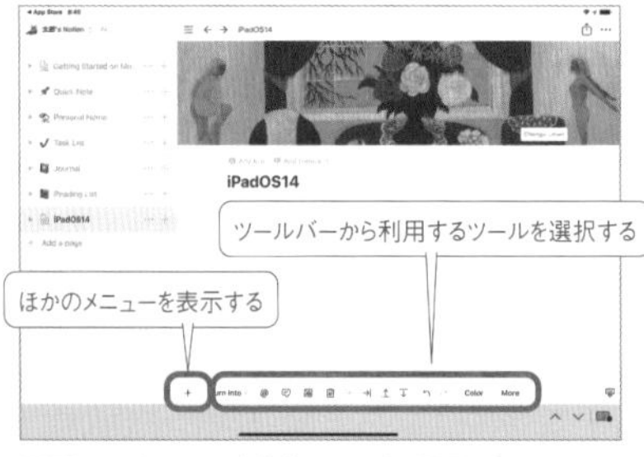

画面をタップしてノートを入力していこう。画面下部にあるツールバーから写真を入力したり、カラーを変更できる。さらに多くのツールを利用する場合は「+」をタップ。

4 さまざまなメニューが表示される

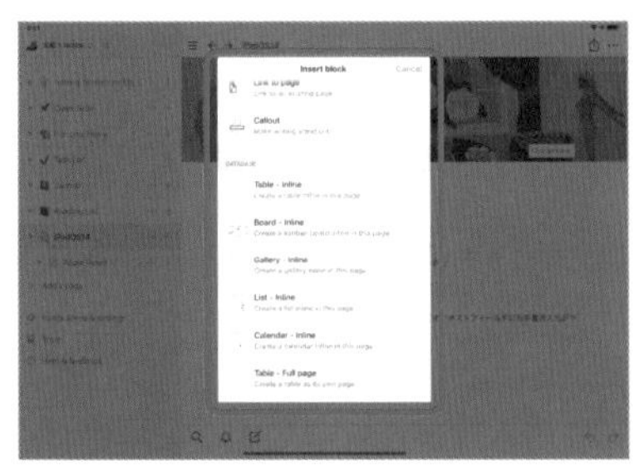

「+」をタップすると表作成やカレンダー、タスクリストなどさまざまなツールメニューが表示される。

5 ページを追加して階層化する

階層的なページ構成にしたい場合は、左メニューにあるページ右にある「+」ボタンをタップする。そのページの下の階層が作成される。

6 ページをシェアする

作成したページをシェアする場合は、右上のシェアボタンをタップする。「Share to the web」を有効すれば公開URLを作成できる。

172 クラウドノート あらゆる情報を記録するクラウドノートサービス

定番メモアプリで備忘録から日記まですべて記録する

Evernoteは、メモや写真、ボイスメモ、動画といった日々の記録をネット上に同期させて利用できるクラウド型ノートアプリ。iPadから記録したメモや写真を同期してパソコンやスマートフォンから見たり、パソコンで記録した情報をiPadから参照するなど、いつでもどこでも常に最新の情報を記録&取り出すことができる（無料ユーザーで同期できるのは2台まで）。登録されたデータはすべてクラウド上に保存されているので、同じアカウントでログインすれば複数のiOS端末やスマートフォ ンでノートを同期できる。Notionと異なり日本語メニューで使いやすい。

1 新規ノートを作成する

アプリを起動してアカウントを登録もしくは作成してサインインしたら、画面の下にある新規ノート作成ボタンをタップして新規ノートを作成しよう。

2 テンプレートを使ってノートを作成する

ノート作成画面で「テンプレート」をタップするとテンプレート選択画面が表示される。利用したいテンプレートを選択する。

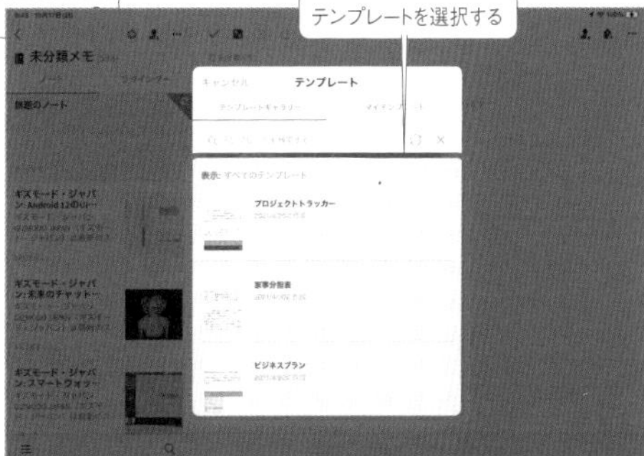

App

Evernote
作者／Evernote
カテゴリ／仕事効率化
価格／無料

上級技 173 クラウドノート Evernote無料ユーザーで同期端末台数を増やす裏ワザ

サブアカウントにノートブックを共有すればOK!

Evernote の無料ユーザーは、公式アプリを使用して同期できる端末数が「2台」に制限されている。Web 版やサードパーティー製アプリを使用する方法もあるが、どうしても公式アプリで同期させたいなら、サブアカウントを取得し、メインのアカウントからノートブックを共有する方法で、可能になる。

App

Evernote
作者／Evernote
カテゴリ／仕事効率化
価格／無料

1 サブアカウントを新規取得する

追加したい端末で使用するための Evernote アカウントを作成する（メールアドレスが複数あれば OK）。すでに別アカウントを持っていれば、そのアカウントで OK。

2 メインアカウントのノートブックを共有

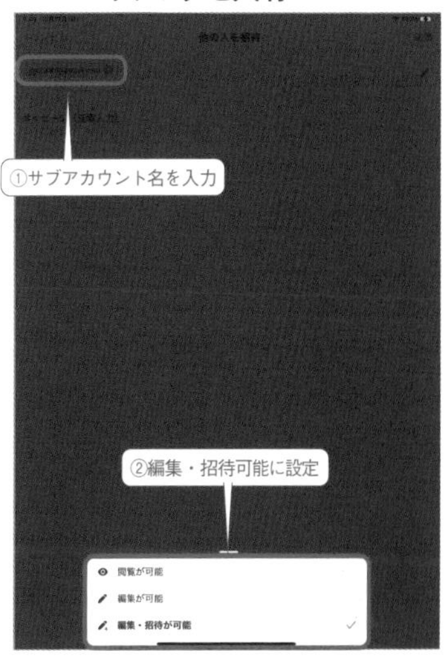

メインのアカウントでログインし、ノートブックを開いて共有ボタンをタップ。サブアカウント名を入力してノートを共有すれば、サブアカウントで同じく利用できる。

174 ノート Notionより気軽に使えるノート作成ツール「Craft」

ドラッグ&ドロップやスワイプ操作でテキストを編集&修飾する

「Craft」はiPad上で美しいドキュメントやノートを作成できるアプリ。ほかのノートアプリよりも操作が非常にシンプルなのが特徴で、ドラッグ&ドロップやスワイプ操作で入力したテキストの編集を行う。「Notion」だと機能が多すぎる、と感じる人におすすめだ。

App
Craft
作者／Luki Labs Limited
価格／無料

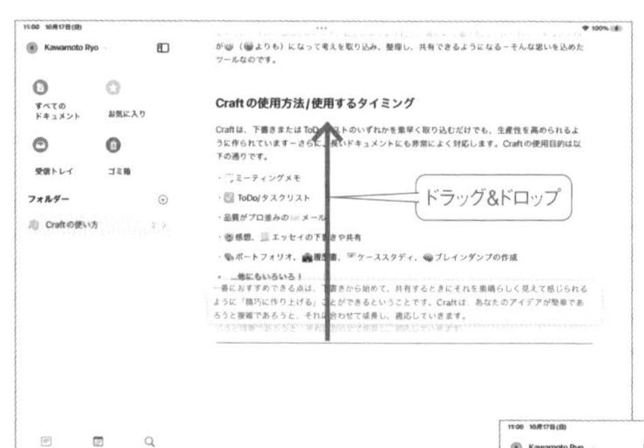

1 文章をドラッグ&ドロップで移動する

Craftで入力した文章を移動するには、長押しして上下にドラッグ&ドロップすればよい。

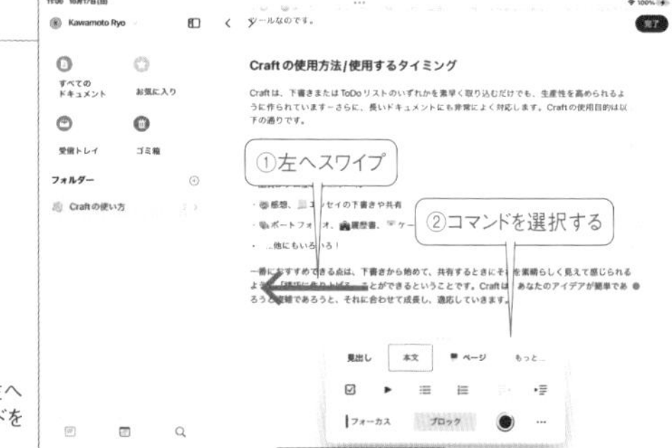

2 左にスワイプして文章を修飾する

選択した文章を修飾したりサイズを変更する場合は、左へスワイプ。メニューが表示されるので操作したいコマンドを選択しよう。

上級技

175 資料表示 資料画像を1枚で並べられる便利な参照アプリ

絵を描くときはもちろん、ほかのさまざまな作業でも便利

iPadで資料を参考にしながら作業する際はSplit Viewで画面を分割する機会が多い。このとき写真資料を参考にして何か作業するときに便利なのが「VizRef」というビューア。複数の資料画像を並べての、参照しながらでの資料閲覧に特化した画像ビューアー。端末内に保存されている写真を登録しよう。サムネイル表示された各写真はドラッグ操作やジェスチャ操作で自由に位置を変更したり、拡大・縮小することが可能だ。

App
VizRef
作者:Studio Pixanoh
価格:490円

1 参考資料を登録する

起動したら左下の追加ボタンをタップして「Insert Files」または「Insert Photos」で参考資料にする画像を登録していこう。

2 ドラッグやジェスチャで操作する

登録した写真はドラッグ操作で自由に移動できる。写真を重ね合わせることもでき、ピンチインアウトで拡大縮小もできる。Split Viewを併用すれば作業が楽になるだろう。

176 ドラッグ&ドロップ ドラッグ&ドロップの機能を格段にアップさせる

よく使うファイルを登録しておきいつでも素早くほかのアプリにコピーする

iPad上でドラッグ&ドロップによるファイル操作を効率化させたいなら「Yoink」を使おう。よく使うファイルや後で使いそうなファイルを登録しておけばドラッグ&ドロップで素早く目的のファイルを呼び出すことができる。写真やテキストといった一般的なファイルのほかクリップボードにコピーしている情報や指定したURLも登録しておくことができる。

App

Yoink
作者／Matthias Gansrigler
価格／730円

1 Slide OverでYoinkを起動する

あらかじめYoinkをDockに登録しておく。登録するファイルがあるアプリを起動したあとSlide OverでYoinkを起動し、アプリをドラッグ&ドロップで登録していこう。

2 登録したファイルをほかのアプリにドラッグ&ドロップする

ほかのアプリを起動しYoinkから登録したファイルをドラッグ&ドロップで登録しよう。ここではYoinkに登録している写真をメールに添付した。

3 クリップボードやURLもYoinkに登録できる

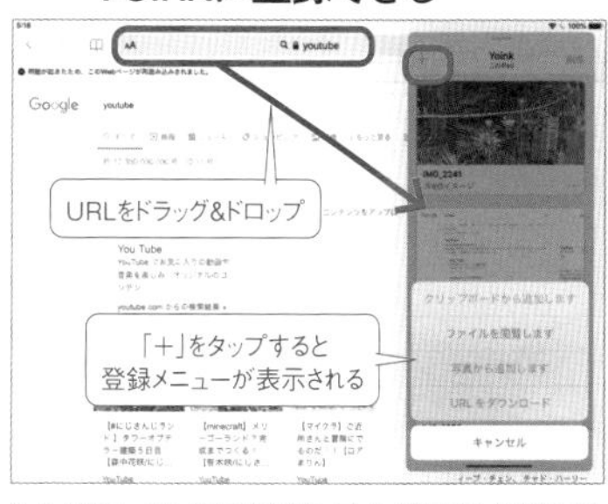

YoinkはファイルだけでなくクリップボードやURLを登録することもできる。左上の「＋」から登録できるほかブラウザで表示されているURLをドラッグ&ドロップで登録することもできる。

177 クラウドノート ノートアプリの録音機能を使おう

iPadには標準で録音アプリ「ボイスメモ」が搭載されているが、メモを取りながら録音するならノートアプリを使おう。ノートアプリの多くは録音機能を搭載しており、録音しながらメモを取ることができる。おすすめはEvernoteだ。ほかのアプリに比べるとファイルが小さく、10分間の録音ファイルで約4.5MBに圧縮できる。容量を気にすることなく長時間の録音が可能だ。

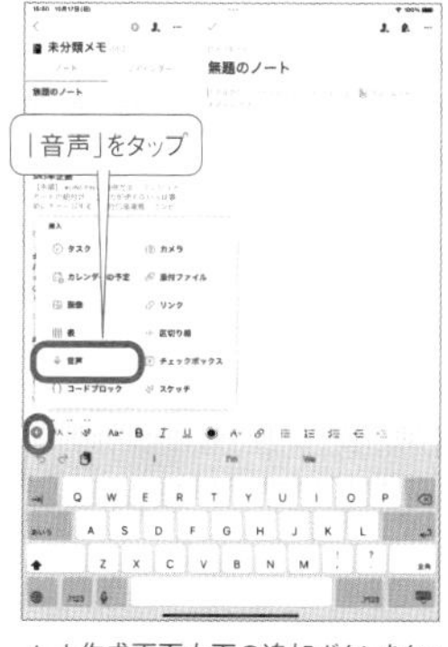

ノート作成画面左下の追加ボタンをタップして「音声」を選択しよう。するとノート上部に録音バーが表示され、すぐに録音が始まる。

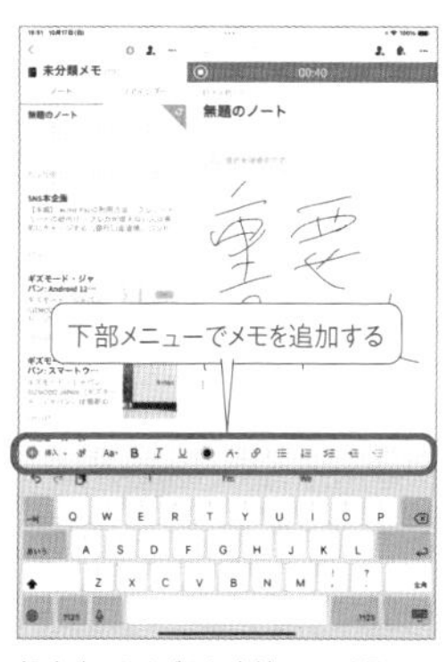

録音中はさまざまな方法でメモを取ることができる。下部メニューから手書きのメモを追加したり、写真を添付することができる。

178 POPデザイン プロのデザイナー並のPOPを簡単に作成できる

豊富に用意されているパーツをダウンロードして、美しいPOPが作成できる。お店の業種別に、様々な有料パーツも販売されているが、無料パーツでも幅広く活用できる。POPのカスタマイズも可能。

App

POPKIT
作者／Rainbird,inc.
カテゴリ／エンターテインメント
価格／無料

まずは、パーツをダウンロードしておき、「はじめから」ボタンをタップしてレイアウト画面を表示。ダウンロードしたパーツを配置し、テキストなどを加えれば、美しいPOPを簡単に作成できる。

Siri

179 iPadに話しかけてSiriに計算してもらおう

声で様々な操作を実行できるiPadの標準機能「Siri」は、数式の計算結果も答えてくれる。カッコ付きや分数といった、込み入った計算はできないが、単純な計算式や消費税額を計算するといった、日常的な計算なら十分実用的に使える。さらに、Siri設定で「Hey Siri」を有効にしておけば、パソコンの作業中や、家事中で両手がふさがっている時でも、声だけで計算できて便利だ。

設定アプリの「Siriと検索」を開き、「Hey Siri」を有効に設定する。これで、iPadに「Hey Siri」と話しかけてSiriを起動できる。

Siriを起動して、例えば「12000かける0.08は？」と話しかければ、計算結果を教えてくれる。「○○の○％は？」でも通じる。

上級技

圧縮・解凍

180 さまざまな形式の圧縮ファイルを解凍する

さまざまな形式の圧縮ファイルを解凍したり、ファイルをZIP形式に圧縮してメールなどで送信できるツール。パスワード付きの圧縮ファイルにも対応しているので、メールで受けとった圧縮ファイルが開けないときに用意しておくと安心。

App

iZip
作者／ComcSoft Corporation
価格／無料
カテゴリ／ユーティリティ

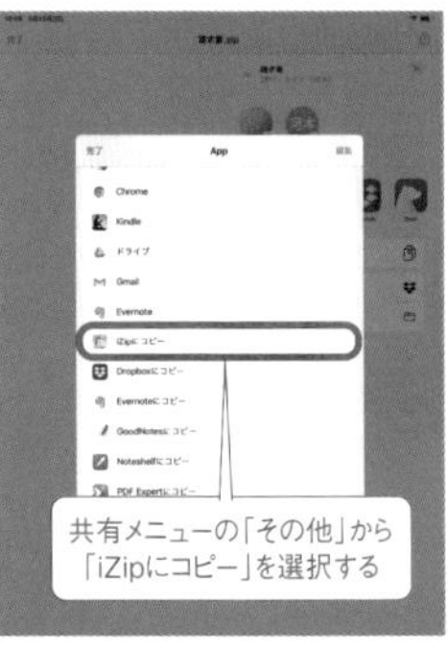

メールなど他アプリから共有メニュー経由でiZipに送信すると、確認後に解凍して「Files」に保存される。パスワード付きZIPもOK。

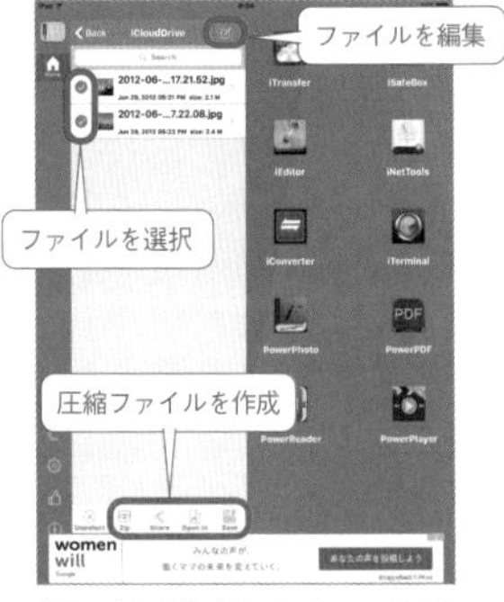

「Files」に保存されているファイルを選択して、ZIPアーカイブを作成できる。クラウドからダウンロードして圧縮することも可能。

印刷

181 iPadからWi-Fi経由で直接プリントしよう

iPadの写真や書類を、Wi-Fi機能を搭載したプリンターで直接プリントアウトしてくれるアプリ。いちいちiPadをパソコンに接続したりiCloudを使って写真を転送しなくても直接プリントアウトできる。iPad内の書類のほか、クラウドサービスやWebの印刷にも対応。機種によってはスキャナーも利用できる。このアプリはエプソンのプリンター専用だが、キャノンやHPからもリリースされている。

App

Epson iPrint
作者／Seiko Epson Corporation
価格／無料　言語／日本語

カメラロールやフォトストリームの写真、クラウドストレージのファイルを読み込んで印刷設定をし、プリントアウトできる。

印刷

182 出先で書類を直接プリントできるサービス

iPad内のファイルをコンビニでプリントアウトできるサービス。フォトライブラリの写真、クラウド上のファイルをこのアプリへ登録すれば、あとは最寄りのセブンイレブンへ行ってコピー機でプリントアウトするだけ。

■プリント価格

	B5、A4、B4	A3	はがき	Lサイズ
白黒	20円	20円	20円	-
カラー	60円	100円	60円	40円

App

netprint
作者／Fuji Xerox Co., Ltd.
価格／無料　言語／日本語

メニューから写真や文書をアップロードすると「予約番号一覧」に予約番号が発行されるので、セブンイレブンのマルチコピー機でプリントアウトする。

設定とカスタマイズ

一通りマスターしておきたい「設定」のポイントや、より自分好みにiPadを仕立て上げられるカスタマイズの例、ネットワークを駆使した上級技などをたっぷりと紹介。

上級技

183 ホーム画面 ホーム画面を1枚にできてしまうランチャー!

アプリをウィジェットに集約して効率アップ!

アプリを追加していくと、ホーム画面のページが増え、いざ使いたいと思ったときにどこに目的のアプリがあるのか分からなくなってしまうことがある。そんな悩みは、「Launcher」を使えばたちまち解決できる。このアプリは、オリジナルのウィジェットを作成できるアプリで、ウィジェットによく使うアプリをまとめておくと便利だ。

App

Launcher - 複数のウィジェットを持つランチャー
作者／Cromulent Labs
価格／無料

1 ウィジェットにアプリをまとめられる

Launcherで作ったウィジェットは、通常のウィジェットと同様にホーム画面に配置できる。ここによく使うアプリをまとめておけば、ホーム画面のページをめくってアプリを探す手間が省ける。

2 ウィジェットを作成する

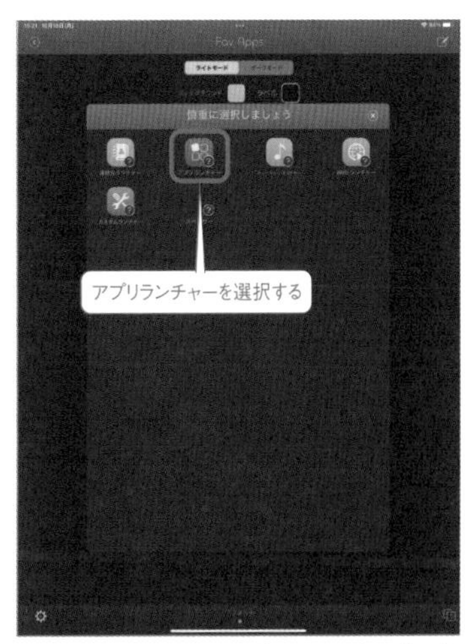

アプリをまとめたウィジェットを作るには、最初に「アプリランチャー」を選択する。なお、一部Launcherに対応しておらず、ウィジェットに配置できないアプリもある。またApp内課金でより大きく、多くのアプリを配置できるウィジェットを作成できる。

184 ホーム画面 ホーム画面を自在にカスタマイズしよう

ウィジェットでホーム画面をさらに実用的に

iPadでも、iPhoneと同様にホーム画面にウィジェットを配置できるようになった。ウィジェットはホーム画面に常時表示できるミニアプリで、アプリ本体の一部機能、あるいは一部情報がウィジェット上に表示される。標準では「時計」、「カレンダー」、「天気」の各アプリと、ユーザーに必要な情報を自動表示する「スマートスタック」のウィジェットがホーム画面の1ページ目に配置されている。

これまでホーム画面にはアプリアイコンが表示されるだけで、そのアプリによる情報をチェックするにはアプリを起動するしかなかったが、ウィジェットによって現在地の天気などをホーム画面からいつでも確認できる点が便利だ。

ウィジェットはアプリアイコンと同様に、ホーム画面を長押ししてからドラッグすることで位置を移動したり、別のホーム画面のページに送ったりできる。また、その状態でウィジェット左上に表示される「ー」をタップすると、そのウィジェットをホーム画面から削除する事もできる。

ウィジェットを追加するには、ホーム画面を長押しすると画面左上に表示される「＋」をタップする。ウィジェットは、標準アプリだけではなく、P.101で紹介している「Launcher」などのサードパーティーアプリにも用意されているので、好きなものを選んで配置し、ホーム画面をより華やかに、実用的にカスタマイズしてみよう。

ホーム画面を華やかに、実用的にするウィジェット

ホーム画面の新たな要素となるウィジェット。その位置はホーム画面内で自由に移動でき、ホーム画面の他のページに送ることもできる。移動や削除の操作は、アプリアイコンと同じだ。

ホーム画面にウィジェットを追加する

1 ウィジェットを追加する

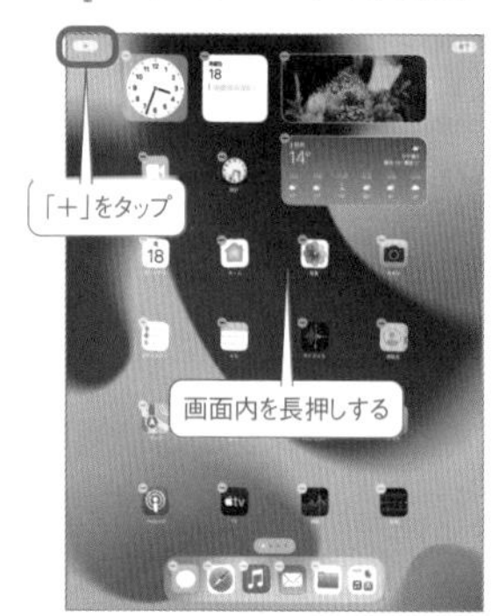

ホーム画面内をどこでもいいので長押しすると、アプリアイコンやウィジェットが震えだし、それぞれの左上に「ー」が表示される。この状態で画面左上の「＋」をタップする。

2 ウィジェットが表示される

ウィジェットのギャラリーが表示される。画面左の「提案」をタップすると、標準アプリの中からおすすめのウィジェットが右側に表示される。

3 目的のウィジェットを選択する

画面左で目的のアプリをタップすると、そのアプリのウィジェットのプレビューが画面右に表示される。アプリによっては、複数の種類のウィジェットが用意されているので、プレビューを左右にスワイプして選択し、「ウィジェットを追加」をタップする。

4 ウィジェットが配置される

選択したウィジェットがホーム画面に配置される。ウィジェットやアプリアイコンが震えている状態であれば、ウィジェットをドラッグして移動できる。レイアウトが済んだら、「完了」をタップする。

185 集中モード オリジナルの集中モードを作る

通知の有無以外もきめ細かく設定できる

集中モードはこれまでのおやすみモードをさらにパワーアップした機能で、iPadにインストールされたアプリからのさまざまな通知をコントロールし、何かの作業をしている間は通知をオフ、あるいは最低限度にするといったことが可能で、文字どおり作業への集中を邪魔しないための機能として重宝している人も多いことだろう。

集中モードでは、従来のおやすみモードのほか、パーソナル、仕事といったプリセットのモードが用意されており、それぞれで通知を許可するアプリや連絡先などを別々に設定し、シチュエーションに応じて使い分けることができる。さらに、オリジナルの集中モードを作成することもできる。

オリジナルの集中モードでは、バナーや通知センターでの通知の有無だけでなく、通知を表示するにしても、発信者の名前をどう扱うか、ホーム画面のアプリアイコンのバッジ表示に至るまで、きめ細かく設定できる。さらに、標準アプリの「ショートカット」との連携もできる。これにより、たとえば特定のアプリを起動したとき、勤務先など指定した場所に到着したとき、オリジナルの集中モードを自動的にオンにするといったことが可能になっている。

なお、オリジナルの集中モードや、プリセットの集中モードへのカスタマイズは、同じApple IDでサインインしている他のデバイスと同期、共有される。

集中モードを新規作成する

1 「設定」アプリから作成する

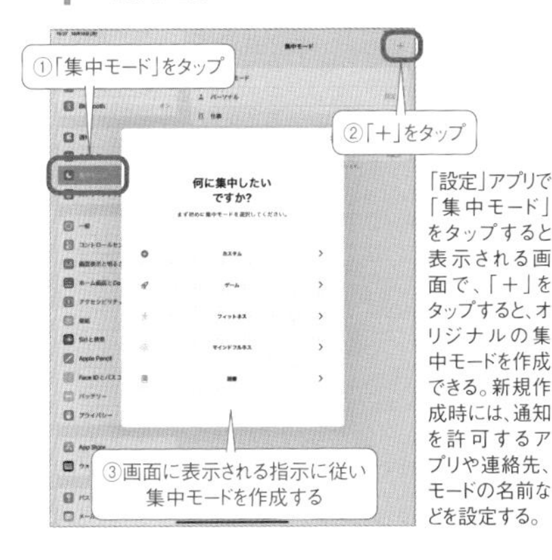

「設定」アプリで「集中モード」をタップすると表示される画面で、「+」をタップすると、オリジナルの集中モードを作成できる。新規作成時には、通知を許可するアプリや連絡先、モードの名前などを設定する。

2 コントロールセンターから作成する

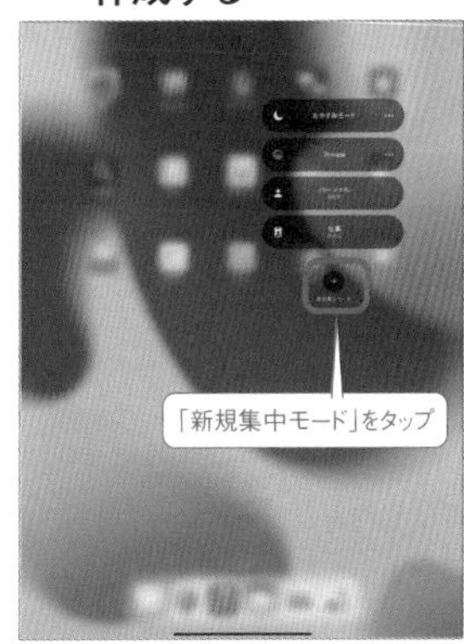

コントロールセンターで「集中モード」ボタンを長押しすると表示されるボタンから、「新規集中モード」をタップしても、オリジナルの集中モードを作成できる。集中モードの切り替え、オンオフもここから行う。

オリジナルの集中モードを編集する

1 作成済みの集中モードをタップする

「設定」アプリの「集中モード」をタップして、オリジナルの集中モードの名前をタップする。

2 設定画面が表示される

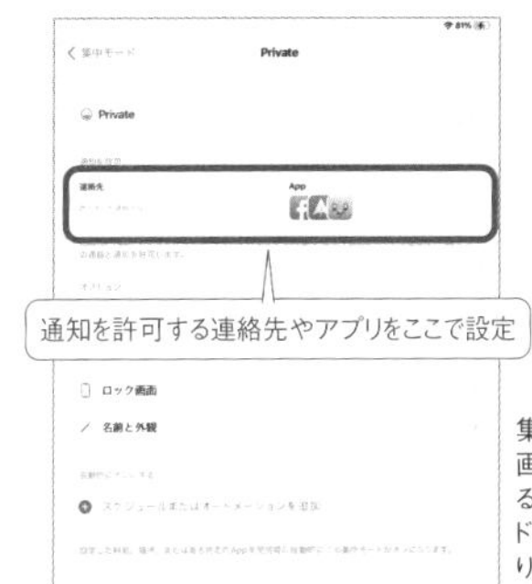

集中モードの設定画面が表示される。ここで集中モードのオンオフを切り替えたり、通知を許可するアプリや連絡先を変更したりできる。

3 ホーム画面の設定を変更する

設定画面で「ホーム画面」をタップすると表示される画面では、集中モードがオンの間、アプリアイコンの通知バッジをオフにしたり、ウィジェットを非表示にしたりできる。

4 自動で集中モードがオンになるようにする

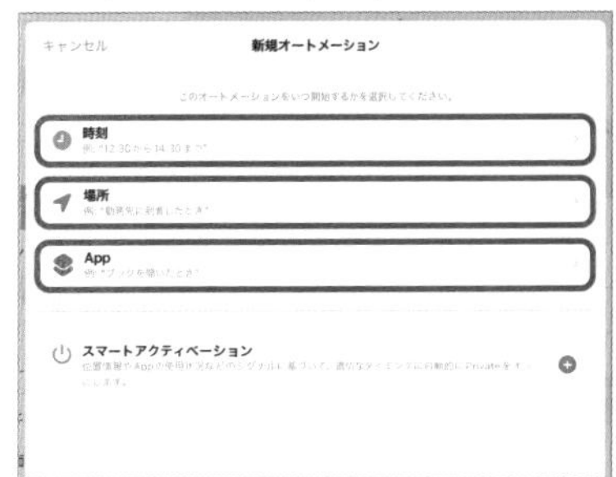

設定画面で「スケジュールまたはオートメーションを追加」をタップすると表示される画面では、指定した時刻、場所、アプリなど、状況やiPadの状態に応じて、集中モードを自動的にオンにするような設定ができる。

186 辞書 単語登録で文字入力を効率化、省力化しよう

超便利! 複数のデバイスでユーザ辞書を同期可能に

iPadやiPhoneなど、機器ごとに個別にユーザー辞書を登録する必要はない。同じApple IDでサインインしていれば他のiOSデバイス、およびMac(OSX Mountain Lion以降)の「日本語IM」と辞書が同期されるようになっている。ユーザ辞書を確認するには、「設定」→「一般」→「キーボード」を開いて「ユーザ辞書」をタップしよう。登録単語が五十音順で表示され、編集や新規登録も可能だ。挨拶やよく使う言い回し(長文も登録できる)を登録して便利に活用しよう。

1 ユーザ辞書に登録する

「設定」→「一般」→「キーボード」→「ユーザ辞書」と進み、「+」をタップして新規登録できる。

2 ユーザ辞書を活用する

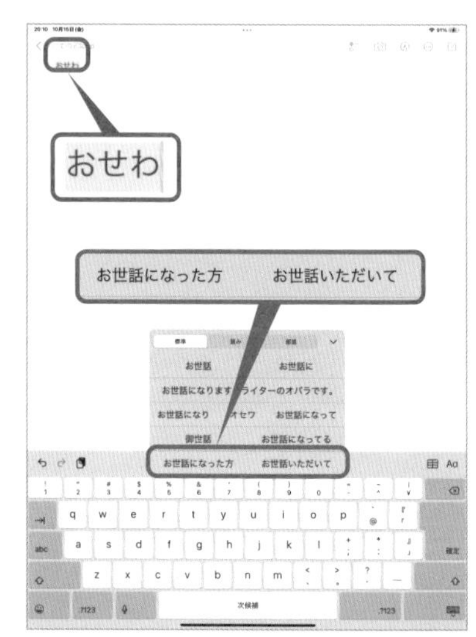

登録した「読み」を入力すると、登録したやフレーズが候補に現れる。

187 アイコン ホーム画面のアプリアイコンのサイズを変更したい

iPadのホーム画面には、各アプリを起動する、切り替えるためのアイコンが並んでいるが、このアイコンのサイズは2種類用意されており、必要に応じて変更することができる。初期設定の大きさでは、アイコンが見づらい、押し間違えてしまうといった場合は、アイコンをより大きく表示するように設定を変更しよう。設定を変更するには、以下のように「設定」アプリで「ホーム画面とDock」をタップし、「大きいAppアイコンを使用」をオンにする。

②「大きいAppアイコンを使用」をタップしてオンにする

①「ホーム画面とDock」をタップ

「設定」アプリの「ホーム画面とDock」をタップし、「大きいAppアイコンを使用」のスイッチをオンにする。標準のアイコンの大きさに戻すにはこれをオフにする。

「大きいAppアイコンを使用」をオンにすると、ホーム画面、Dockのアイコンがひと回り大きく表示される。ただし、1画面に表示されるアイコンの数は変わらない。

188 iPadOS 15 Appライブラリ Appライブラリを活用しよう

iPadOS 15以降では、ホーム画面のDockの右端にフォルダのようなアイコンが追加されている。これはAppライブラリを呼び出すためのアイコンだ。

Appライブラリは、iPadにインストールされたすべてのアプリを1画面に集約して表示するもので、当然、ここでアイコンをタップすればそのアプリを起動できる。特にアプリの数が多く、ホーム画面が複数ページになってしまっているような場合でも、瞬時に目的のアプリを見つけられる点が便利だ。なお、Appライブラリはホーム画面の最終ページで左フリックしても呼び出せる。

Dockの右端にあるアイコンをタップするか、ホーム画面の最終ページで左フリックする。

タップすると展開され、隠れていたアプリが表示される

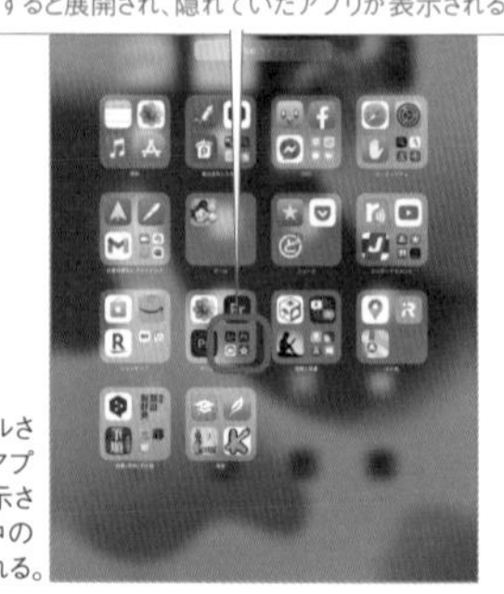

Appライブラリが起動し、インストールされたすべてのアプリが表示される。アプリは自動的に分類された状態で表示され、表示しきれないアプリは、この中の小さいアイコンをタップすると表示される。

設定

189 飛行機への搭乗時でも、Wi-Fiを使いたい!

「機内モード」は3G／4G／5G回線、Wi-Fi、Bluetoothすべての通信を切断する飛行機内利用時の機能だが、最近は機内でWi-Fiを利用できる航空会社も多い。国内だとJALとANAがそれぞれ機内Wi-Fi接続サービスを開始しており、一部国際線で利用することができる。機内モードがオンの状態でもWi-Fi接続はできるので、一度機内モードをオンにしてから、「Wi-Fi」をオンにして、接続するネットワークを選択しよう。

機内Wi-Fiサービスを利用したい場合は、機内モードをオンにした状態で、Wi-Fiを「オン」にして接続しよう。

Wi-Fi

190 Wi-Fi接続時にいちいち表示される確認がわずらわしい!

外出先など、Wi-Fiアクセスポイントへ接続していない状態でSafariやメールを起動すると、Wi-Fiに接続するか聞いてくる。受信済みメールを読みたいだけなのに、いちいち確認するのが面倒であれば、「設定」→「Wi-Fi」にある「接続を確認」を「オフ」に設定することで無効になる。ただ、この設定をオフにすると、自動的に知らないアクセスポイントへ接続していても気が付かない場合があるので注意しよう。

iPad OS 15

191 キーボード 外付けキーボードのショートカットを活用する

ショートカットキーがより多彩に、わかりやすくなった

iPadにMagic Keyboardなどの外付けキーボードを接続している状態であれば、対応する各アプリでショートカットキーが使用できる。使用できるショートカットキーは、キーボードのcommandキー（Windowsキー）などを長押しすれば確認できるが、iPadOS 15以降ではこれが機能別に分類されてより見やすくなっている。また、便利なショートカットキーが数多く追加されているので、新たにこれらをマスターすれば作業の劇的な効率化が実感できるはずだ。

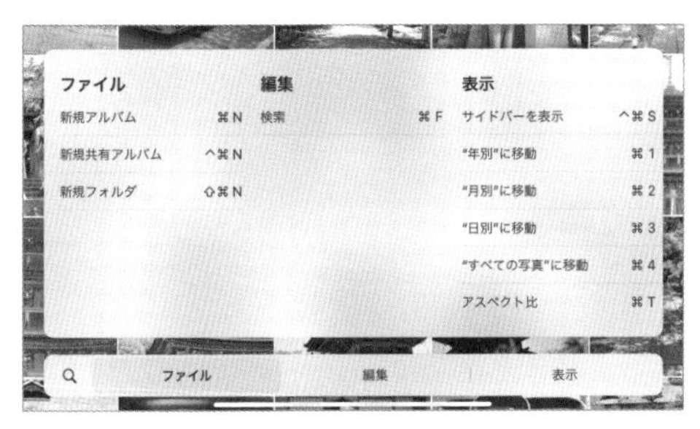

1 ショートカットキーが確認しやすい

外付けキーボード接続時にcommandキーや地球儀キーを長押しすると表示されるポップアップが、「ファイル」や「編集」といった内容ごとに分類表示され、確認しやすくなっている。

2 追加されたショートカットキー

iPadOS 15以降で追加された、主な外付けキーボード用ショートカットキー。地球儀キーと組み合わせるものが多く、特にMagic KeyboardなどのApple純正キーボード利用時の利便性が向上している。

機能	ショートカット
Siriを起動する	地球儀+S
コントロールセンターを表示する	地球儀+C
通知センターを表示する	地球儀+N
クイックメモを起動する	地球儀+Q
Appライブラリを表示する	地球儀+Shift+A
Dockの表示／非表示（アプリ使用時）	地球儀+A
アプリ内でのフィールド移動	option+tab
	option+Shift+tab

192 Gboard Google製キーボードアプリ「Gboard」を使おう

Googleが提供するキーボードアプリで文字入力を快適にする

「Gboard」はGoogleが提供している文字入力アプリ。iPhone用のアプリだがiPad上でも問題なく動作させることができる。Gboardの最大の特徴はGoogleならではの予測変換精度の高さ。流行語、固有名詞、人名を入力しても思い通りの変換候補を表示することが可能だ。なお、標準ではテンキー入力になっているが、Gboardの設定画面からパソコン用キーボードのQWERTYに変更できる。

App

Gboard- Googleキーボード
作者／Google, LLC.　価格／無料
カテゴリ／ユーティリティ

1 Gboardをインストールする

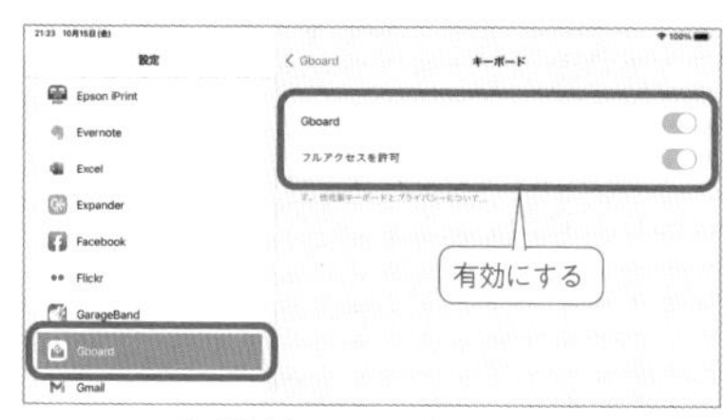

インストール後､「設定」画面から「Gboard」を開く。「キーボード」をタップし、「Gboard」と「フルアクセスを許可」を有効にしよう。

2 Gboardに切り替える

Gboardに切り替えるには、キーボード画面で地球儀マークを長押しして「Gboard」をタップ。するとテンキー入力のGboardに変化する。

3 キーボードの種類を変更する

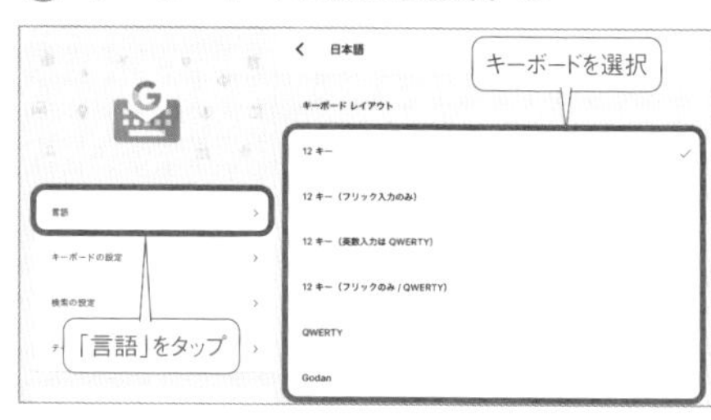

GboardのアプリをKey起動し、「言語」→「日本語」をタップすると表示される画面で、キーボードの種類を切り替えることができる。

193 Gboard Gboardを使ってGoogleサービスを利用する

ウェブ検索からYouTube検索までできるGboard

Gboardは、標準のキーボードを置き換えて文字入力を効率化するだけでなく、Googleが提供するアプリならではの機能を備えている。それが、インターネット検索機能だ。キーボード左上の「G」ボタンをタップすると表示される検索ボックスにキーワードを入力すると、キーボード内にインターネット検索の結果が表示され、それをタップするとそのウェブページを表示できる。さらに、入力した単語やフレーズを別の言語に翻訳することも可能だ。

1 インターネット検索をする

どのアプリでもいいので、Gboardのキーボードを表示しておき、キーボード左上の「G」をタップする。

キーボード内に検索フィールドが表示されるので、「検索」をタップして、検索キーワードを入力、Enterキーをタップすると、検索結果が表示される。

2 翻訳する

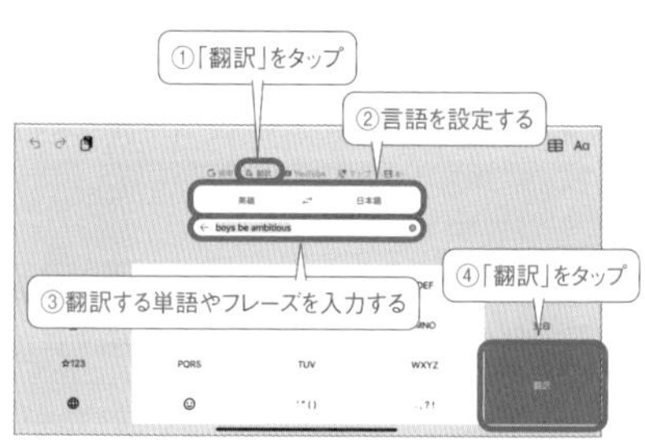

検索フィールドを表示した状態で、「翻訳」をタップし、翻訳する単語やフレーズを入力する。翻訳元、翻訳先の言語をそれぞれ指定して、「翻訳」をタップする。

指定した言語への翻訳結果が表示される。

194 iCloud iCloudを使ってデバイスの垣根を越えたデータ同期を実現!

iCloudで同期できるデータと機能

「iCloud」はDropboxなどのように自分で好きなデータをアップして保存するサービスだけではなく、iPad／iPhone／iPod touchや、Windows／Macの一部データをiCloud上に保存し、それぞれのデバイスで同じデータを共有できるようにする同期サービスも利用できる。iCloudの利用にはApple IDが必要で、同じApple IDでサインインしたデバイス同士でデータの同期が可能になる。

iCloudで同期できるのは、「iCloudメール」の送受信データ、「連絡先」のアドレス情報、「カレンダー」に登録した予定、「リマインダー」アプリに登録したタスク、「Safari」のブックマークと開いているタブ、「メモ」アプリで作成したメモ、Webサイトやクレジットカードのパスワード、iPadやiPhoneで撮影した写真(フォトストリーム)など。また端末の位置情報を確認できる「iPadを探す」や、設定やデータをバックアップする「iCloudとバックアップ」機能も利用できるほか、Storeでの購入履歴はすべてiCloudに保存されているので、他のデバイスで購入した音楽やアプリを、同一アカウントでサインインした別デバイスで自由にダウンロードできる。iCloudを利用するには「設定」のアカウント設定画面で、利用しているApple IDとパスワードを入力しよう。続いて表示されるメニュー内にある「iCloud」で同期項目の設定ができる。

iCloudにサインインして同期するデータを選ぼう

1 iCloudにサインインする

「設定」→「iPadにサインイン」をタップして、Apple IDとパスワードを入力し、「次へ」をタップしよう。続けて、パスコードなどを入力して認証する。

2 iCloudの設定画面

サインインしたら設定画面一番上のアカウント名をタップして、「iCloud」をタップする。

3 iCloudで同期したい項目を選択

メールや連絡先など、iCloudで同期したいデータを選択しよう。オフにする際、以前の同期データを残すか削除するかも選択できる。

タップして同期／非同期を切り替え

point iCloud Driveを活用するには?

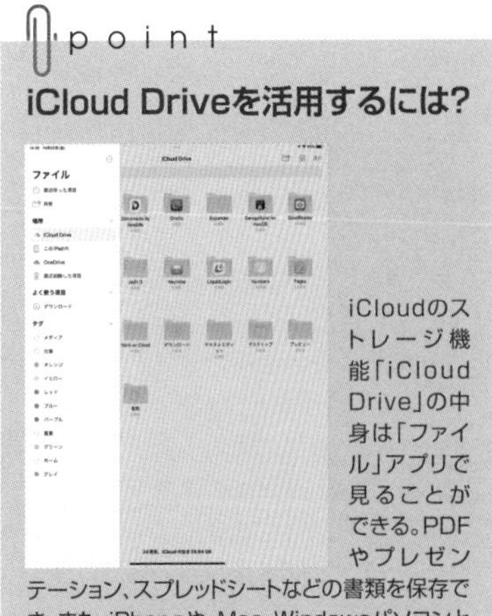

iCloudのストレージ機能「iCloud Drive」の中身は「ファイル」アプリで見ることができる。PDFやプレゼンテーション、スプレッドシートなどの書類を保存でき、また、iPhoneや、Mac、Windowsパソコンとファイルを共有して編集することも可能となる。

195 iCloud ウェブブラウザでiCloudの各種機能を利用する

ブラウザでiCloudサイトにアクセスしよう

iCloudに保存されたデータはiPadやiPhoneだけでなく、パソコンのブラウザからも確認できる。ブラウザでiCloud(https://www.icloud.com/)にアクセスし、Apple IDでサインインしよう。メール、連絡先、カレンダー、メモ、リマインダー、iPhoneを探す、iWorkのアイコンが表示され、それぞれ同期されたデータを閲覧・編集できるはずだ。なおフォトストリームの写真をWindowsで見るには、別途「Windows用iCloud」のインストールが必要となる。

1 ブラウザでiCloudにアクセスする

ブラウザで iCloud（https://www.icloud.com/）にアクセスし、Apple ID でサインインすると、iCloud で同期中の項目が表示される。

2 各種データも自由に編集可能

メールや連絡先などのアイコンをタップすれば、それぞれアプリで内容を編集できる。「iPhone を探す」もブラウザから利用可能だ。

196 iCloud 各種設定や撮影した写真などを、クラウドにバックアップしよう

iCloudバックアップで設定やアプリが元通りになる

iCloud のメニュー内にある「iCloud バックアップ」をオンにすれば、Wi-Fi 接続／電源接続／画面ロック時に、自動でバックアップを実行してくれる。バックアップされるのは、各種設定やホーム画面、アプリ、iPad で撮影した写真や動画、メッセージなど。iPad を初期化した際は「iCloud バックアップから復元」を選ぶだけで、これらが全て元通りになる。ただしこの時は Wi-Fi 接続が必要だ。Apple Music に加入していれば、音楽も同様に復元される。ただ、ストレージの使用量には注意しておこう。

1 iCloudバックアップをオンにする

設定の「アカウント」→「iCloud」→「iCloud バックアップ」で「iCloud バックアップ」をオンにすれば、バックアップが自動実行される。

2 iCloudバックアップから復元するには

iPad を初期化した場合、初期設定の途中で表示される「iCloud バックアップから復元」を選択すれば簡単に復元できる。

197 Split View Appスイッチャー上でSplit Viewを作成できる

アプリを一覧しながら、マルチタスクできる

異なる2つのアプリを1画面に並べて表示するSplit Viewは、iPadでPCのようなマルチタスクをこなすために覚えておきたい機能だ。iPadOS 15以降ではこの機能がさらに進化し、アプリの履歴を一覧しながら切り替えられるAppスイッチャーの画面でも、Split Viewが使えるようになった。その方法は右のとおりで、Appスイッチャーでアプリのサムネイルを長押しし、同時表示する別アプリのサムネイルにドラッグ&ドロップしよう。

1 サムネイルを長押しする

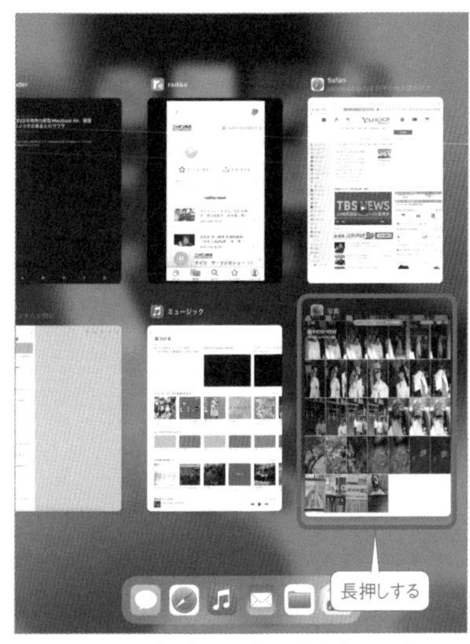

Appスイッチャーを表示（画面下端から上方向へゆっくりスワイプ）して、アプリのサムネイルを長押しする。

2 他アプリのサムネイルにドラッグ&ドロップする

そのままSplit Viewで表示したい別アプリのサムネイルにドラッグし、サムネイルが図のような表示になったら指を放す。

3 Split Viewで表示される

2つのアプリが1つのサムネイルに結合される。このサムネイルをタップすると、アプリがSplit Viewで表示される。なお、サードパーティアプリの中には、Split Viewに非対応のものもある。

198 フォント ホーム画面などの文字が小さくて見づらい!

iPadの文字が小さくて見辛いと感じたら、フォントサイズを変更しておこう。「設定」→「画面表示と明るさ」の「テキストサイズを変更」をタップ。スライダを右にスライドすると、連絡先、メモ、メール、メッセージなどDynamic Typeに対応しているアプリではフォントサイズが大きくなる。それでも見辛いなら「設定」→「アクセシビリティ」→「画面表示とテキストサイズ」からさらに調整できる。

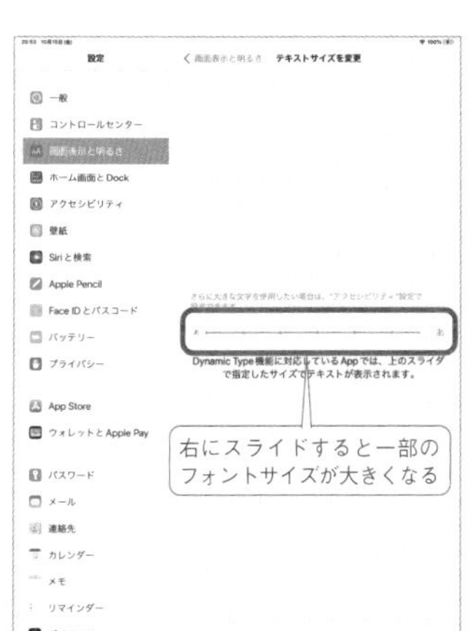

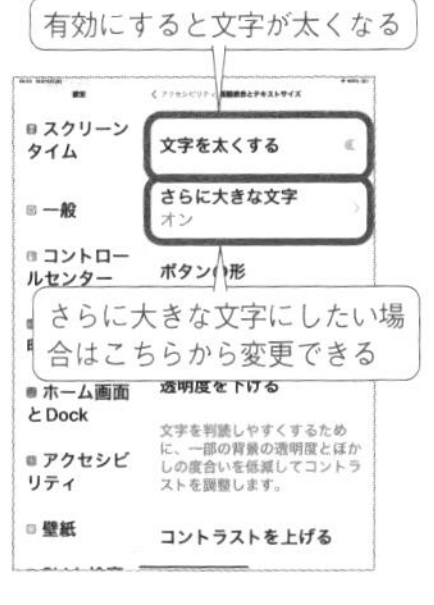

快適に使いたいならフォントに関する見直しも必要だ。「テキストサイズを変更」や「文字を太くする」などの設定を見直して見やすくしていこう。

上級技 199 フォント iPadにさまざまなフォントをインストールする

ワープロなどのアプリでは、テキストのフォント（字体）を変更できるが、フォントの選択肢はあまり多くはない。そこで、インターネットで配布されているフリーフォントをiPadに追加して使ってみよう。フリーフォントをiPadにダウンロードしたら、「RightFont」などのアプリを使ってそれをシステムに組み込めばいい。なお、フリーフォントはほとんどの場合、ZIP形式で圧縮されているが、純正の「ファイル」アプリを使えばZIP形式のファイルを展開して、フォントファイルを取り出すことができる。

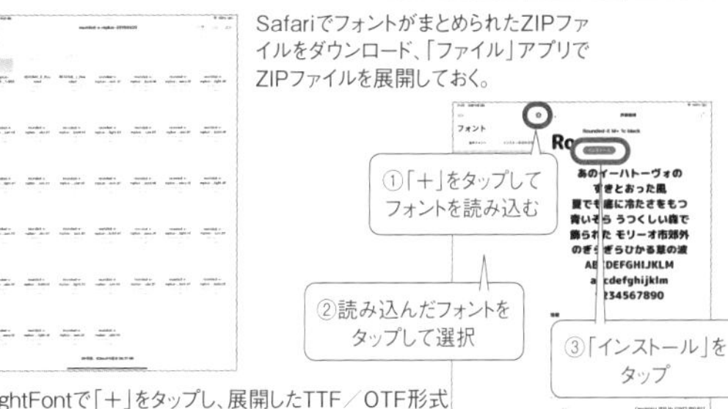

SafariでフォントがまとめられたZIPファイルをダウンロード、「ファイル」アプリでZIPファイルを展開しておく。

RightFontで「＋」をタップし、展開したTTF／OTF形式のフォントファイルを選択して読み込む。左の一覧でフォントをタップし、画面右の「インストール」をタップする。

200 パスワード Safariなどで保存したパスワードを確認、管理する

便利なiCloudキーチェーンを有効に使おう

iCloudキーチェーンは、一度入力したパスワードを記録、次回アクセス時に自動入力してくれるので、会員制サイトへのログインなどを素早く行なうことができて非常に便利。この際記録したパスワードは、「設定」→「パスワード」とタップすると表示される画面から確認することができる。また、この画面からパスワードの文字の組み合わせを確認することもできるので、操作中は他の人に見られないようにしよう。

1 パスワードを確認するには?

「設定」→「パスワード」とタップすると、Safariなどのアプリでパスワードを記録したサービスやアプリが一覧表示される

2 パスワードの文字列を確認する

アプリやサービスの一覧から、目的のものをタップすると、ログインユーザー名やメールアドレス、パスワードの文字列を確認できる。

201 セキュリティ 周辺機器を悪用するハッキングを未然に防ぐ

iPadの外部入力ポート(LightningやUSB-Cポート)に接続するだけで、ロックを解除してしまう周辺機器の悪用を防ぐため、こうした機器を接続してもロックを解除できないようにする設定項目が用意されている。iPadのセキュリティを確保したいのであれば、この設定は常に有効にしておこう。なお、設定変更の際は、必ずパスコード、Touch ID、Face IDのいずれかによる認証プロセスを経ることになるので、勝手に設定を変更されてしまう心配は少ない。

「設定」→「Face(Touch)とパスコード」画面の「USBアクセサリ」がオフであれば安全。ロック解除後1時間でUSBアクセサリを接続・利用するにはロック解除が求められるようになる

上級技 202 音声入力 音声入力で記号を入力するには?

音声入力を使ってテキストを打っている際、どう話しかければいいのか分からない入力操作が多々出てくる。基本的には、記号名をそのままなんとなく話しかければうまく入力できる。改行をしたくなった場合はそのまま「かいぎょう」と話しかければきちんと改行されるはずだ。また句点を打ちたいときは「まる」や「くてん」、読点を打ちたいときは「てん」や「とうてん」と発声すればよい。!マークの場合は「びっくりマーク」と話しかければ問題なく入力できる。

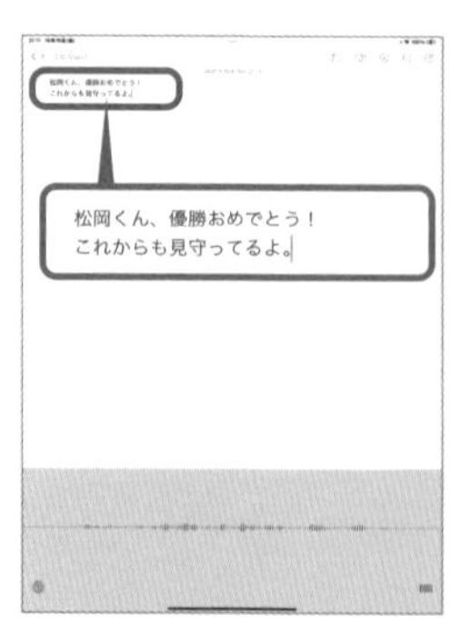

たとえば「松岡くん、優勝おめでとう!」と入力したい場合は、「まつおかくんてんゆうしょうおめでとうびっくりマーク」と言えばよい。

記号関係の音声入力方法一覧

記号	音声入力方法
空白スペース	すぺーすばー
改行	かいぎょう
?	はてなまーく/ぎもんふ/くえすちょんまーく
。	まる/くてん
、	てん/とうてん
!	びっくりまーく/かんたんふ
*	あすたりすく
=	いこーる
—	はいふん
!	びっくり
#	しゃーぷ
¥	えんまーく
$	どるまーく/どるきごう
&	あんど/あんぱさんど
@	あっとまーく
／	すらっしゅ
＼	ばっくすらっしゅ
:	ころん

203 Apple ID クレジットカードなしでもアプリを入手できる

クレジットカードやiTunes Card無しでApple IDを取得する

iPadにアプリをインストールするにはApple IDの取得が必要だが、通常Apple IDを登録するにはクレジットカードかiTunes Cardが必須。だがこれらを用意しなくても無料のアプリはダウンロードすることができる。

そのためには、アプリダウンロード時に無料（入手ボタン）になっているアプリを選び、Apple IDにサインイン、もしくは新規作成する。無料アプリならそのまま認証の手順に進み、Touch IDやFace IDでの認証が済めばダウンロードできる。

1 無料のアプリを「入手」

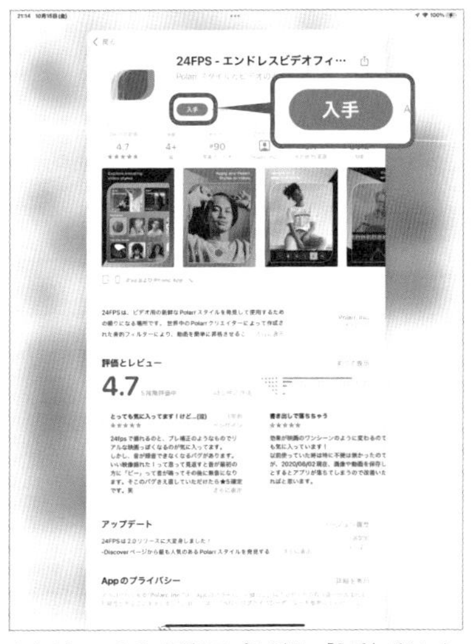

なんでもいいので、無料のアプリを探し「入手」ボタンをタップする。

2 認証する

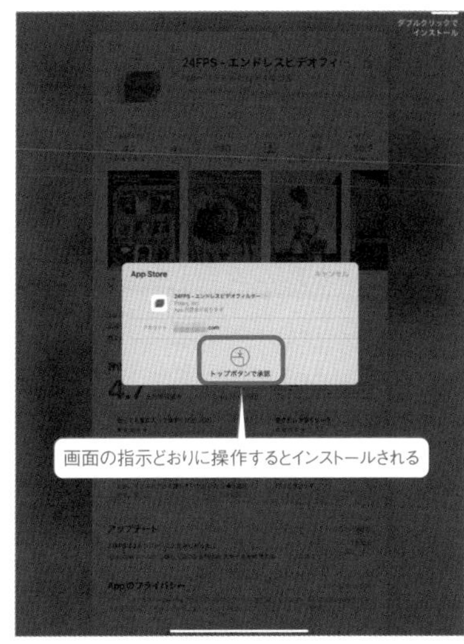

画面に表示される指示に従い操作し、Touch IDなどで認証すれば、そのままアプリをダウンロードできる。

204 iTunes クレジットカードを登録済みでもプリペイドカードは使える

iTunesカードの残高から優先的に消費される

アプリや音楽を購入する際、決済方法としてクレジットカードの他、コンビニなどで販売されているプリペイドカード（iTunesカード、App Storeカード）によるチャージが使える。プリペイドカードからチャージするには、カード背面のスクラッチを剥がすと現れるコード番号を入力するか、iPadのカメラでスキャンする。クレジットカードを決済方法として登録済みの場合でも、チャージした金額から優先的に使用され、それを超える場合は差額がクレジットカードに請求される。

1 iPadでiTunesカードを使う

「iTunes」や「App Store」アプリのトップ画面下にある「コードを使う」でコードを入力。カメラでの読み取りも可能だ。

2 残高を確認する

App Store、もしくはiTunes Storeアプリの画面右上にあるアカウントアイコンをタップすると、プリペイドカードからチャージした残高が確認できる。

205 設定 仮想ホームボタンを追加できる「Assistive Touch」を使いこなす

ホームボタンを画面内に配置する「Assistive Touch」

設定の「アクセシビリティ」→「タッチ」→「AssistiveTouch」と進み機能をオンにすると画面に白い丸ボタンが表示される。これをタップするとメニューが表示され、仮想的ホームボタンとして使ったり、通知センターやコントロールセンター、Siriを起動したりといったiPadの基本的なジェスチャー操作をタップ操作で行なえるようになる。

また、この白い丸ボタンはドラッグすれば、画面外周の好きな場所に配置を変更可能。本来は操作をサポートするための機能だが、ホームボタンを押しすぎて反応が鈍くなった時などに、ホームボタンの代わりに利用するといったテクニックもある。

「Assistive Touch」をカスタマイズしてホームボタンに特化する

「Assistive Touch」はさまざまな機能を使うことができるが、これをあえて1つの機能に特化させるのもまた便利だ。例えば前述した無印iPadなどでホームボタンが効かなくなってしまった場合の対処法。初期設定でホームボタンの代用をする場合、「Assistive Touch」の白い丸ボタンをタップした後に「ホーム」をタップせねばならない。しかし、「Assistive Touch」での機能を「ホーム」だけに限定することで、白い丸ボタンをタップした時に即座にホームボタンとして機能してくれるようになるのだ。ホームボタンが効きづらくなった場合の処置として覚えておこう。

「Assistive Touch」機能で多機能ボタンを配置する

1 「Assistive Touch」をオンにする

設定から「アクセシビリティ」→「タッチ」→「Assistive Touch」と進み機能をオンにすると白い丸ボタンが表示される。

2 タップボタンでメニューを呼び出す

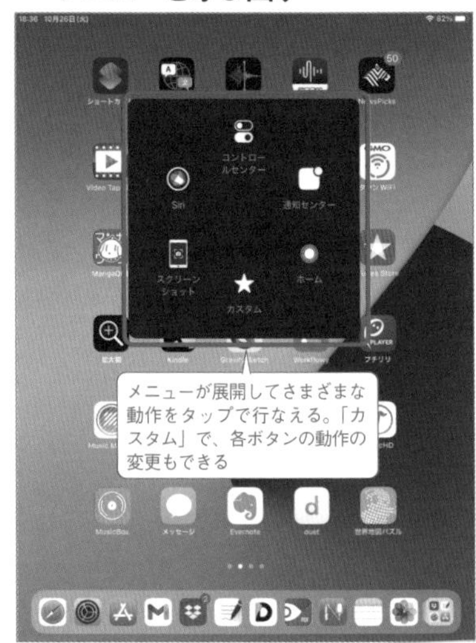

白い丸ボタンをタップすると、メニューが表示され、ホームボタンなどのさまざまな動作をタップで行なえるようになる。

「Assistive Touch」をホームボタンに特化させる

1 メニューをカスタマイズ

「Assistive Touch」の設定画面で「最上位レベルのメニューを…」をタップ。「－」ボタンをタップしてアイコンを削除していく。

2 ホームボタンに割当てる

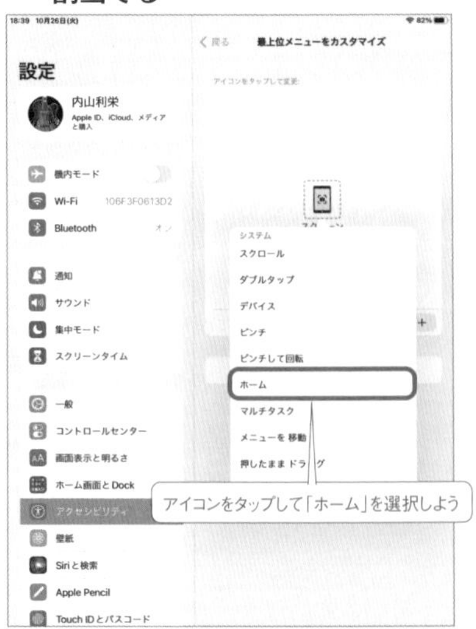

ひとつだけ残ったアイコンをタップし、「ホーム」を選択する。これで即座にホームボタンと同じ動作を行なってくれるようになる。スクリーンショットボタンだけにするのも便利だ。

206 省データモード　省データモードを使ってみよう!

データ通信の使いすぎを未然に防ぐ

iPadOSには、「省データモード」が搭載されている。省データモードを有効にすると、Safariなどのウェブブラウザをはじめとする通信するアプリでのデータ通信量を抑えることができるので、特に携帯電話回線やスマートフォンのテザリングでiPadをインターネット接続しているときに有効にしておくといいだろう。iPadのセルラーモデルの場合は、「設定」→「モバイルデータ通信」から有効にできる。

1 接続中のスマートフォンの詳細を表示する

「設定」→「Wi-Fi」とタップし、目的のアクセスポイント(ここではテザリング元のスマートフォン)の「i」ボタンをタップする。

2 「省データモード」を有効にする

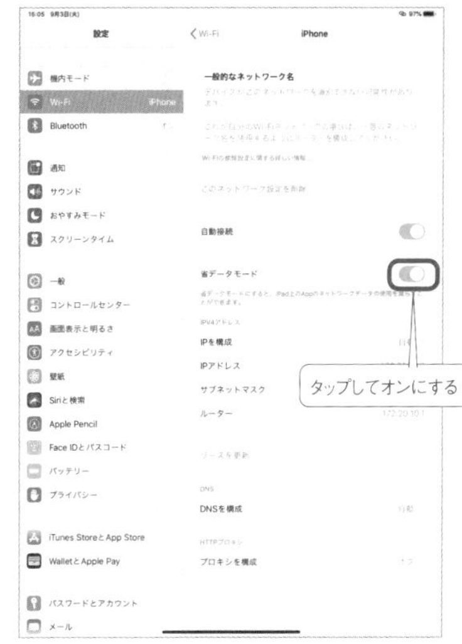

「省データモード」のスイッチをタップしてオンにする。セルラーモデルの携帯電話回線の通信量を抑える場合は、「モバイルデータ通信」の画面で同様に操作する。

上級技

207 画面拡大　ピンチアウトで拡大できない画像を強制的に拡大表示する

画像の細かい部分も拡大してじっくり見られる

Webブラウザや、アプリで表示されている画像を拡大して細かい部分を調べたい時、通常ならピンチアウト操作で拡大させるが、Webページやアプリによってはピンチ操作に対応していない場合がある。そのような時は、iPadに標準で搭載されている「ズーム機能」を活用すれば、どんな画像でも拡大表示できる。ズーム機能を有効にしておけば、3本指で画面をダブルタップすることでいつでも画面を拡大可能。3本指で画面をタップしたまま指を上下に動かすことで拡大率を変えたり、ドラッグして拡大する位置を移動する。再度3本指ダブルタップで元の画面に戻る。

1 ズーム機能をオンにする

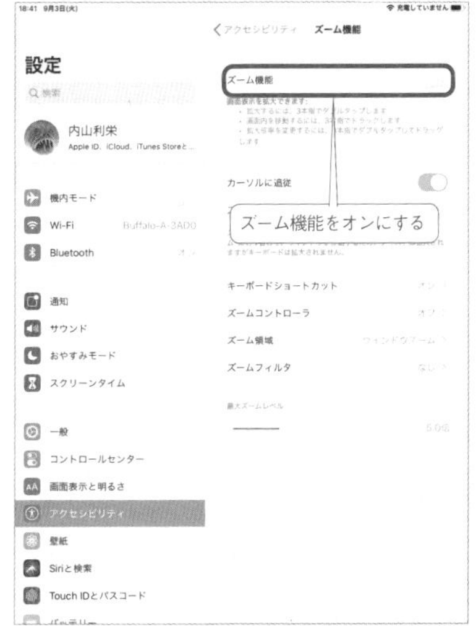

設定を開き「アクセシビリティ」>「ズーム」>「ズーム機能」の順にタップして「ズーム機能」をオンにする。ズーム範囲は「ズーム領域」で指定。

2 3本指ダブルタップでいつでも画面拡大

画面を3本指でダブルタップすると画面がズームされる。下のつまみをドラッグでスクロール。再度3本指ダブルタップでズーム終了。

208 Mac連携 Macの外部ディスプレイにも液タブにもなる「サイドカー」

Mac上にあるファイルやMac専用アプリをiPadで使うことができる

パソコンにMacやMacBookを使っており、macOS「Catalina」以降のユーザーであれば、試して欲しい機能が「サイドカー」だ。

サイドカーはiPadを外部ディスプレイとして利用できるようにしてくれるMacの機能。MacとiPadをUSBケーブルで接続するだけで簡単にiPadをMac用ディスプレイとして使えるようにしてくれる。メインディスプレイで作業中にiPadのサブディスプレイでほかのアプリケーションを参照したいときに便利だ。

サイドカーはMacで表示している内容をミラーリングして両方のデバイスで同じコンテンツを表示して、iPad上で行ったタッチ操作やApple Pencilで操作した内容をMacに直接反映させることができる。つまり、液晶タブレットとしてiPadを活用でき、MacのグラフィックアプリをiPadで使ったり、Mac上にあるPDFをiPadとApple Pencilを使って注釈を加えることができる。

さらに、サイドカー独自のメニューも用意されている。iPadの画面左端にサイドカーのメニュー「サイドバー」が表示され、これを使ってキーボード操作を行える。サイドバーにあるキーボードボタンをタップしてフローティングキーボードを表示させてテキスト入力を行おう。

なお、サイドカー起動中でもほかのアプリに切り替えて使うことができる。ホーム画面に戻るとDockバーにサイドカーのアイコンが表示されるので、それをタップすると再びサイドカーの画面に切り替わる。

サイドカーを使ってみよう

1 システム環境設定から「Sidecar」をクリック

Macのシステム環境設定を開き「Sidecar」をクリック。なお、すべてのMacには対応しておらずMacBook Airなど一部のMacは利用できないこともある(基本的には2016年以降に発売になった機種が対象となる)。

2 接続するiPadを選択する

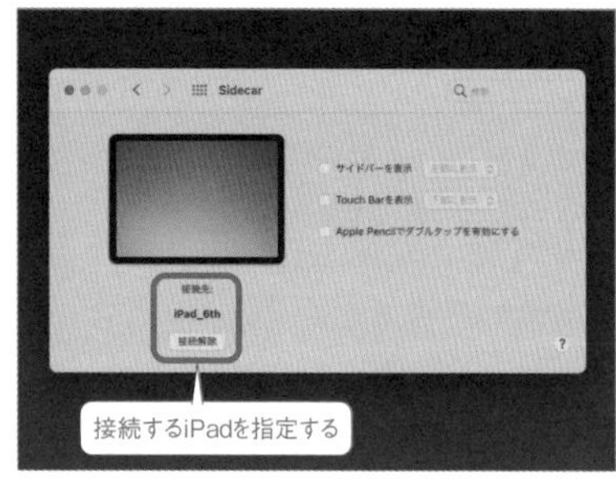

Sidecar設定画面が表示される。MacとiPadをUSBケーブルで接続し、「接続先」のプルダウンメニューを開き、Sidecarを利用するiPad端末を指定しよう。なお、USBでつながなくても同じWi-Fiネットワークにつながって Bluetoothがオンになっていればサイドカーは利用できる。

3 iPadがMacの画面に切り替わる

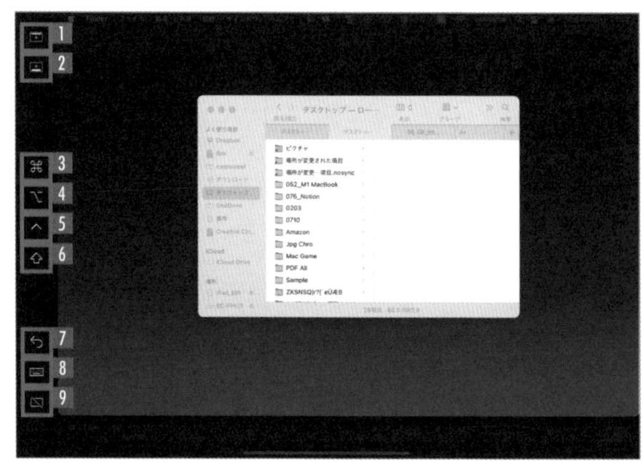

1 iPadでウインドウをフルスクリーンで表示しているときにメニューバーの表示／非表示
2 画面下部からDockを引き出す/隠す
3 commandキー
4 optionキー
5 controlキー
6 shiftキー
7 1つ前の操作に戻る
8 キーボードを表示/非表示
9 接続の解除

iPadの画面がMacの画面に切り替わる。標準ではMacのデスクトップの右側に位置する状態になっており、標準ではマウスカーソルを右へ移動するとiPadにマウスカーソルが表示される。

4 MacのDockを表示させる

MacのDockをiPad側の画面に表示させたい場合は、サイドバーにあるDockボタンをタップしよう。下からDockが表示される。

5 連携マークアップが超便利!

Mac上の画像ファイルを、サイドカーのiPad上でApple Pencilを使って注釈をさらっと入れられるのが便利!

208 ディスプレイ サイドカー非対応の環境でもiPadはサブディスプレイになる

有線接続で快適! Windowsでも使用できる!

使っているMacがサイドカーに非対応(MacBook Proの場合は2016以降のモデルが対応)の機種でも、Duet Displayを使えば快適にサブディスプレイとしての使用が可能だ。Lightningの有線接続で、動きの少ない表示をするなら遅延は問題ない。また、Windows環境で使える点も見逃せない。

App

Duet Display
作者/Duet Inc.
価格/1,220円　言語/日本語

1 パソコンにもソフトを入れ、iPadと接続して使う

Mac、もしくはWindowsのPCにソフトをインストールしたら、iPad側でDuet Displayを起動させ、パソコンでも起動させるとサブディスプレイとして起動する。特に難しい設定などはない。通常の外部ディスプレイと同様、配置なども変更できる。

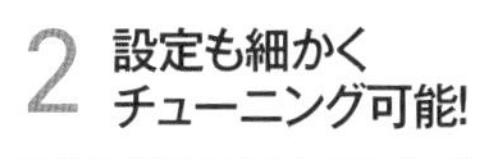

2 設定も細かくチューニング可能!

通常の拡張表示のほか、ミラーリングも可。解像度も5段階から選べる。フレームレート、表示品質、Retina表示も選択できる。行う作業の内容と、表示の状態を確認してベストな設定値を見つけよう。

PC SOFT
Duet Display
作者/Duet Inc.
URL　https://ja.duetdisplay.com

上級技 209 遠隔操作 GoogleのアプリでiPadからPCを遠隔操作

Chrome拡張機能のリモート操作アシスタント

Googleの「Chrome Remote Desktop」は優秀なリモートアプリ。Chromeの拡張機能として追加することで、簡単なPINコードでiPadからパソコンを操作できるようになる。

App

Chrome Remote Desktop
作者/Google, Inc.
価格/無料　言語/日本語

PC SOFT
Chrome リモート デスクトップ
作者/Chromoting Release Managers
URL/remotedesktop.google.com/access

1 遠隔操作するパソコンの設定をおこなう

「remotedesktop.google.com/access」にPCでアクセスし、機能拡張をChromeにインストールしたら「リモートアクセスの設定」をオンにし、パソコンの名称とPINコードを設定する。そして「起動」をクリックで準備完了だ。

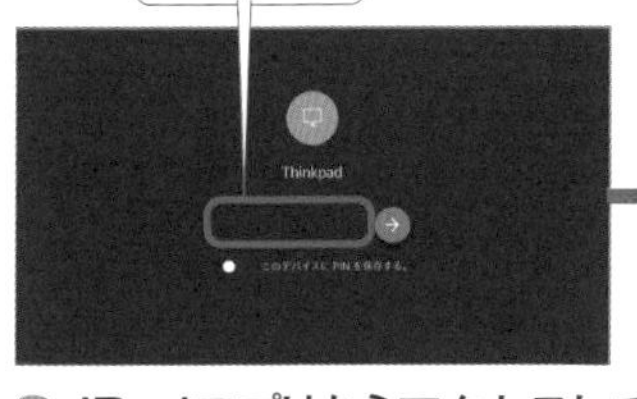

2 iPadアプリからアクセスしてスムーズに遠隔操作

iPadアプリを起動し、同じアカウントでログイン。「リモートのデバイス」に接続可能なパソコンの一覧が表示されるのでタップ。設定したPINコードを入力すれば、デスクトップをiPadで表示、操作できる。表示もスムーズ。

マスト!
211

コントロールセンター

さまざまな操作をキメ細かく調整できるコントロールセンター

表示方法が変更され新しい機能が追加されたコントロールセンター

「コントロールセンター」は、各アプリを起動しなくても写真撮影、ネットワークの切り替え、音楽再生のコントロールなど、よく使う機能に素早くアクセスできる便利な機能だ。ホーム画面だけでなく、ロック画面やアプリの起動中でも呼び出せるのがメリットだ。初代iPadから現在にいたるまでずっと搭載されており、日々アップデートされている。

2018年以降大きく変更されたのは表示方法だ。前OSではAppスイッチャー画面に統合されていたが、現在はコントロールセンターが再び独立表示され、画面の右上隅から下にスワイプすることで表示させることができる。以前のように画面下から上へスワイプすると（iOS 12以降では）「ホーム画面に戻る」操作になってしまうので注意しよう。

コントロールセンターに表示させる機能はカスタマイズできる。「設定」アプリの「コントロールセンター」でよく使いそうなアプリを追加し、逆に使わないアプリは削除しよう。並び順も自由にカスタマイズできる。また、iPadOSでは新たにアプリ使用中にコントロールセンターを表示するかしないかの設定ができるようになり、ほかにApple TVやHomePodなどのHomeKitに対応したアクセサリをリモートコントロールできる機能も追加されている。iPadを効率よく使うならコントロールセンターをじっくりカスタマイズしよう。 また、コントロールセンター上にあるボタンを長押しすると、オプションメニューがポップアップで開くようになっている。機能によってはより便利な機能が利用できるようになるので知っておくといいだろう。

コントロールセンターの使い方

1 コントロールセンターを開く

コントロールセンターを表示させるには、画面右上隅から下へスワイプする。ホーム画面だけでなく、ロック画面やアプリ起動中でも表示させることができる。

2 コントロールセンターをカスタマイズする

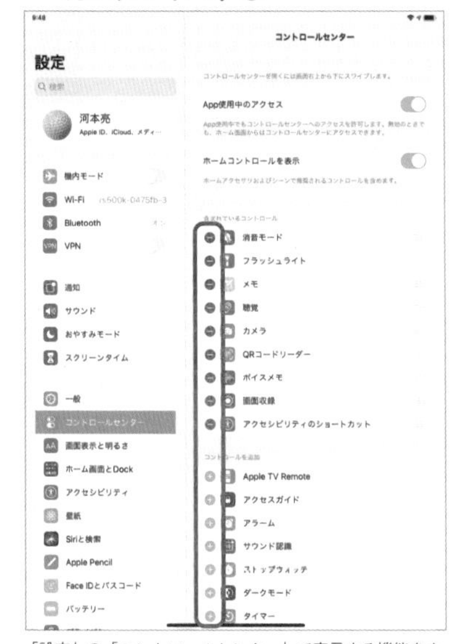

「設定」の「コントロールセンター」で表示する機能をカスタマイズできる。「＋」をタップして追加、「－」をタップして削除しよう。

3 項目の並び順を変更する

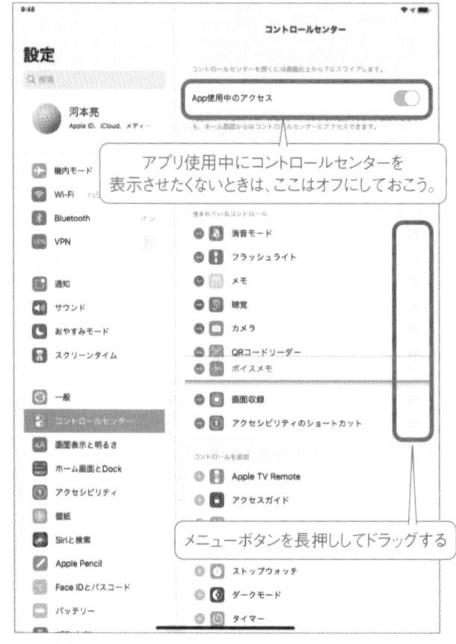

項目右横にあるメニューボタンを長押ししてドラッグすると、コントロールセンターの並び方をカスタマイズすることができる。

4 長押しでオプションメニューを表示させる

画面の明るさやカメラ、タイマーなどのボタンを長押しするとオプションメニューの表示が可能。

設定

212 着信音と通知音だけの音量を調整する

iPadで鳴るさまざまな音の音量は、本体横のボリュームボタンで変更できるが着信音と通知音のみ、ボリュームボタンでの音量変更を無効化して、個別に音量をコントロールすることが可能だ。「設定」→「サウンド」画面を開き、「着信音と通知音」欄にある「ボタンで変更」をオフにしよう。この状態でボリュームボタンを押しても、他の音量は変更されるが、着信音と通知音の音量は変わらなくなる。

「サウンド」の「ボタンで変更」をオフにすれば、ボリュームボタンで着信／通知音量が変更されなくなる。

カメラ

213 イヤホンマイクでカメラのシャッターを切る

iPadのカメラは、実はiPhone付属のイヤホンマイクを接続して「+」「-」ボタンを押してもシャッターを切ることができる。手振れをなるべく抑えたい、iPadから少し離れた位置でシャッターを切りたいという場合は、本体に一切触ることなく撮影できるこの方法が便利だ。

なお、USB-Cポート搭載のiPadでも、変換アダプタ経由で接続したイヤホンマイクからシャッターが切れる。

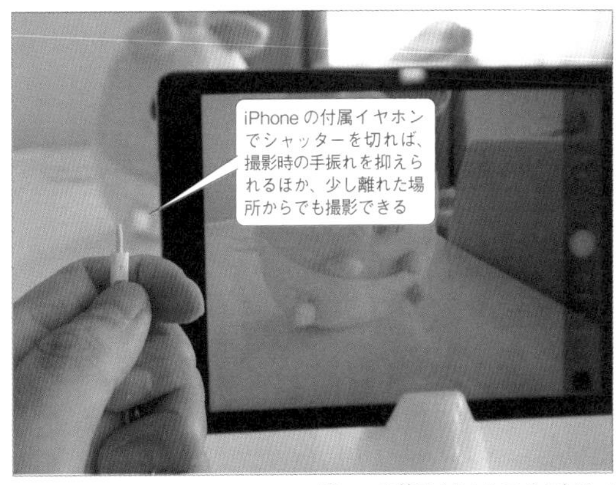

iPhoneの純正イヤホンマイクをiPadに接続した状態でカメラを起動。ボリューム／マイクボタンの「+」か「-」を押せば、写真シャッターを切れる。

上級技

Slide Over／Split View

214 マルチタスクをスマートに使うピンポイントテク!

Slide OverやSplit Viewによって、iPadで複数のアプリを使った作業は格段にやりやすくなった。これらのマルチタスク機能をもっと使いこなして、作業効率を高めたいなら、ここで紹介する2つの操作方法を覚えておきたい。まずはSlide Over時のフローティングウインドウをすばやく全画面表示にする方法。通常なら数回の操作が必要だが、この方法なら1度ドラッグするだけだ。もう1つがワンフリックでSplit Viewで左右をすばやく入れ替える方法だ。

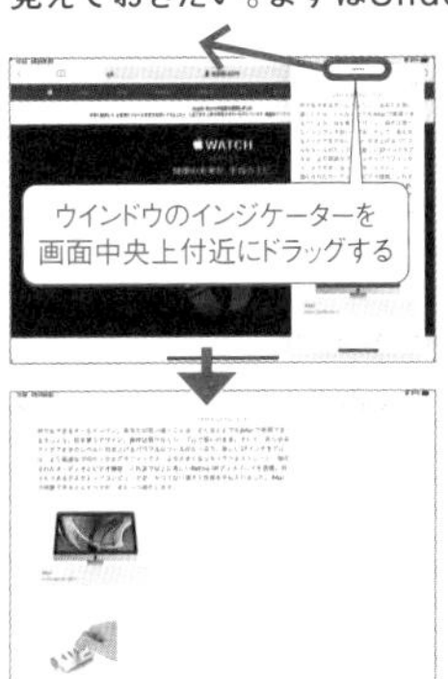

フローティングウインドウの上端中央のインジケータを、画面上部中央にドラッグすると、そのアプリを全画面表示にできる。

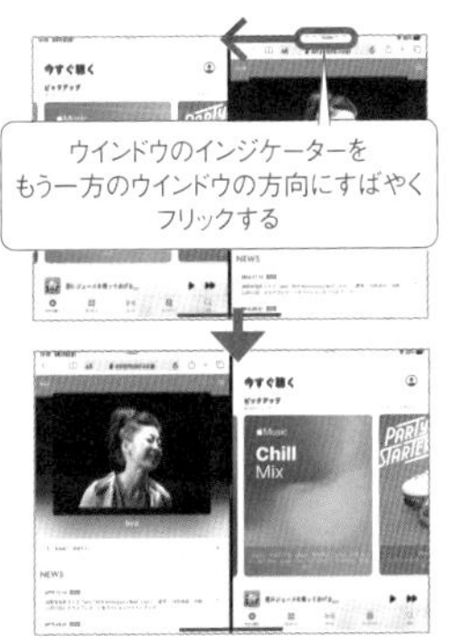

Split Viewでアプリのウインドウを入れ替えるには、いずれかのウインドウ上端中央のインジケータを、すばやく逆方向にフリックする。

上級技

Spotlight

215 Spotlightからのスピーディーな上級連携ワザ!

iPadに外付けキーボードを組み合わせて作業している際に、別のアプリをSlide Overで表示したいといった場合、いちいち画面からアプリアイコンをドラッグするのは面倒だ。そこでSpotlightを使ったテクニックを紹介しよう。SpotlightはiPadに備わる検索機能で、ホーム画面で画面中央を下方向にフリック、あるいはキーボードのcommandキーとスペースキーの同時押しで呼び出せる。ホーム画面に見当たらないアプリを探し、分かりやすいところにアイコンを移動したい場合も、この方法が使える。

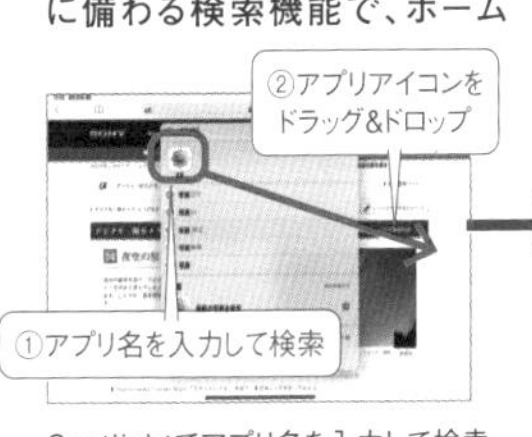

Spotlightでアプリ名を入力して検索、表示されるアプリアイコンを現在作業中のアプリ上にドラッグすると、Slide Overで表示される。

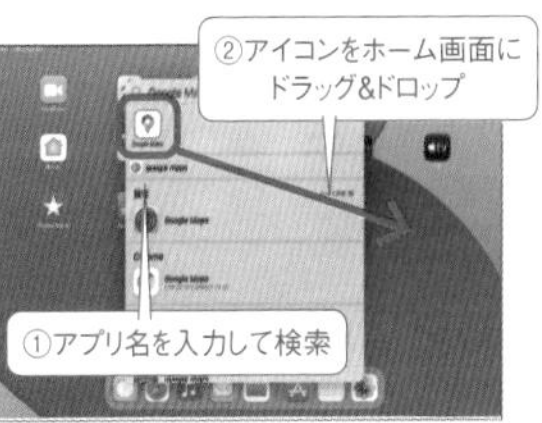

ホーム画面で見つからないアプリをSpotlightで検索、アイコンをホーム画面にドラッグすると、その位置にアイコンが移動される。この方法は外付けキーボードでなくても使える。

216 充電 純正の電源アダプタでiPadを高速充電する

USBアダプタ／ポートの供給電力に注意！

最新のProやAirなど、USB-Cを除いたiPadを一般的なPCのUSBポートに接続すると、「充電停止中」と表示される。これはUSBポートの出力が2.5Wしかないためで、一応iPadがスリープ時にちょっとずつ充電されるが、かなり時間がかかる。iPhone用の電源アダプタ(5W)や、5.5Wのハイパワー USBポート搭載PCのUSBポートや、MacBook (13-inch, Late 2007)以降を使えば、もう少し高速で充電可能だ。最速で充電したいなら、きちんとiPad用の付属アダプタを使っていこう。

iPad Air／iPad miniモデルの電源アダプタ
10W

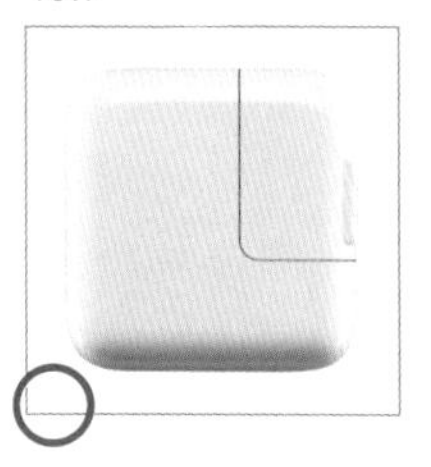

iPhone／旧iPad miniの電源アダプタ
5W

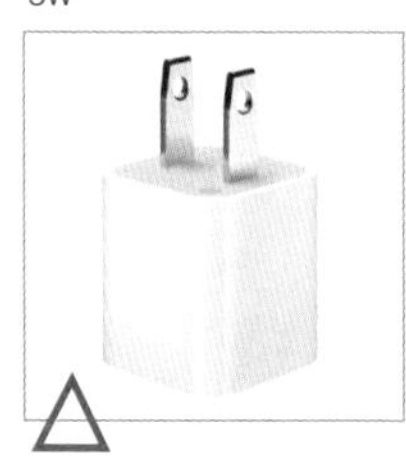

電源アダプタで充電する場合

iPadの充電は付属の電源アダプタを使うのが基本。ただ、iPhone付属の電源アダプタでも、少し時間はかかるが充電できる。

ハイパワーUSBポート
5.5W

通常のUSBポート
2.5W

PCのUSBポートで充電する場合

MacBookなどが備えるハイパワー USBポートを使えば、iPhone付属の電源アダプタと同程度の時間で充電できる。通常のUSBポートもかなり時間はかかるが、一応iPadスリープ時のみ充電可能だ。

217 ドック Dockにアプリやフォルダを追加する

マスト!

Macのようによく使うアプリを画面下部に設置する

iPadのホーム画面下に設置されているDockは機種によって設置できる数は異なるが、最低でも10個以上のアイコンを登録できる。またセパレートで区切られたDockの右側には「最近使ったアプリ」や「おすすめのアプリ」が自動で表示され、よく使うアプリに素早くアクセスできる。なお自分で登録できるアプリの数は、「設定」>「ホーム画面とDock」>「マルチタスクとDock」画面で「最近使ったアプリ」や「おすすめのアプリ」表示をオフにすることで増やすことが可能だ。

1 まるでMacOSのようにDockを利用できる

12.9インチの場合では標準で15個のアプリを登録できる。iPad miniは11個登録可能。またセパレート右側には最近使ったアプリやおすすめアプリが自動で3個表示される。

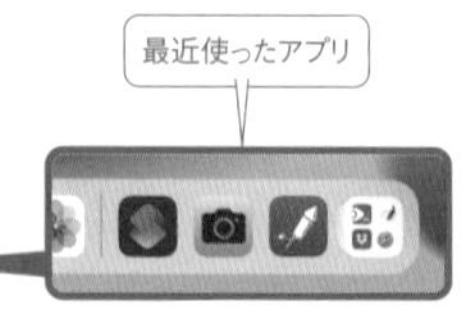

2 最近使ったアプリを非表示にするには?

「設定」アプリの「ホーム画面とDock」を開く。「おすすめApp/最近使用したAppをDockに表示」をオフにすれば、登録できるアプリの数を増やすことができる。

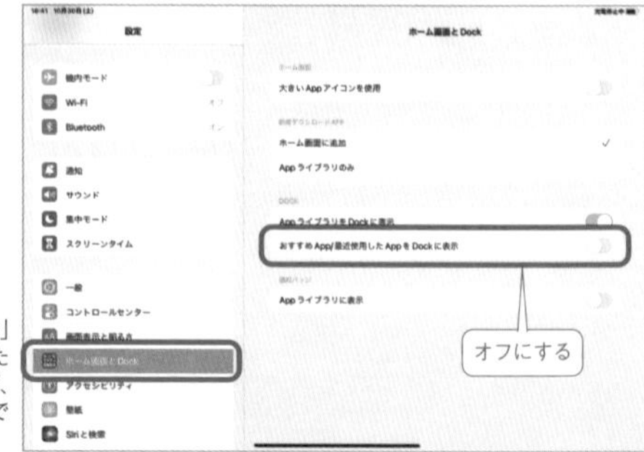

上級技

アクセサリ

218 ペーパーライクフィルムでPencilの書き味を上げる

Apple Pencilを使う機会が多い人ならば、iPadの質感を紙のように変える「ペーパーライクフィルム」の使用を考えてもいいだろう。通常のフィルムではタッチが固く、滑りすぎるので紙にペンで書くのとは感触が違いすぎる。ペーパーライクフィルムなら滑りすぎることもなく、適度な抵抗があって書きやすいはずだ。ただ、画面の輝度やシャープさはある程度損なわれてしまうし、製品によってはペン先の摩耗も若干早まるとも言われているのでデメリットもある。

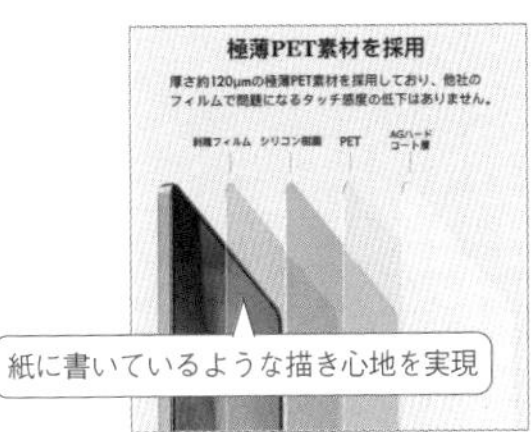

JPフィルター専門製造所
iPad ペーパーライクフィルム　mini4/5、無印iPad、Pro、Airに対応。
実勢価格:1,200～2,200円

iPadのペーパーライクフィルムの中で一番人気なのがこのフィルム。上質紙に書いている感覚でPencilを使うことができる。ペン先の摩耗も配慮されていて70%低減しているという。貼り付けも簡単でフェルト製のiPadケースも付属している。

アクセサリ

219 Pencilやケーブルをキャップで保護して使用する

Lightningケーブルは標準で先端部分がむき出しのため、持ち歩いているとカバンの中を摩擦して破損しがち。破損を防ぐには先端用の保護キャップを購入するのがよいだろう。Amazonなどで「Lightningケーブル先端用キャップ」と検索をしてみよう。かなりの数の保護キャップが現れる。またやぶれがちなケーブル根元部分を防護するには断線防止プロテクターを利用しよう。根元部分をがっちり保護できる。Apple純正のプロテクターは現在販売休止中だが、サードパーティ製の安価な製品が多数販売されている。

テクノベインズ Lightningケーブル先端用キャップ(半透明) 6個/パック

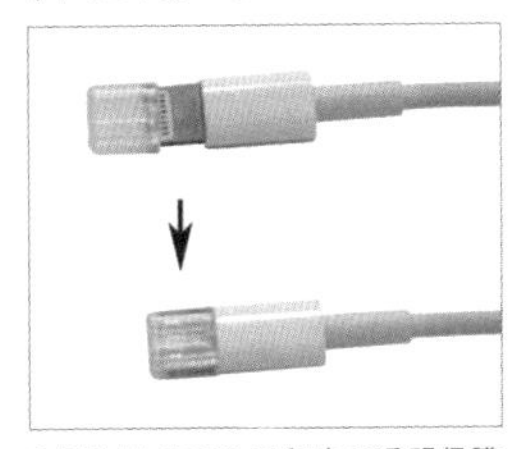

6個入りで500円程度の透明保護キャップが販売されているケースが多い。なくしても1個80円程度なので気にならないだろう。

AMAA 充電ケーブルプロテクター 断線防止 16個入り

Lightningケーブルの根本の破損を防ぐケーブル保護カバー。Amazonならば、16個入りで400円程度と激安だ。

220 基本 長押しを駆使して素早いページ移動を行う

大量にアプリを入れている人なら間違いなく便利な小技!

iPadに大量のアプリを入れてしまい、ホーム画面が10ページを超えてしまっている人も多いだろう。そんな場合は、iPad下部のページネーション表示を長押ししてみよう。表示が変わったら、その部分をドラッグすると高速でページの移動が可能になる。また、「設定」などで深い階層まで進んだ場合も一気に戻ることができる。

1 ページネーション部分を長押しする

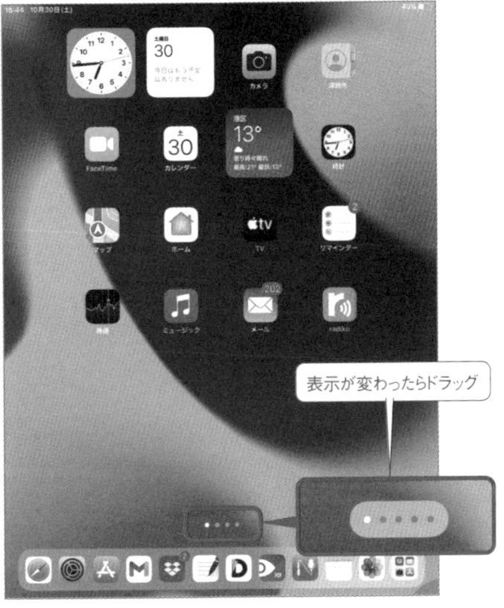

Dockのすぐ上にあるページネーション表示を長押しして、ドラッグする。高速でページ移動ができる。

2 「戻る」ボタンも長押しに対応した

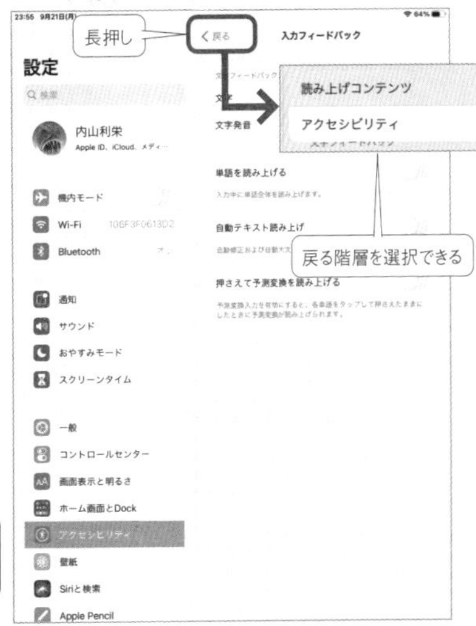

アプリが変わった際や設定で深い階層に入った場合でも、「戻る」部分を長押しすることで階層が表示され、一気に戻ることができる。

221 周辺機器 低価格だがかなり使える面白いタッチペン

3,000円台で購入でき2018以降のiPadすべてに対応!

Apple Pencilは、第1世代でも10,800円と高価格だが、このペンならば3,000円台で購入でき、同じような用途に利用可能。特筆すべきはペアリング不要で、電源を入れれば、iPadが第1世代対応／第2世代対応のどちらでも使うことができる点だ。満充電から20時間使用でき、予備のペン先も1つ付属する。10,000円以上のPencilの購入をためらう人はこっちを選ぶのもいいだろう。

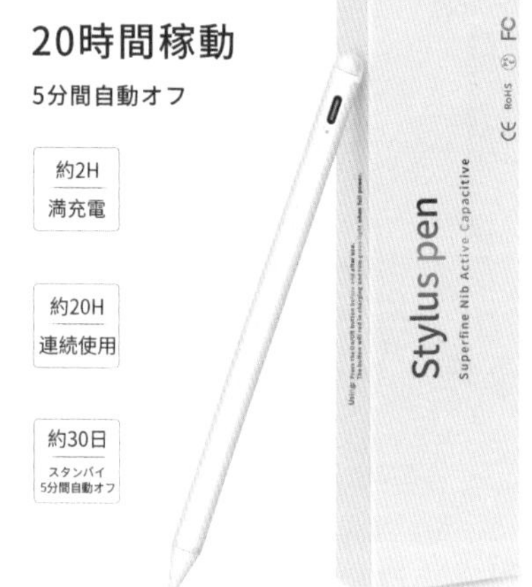

1 一見、第二世代Pencilにも見える!

Yi-huang
2018以降対応 iPad スタイラス ペン
Amazon なら、現在 3,199 円で購入可能。評価も非常に高い。

2 充電はUSB-Cで行う

充電はUSB-C端子で行い（変換ケーブル付属）、不使用時は5分で電源が自動でOFFになる。Apple Pencilと違って電源ボタンが存在する。パームリジェクションにも対応している。iPad Proのマグネット充電などには非対応だ。

220 周辺機器 iPad mini 6に最適のキーボードはあるの?

どこを重視するかでベストな製品は分かれる!

大人気が続いているiPad mini 6のサイズにピッタリ合ったキーボードが欲しい人は多いだろう。いくつか製品が出てはいるが、2021年11月現在では、決定版的な製品は出ていないといえる。大きさがピッタリ合ったものが欲しい人は①を、キーボードとしてのクオリティを重視する人は②を……もしくはMac用のMagic Keyboardを使うのがいいだろう。

1 iPad Mini6 キーボードケース

QIYIBOCASE

ワイヤレスマウス付き
価格:4,280円（Amazon）
大きさはmini 6にピッタリでオートスリープにも対応でキータッチも良好。精度は最高とはいえないものの、タッチパッドがついているのもポイント。ただし充電はMicro-USBだったりする。

2 折りたたみキーボード

Ewin

価格:3,380円（Amazon）
157gという軽さを誇る。mini 6のサイズにピッタリではないが一緒に持ち運んで快適に使用可能だ。キーボードとしての評価は非常に高く、3台までペアリングできるので複数の機器で利用できる。

SECTION 07

生活お役立ち技

いつも自分のそばにあるiPadだからこそ、
より普段の生活に効率良く役立てたい。
ビデオ通話や地図、乗換え、料理、体重管理などにも
iPadは素晴らしく役に立つ。

iPad OS 15

223 FaceTime FaceTimeはAndroidユーザーともビデオ通話できる

URLを発行して他OSユーザーを招待できる!

Appleデバイスユーザー間専用の通話機能だった「FaceTime」だが、iPadOS 15からはAndroidやWindowsユーザーともビデオ通話できるようになった。これには、iPad(iPhone)ユーザーがFaceTimeアプリで「リンクを作成」をタップして、相手を招待する必要がある。手順としては、招待用URLリンクを作成し、メールなどで通話したい相手と共有すればいい。メールを受け取ったユーザーは記載されているURLリンクをタップすることで、ブラウザからFaceTime通話に参加できる。

1 「リンクを作成」をタップする

他OSのユーザーと通話したい場合は、「FaceTime」アプリを起動したら「リンクを作成」をタップする。

2 リンクをメールなどで送信する

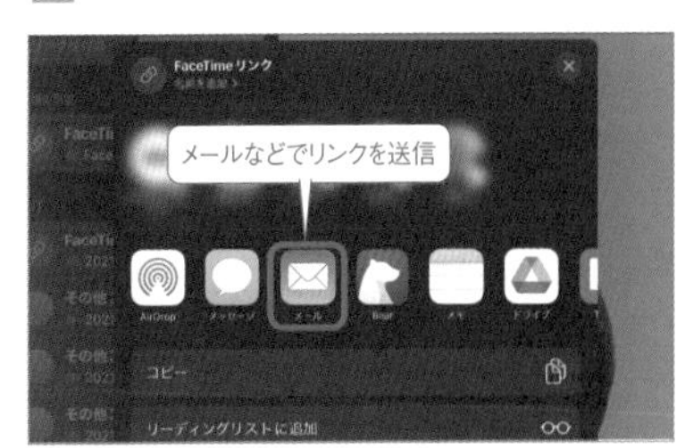

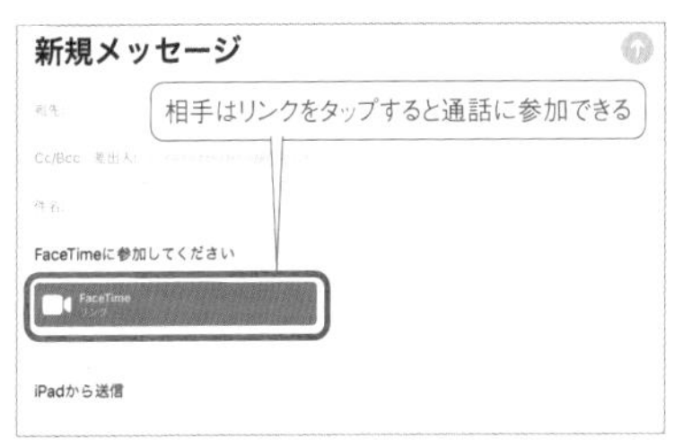

通話用リンクURLが発行されるので、「メール」アプリなどで通話相手に送ろう。相手はメール記載のリンクをタップすると、FaceTimeに参加できる。

224 FaceTime いつでもどこでもFaceTimeを楽しもう

iPadの大画面でビデオ通話ができるFaceTimeを活用!

iPadにはiPhoneのような通話機能は搭載されていないが、標準アプリ「FaceTime」を利用することで、iOSデバイス間でビデオ通話や、LINEのような音声通話が利用できる。Wi-Fiでも4G・5Gなどのモバイルデータでも利用できるのが魅力だ。また、他のビデオ通話アプリよりも、比較的に音質・画質共に良好で、Wi-Fiなどで通信環境が安定しているなら、高音質・高画質な通話が利用できるのも魅力となっている。

標準でFaceTimeは有効になっている場合がほとんどだが、利用できない場合は「設定」→「FaceTime」から機能をオンにすればいい。また、ここでは発着信に利用する連絡先情報を変更できる。標準ではApple IDに関連付けられた電話番号・メールアドレスが自動的に割り当てられているので、変更は不要。ただし、「発信者番号」は他のiOS機器と統一しておいたほうが、着信側でトラブルが少なくなる。

またビデオ機能を除いた音声だけのFaceTime機能「FaceTimeオーディオ」も便利。通常の電話とまるで変わらず無料で利用できるFaceTimeオーディオは電話代の節約にもなりとても便利だ。通話時にホームボタンを押すことで「ピクチャ・イン・ピクチャ」モードとなり、他のアプリを使いながらビデオ通話を楽しむことも可能だ。

ビデオ通話だけでなく音声通話も可能

1 FaceTimeの有効とアドレスを確認

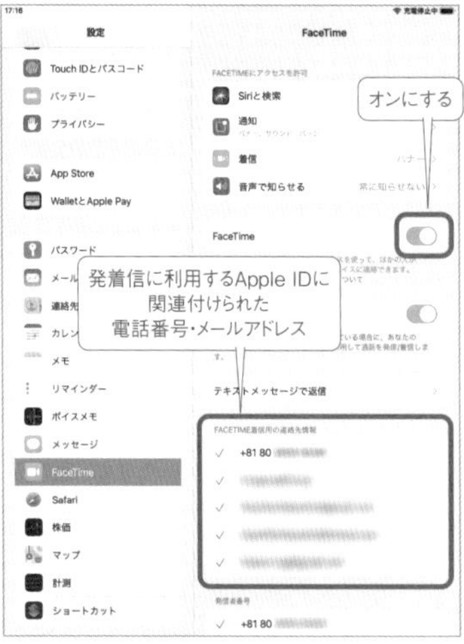

「設定」→「FaceTime」から機能が有効になっていることを確認。発着信の連絡先情報も確認しておこう。

2 FaceTimeでビデオ通話してみよう

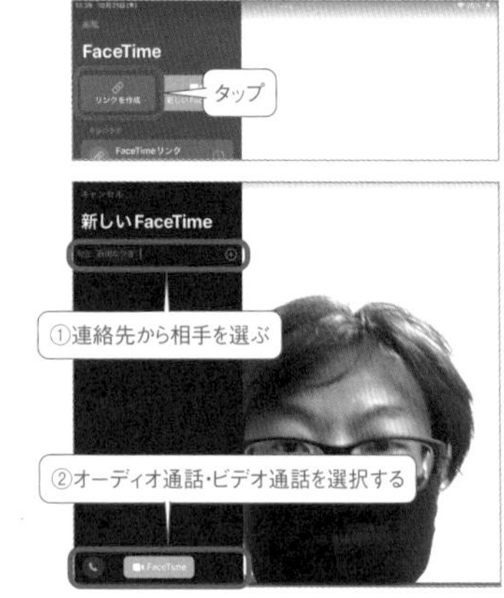

FaceTimeアプリで「新しいFaceTime」ボタンから通話相手を指定して、FaceTimeを発信できる。また、「連絡先」からも発信が可能。好きな方を選ぼう。

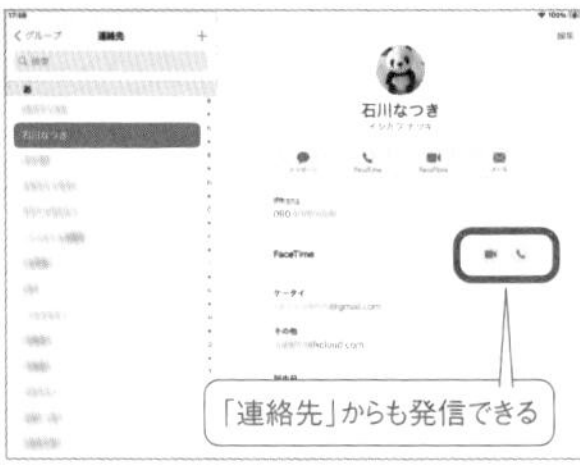

3 ビデオ通話を楽しむ

相手がFaceTimeに応答すれば、ビデオ通話や音声通話が開始される。ビデオ通話の場合は画面に自分の映像が表示され、左下から終話やカメラの切り替えなどが可能。

point グループで制限時間なく通話できるからオンライン飲み会にも便利!

グループビデオ通話も楽しめる。オンライン飲み会といえばZoomがメジャーだが、FaceTimeであれば通話品質も高く、制限時間もない。さらに現在ではAndroidやWindowsユーザーとも招待リンクを使ってFaceTimeに誘えるようになっているので、コミュニケーション手段として活用していこう。

OSを問わずFaceTimeでビデオ通話が可能。相手の環境に左右されず、グループでFaceTimeを楽しめる。

225 FaceTime FaceTime注目の新機能を使ってみよう!

より便利で多機能に進化したFaceTimeを使い倒そう!

Appleデバイス間の通話機能として、ベーシックなFaceTimeは、iPadOS 15や対応するiPadを選ぶことで、さまざまな機能が利用できるようになった。たとえば「ポートレートモード」では、ポートレート写真のように背景をボカしてのビデオ通話が可能。集音モードのチューニング機能も追加され、背景の雑音をカットして自分の声だけを届けることも可能になった。一部のiPadでは自分を常にカメラの中央にフォーカスする「センターフレーム」機能も利用できる。

FaceTimeの注目の新機能

機能	内容
SharePlay	AppleTVやApple Musicなどのコンテンツを友だちと一緒に視聴できる
ポートレートモード	ポートレート写真のように自分の背景映像をボカす表現を利用できる
グリッド表示	複数人での通話時に相手をタイル状に配置する
空間オーディオ	画面内の相手の位置から声が聞こえてくるようになる(AirPods Proなど対応イヤホン利用時)
マイク集音モードの切り替え	周囲の雑音を排除する「声を分離」。周囲の音も集音する「ワイドスペクトル」を切り替えられる
センターフレーム	自分の姿や顔がカメラの中心に来るように自動調整される(対応するiPad限定)
他のOSとの通話	リンクを作成してAndroidやWindowsユーザーとも通話できる(No.223参照)

ビデオやオーディオ系の機能は、FaceTime中にコントロールセンターからそれぞれオン・オフを切り替えられる。

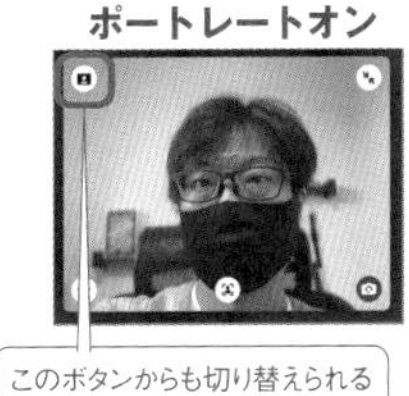

ポートレートモードのオンで背景はかなりボケるようになり、多少ごちゃごちゃしていても気にならなくなる。

226 電子書籍 月440円で雑誌が読み放題の「dマガジン」

コンビニやキオスクに並ぶ人気雑誌が読める

「dマガジン」は、NTTドコモが運営している電子書籍のオンラインストア。月額440円(税抜)で「週刊文春」「週刊新潮」「週プレ」「女性セブン」など人気雑誌450誌以上の最新号が読み放題の人気サービスだ。ドコモユーザーでなくても会員登録すれば利用可能。しかも今なら、初回登録後31日間は無料で読み放題だ。

App

dマガジン
作者/株式会社NTTドコモ
カテゴリ/ブック 価格/無料

1 ウェブ上からドコモIDの登録を行う

dマガジンを利用するには、ドコモIDを取得する必要がある。公式サイトからドコモIDの取得を行った後、続いてdマガジンの各種初期登録を行おう。

2 iPadで雑誌を読み放題

登録後、dマガジンを再起動して取得したドコモIDでログイン。あとは表示される雑誌の表紙から好きなものをタップすればダウンロードして閲覧できる。

227 電子書籍 Apple Booksで電子書籍を楽しもう

購入した電子書籍を効率的に読みやすく管理できるようになった

「Apple Books」はAppleが提供している電子書籍アプリ。以前は「iBooks」という名前だったが、2018年にアプリの名称が変更、またデザインや機能も大幅に改善されている。

アプリ起動後に表示される「今すぐ読む」では、現在読書中の本と最近読んだいくつかの本を分類して表示してくれる。複数冊の本を同時並行で読むのが好きなユーザーに便利な機能だ。書籍購入画面にある「読みたい」ボタンをタップすると、あとで読みたい本をブックマークできる。ブックマークした本は「今すぐ読む」画面から確認できる。ここでは、現在読書中の本と今後読む予定の本の両方を同時に確認できる。また、「ブックストア」画面下部ではユーザーの購入履歴に基づいておすすめの電子書籍を表示してくれる「For You」があり、自分好みの本を効率的に探すことができる。

購入した電子書籍は、以前は「コレクション」でカテゴリ別に分類していたが、この機能は新しく追加されている「ライブラリ」に統合された。「ライブラリ」では以前に作成した「コレクション」カテゴリのほか、「読みたい」に登録した書籍や読み終えた本だけを表示させる「読書済み」、「オーディオブック」「PDF」などのカテゴリが用意されている。

App

Apple Books
作者／Apple
標準アプリ

Apple Booksを使ってみよう

1 ブックストアで書籍を探す

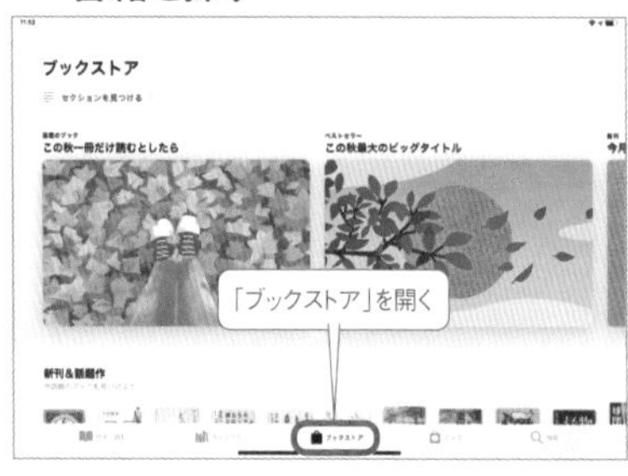

電子書籍を探してダウンロードするには「ブックストア」タブを開く。新刊＆話題作やエディターおすすめの書籍など、さまざまな条件で書籍を探すことができる。

2 「読みたい」をタップして「読みたい」に登録する

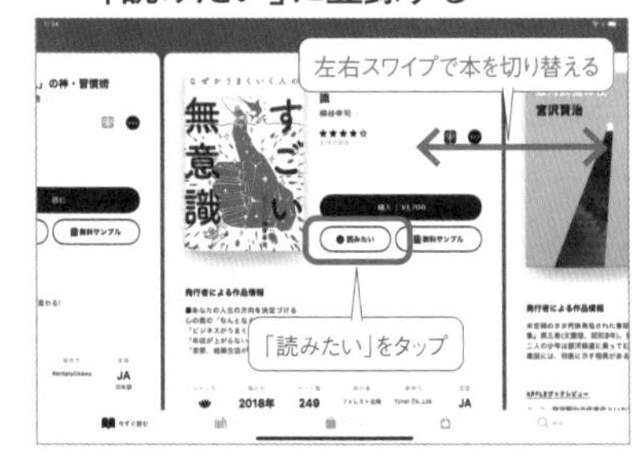

あとで購入するかもしれない本は「読みたい」をタップ。コレクションの「読みたい」に追加される。左右スワイプでほかの本に素早く切り替えることができる。

3 複数の本を同時並行して読むのに便利

「今すぐ読む」では現在開いている書籍と最近開いた書籍が並べて表示される。同時並行でたくさんの本を読む人は、本の切り替え作業が楽だ。

4 ユーザー好みの書籍を表示してくれる「For You」

「ブックストア」の画面下部ではユーザーの閲覧履歴に基づいておすすめの本を表示する「For You」機能が追加されている。

5 新しくなったコレクション画面

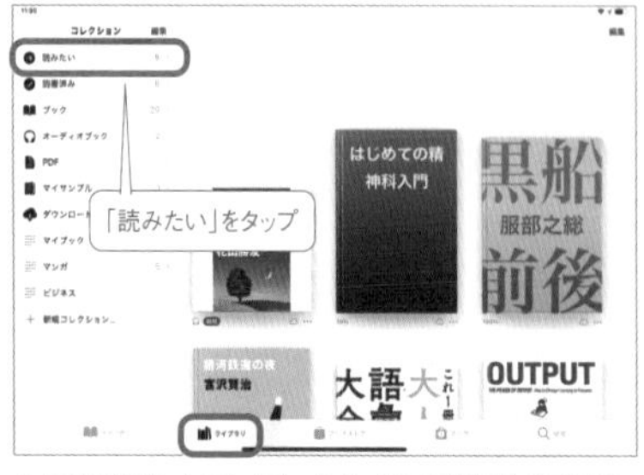

これまで作成したコレクションは「ライブラリ」画面内にある。コレクションでは「読みたい」に登録した本にアクセスすることもできる。

6 「読みたい」画面から本を購入する

「読みたい」に登録した本が一覧表示される。価格ボタンをタップすればダウンロード購入できる。

228 電子書籍 Kindleで電子書籍を読む

「どこまで読んだっけ?」を覚えてくれる強力な同期機能

Amazonの電子書籍サービス「Kindle Store」上の電子書籍を閲覧するためのアプリ。利用しているAmazonアカウントでログインすると、購入した電子書籍が表示され、ダウンロードして閲覧できる。Whispersyncという同期機能が特徴で、Kindleで本を読んだ後、ほかの端末のKindleで同じ書籍を開くと、すぐに続きのページを表示してくれる。

Kindle
作者／AMZN Mobile LLC
価格／無料

1 電子書籍をダウンロード

利用しているAmazonアカウントでログインするとすぐに電子書籍を読める状態になる。無料で読めるものも多いので、まずはアプリをインストールしてみよう。タップすると端末にデータをダウンロードできる。

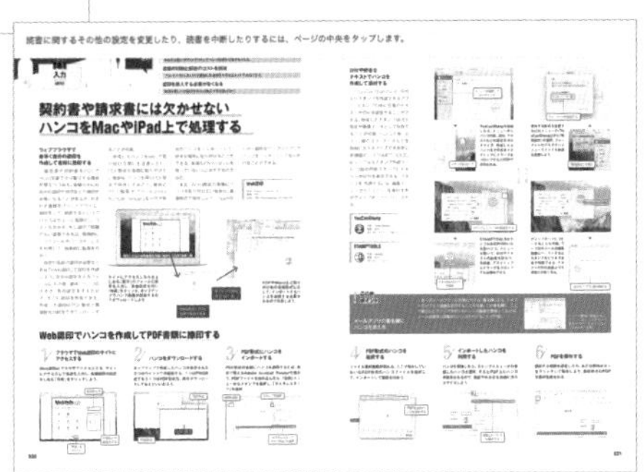

2 ダウンロードした電子書籍を閲覧する

電子書籍を開いた状態。Whispersyncという同期機能でほかの端末のKindleで読み進めたページの場所をすぐに開くことができる。ブックマークや注釈も同期できる。

上級技 229 電子書籍 画面を見ずに、音声読み上げで電子書籍を楽しむ

音声機能を使えばリラックスして電子書籍が読める

電子書籍を長時間読んでいると、どうしても目が疲れてしまうし、その間は他の作業ができなくなるのが難点だ。そこでiPadに標準搭載されている音声読み上げ機能を使って、電子書籍を音声で読んでみよう。読み上げが不正確な場合もあるが、家事などの作業をしながら雑誌を読んだり、就寝前にベッドの中で短編小説を読むなど、「画面を見ない」ことで読書スタイルの幅が一気に広がる。

App

Kindle
作者／AMZN Mobile LLC
価格／無料

1 VoiceOverをホームボタン3回押しに設定

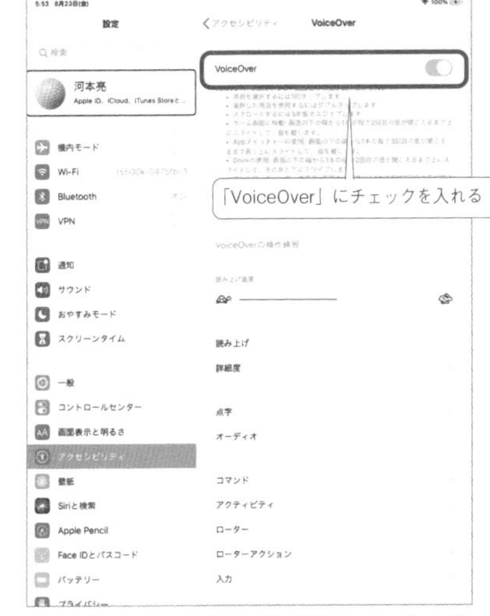

設定を開き「アクセシビリティ」から「VoiceOver」へと進み「VoiceOver」にチェックを入れる。また「VoiceOver」設定で声の種類や速度、音量などを設定する。

2 2本指で下にスワイプすれば読み上げ開始

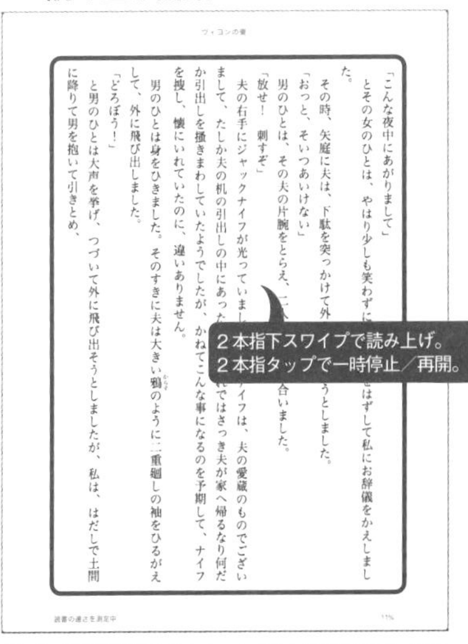

Kindleで書籍を開いたらホームボタンを3回押す。2本指で下にスワイプすると、本の内容を音声で読んでくれる。読み終わったらホーム3回押しで元に戻す。

230 電子書籍 Amazonの読み放題サービス Kindle Unlimitedを使ってみよう

月額980円で電子書籍が読み放題

「Kindle Unlimited」はAmazonが提供している980円で読み放題の電子書籍サービス。Amazonの書籍で「Kindle Unlimited」のアイコンが付いていれば、いくらでも無料でダウンロードして読むことが可能。ただし、同時に利用できるのは最大10冊まで。11冊目をダウンロードするには、以前、読んだタイトルの利用を終了する必要がある。Kindle Unlimited対象の書籍は「Kindle」アプリの「カタログ」から直接ダウンロードできる。

App

Kindle
作者／AMZN Mobile LLC
価格／無料

1 「カタログ」から読み放題の本を探す

読み放題対象の本は、通常の本の購入と異なり、Kindleアプリの「カタログ」から直接検索してダウンロードして、素早く閲覧できる。

2 利用するにはAmazonのサイトから

Kindle Unlimitedを有効にするにはブラウザでAmazonのKindle Unlimitedのサイトにアクセスして購読する必要がある。

231 マンガアプリ 無料のマンガアプリで快適にマンガを楽しもう

毎日無料で読めるマンガアプリがたくさんある!

iPadでは、毎日無料でマンガを読めるアプリがたくさんある。その多くは、毎日ポイントやコインが、マンガ数話分配布されるので、その分を無料で読めるシステムとなっている。メジャーなマンガが多く、最初のインストール時には大量のポイントがもらえる場合が多いので非常にお得だ！

App

マンガワン
作者／SHOGAKUKAN INC
価格／無料

1 マンガワンでは小学館のマンガを楽しめる!

「マンガワン」のトップページでは、「女子向け」「男子向け」「大人向け」などにマンガがカテゴリ分けされている。読みたいタイトルをクリックしよう。

2 紹介ページが表示されすぐに本編も読める

そのマンガの概要ページが表示され、すぐに第一話から読むことができる。1話を読むとライフが1つ消費するが、毎日9時と21時にライフが4つアップするので、毎日8話分マンガを読むことができる。多くのマンガアプリがだいたいこれに近い形式をとっているので他アプリも併用して無料のマンガライフを充実させることができる。

232 FAX送信 iPadから無料でFAX送信できる

写真もドキュメントも送信できるFAXアプリ

「FAX.de FreeFax」は、1日1枚だけ無料でFAX送信ができるアプリ。起動後、送信したい書類をiPadカメラで撮影して画像データ化したら、相手のFAX番号を指定するだけで送信することができる。画像データだけでなく、テキストファイルやオフィスファイルなどを読み込んで送信も可能。

FAX.de FreeFax International
作者／Fax.de GmbH
価格／無料

1 「Send Fax」をタップ

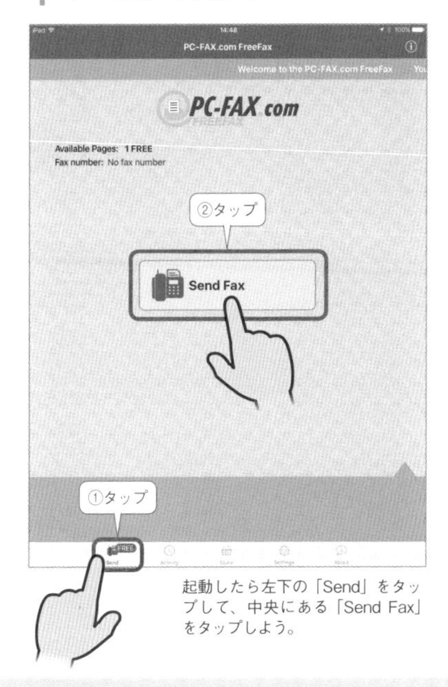

起動したら左下の「Send」をタップして、中央にある「Send Fax」をタップしよう。

2 FAX番号を入力する

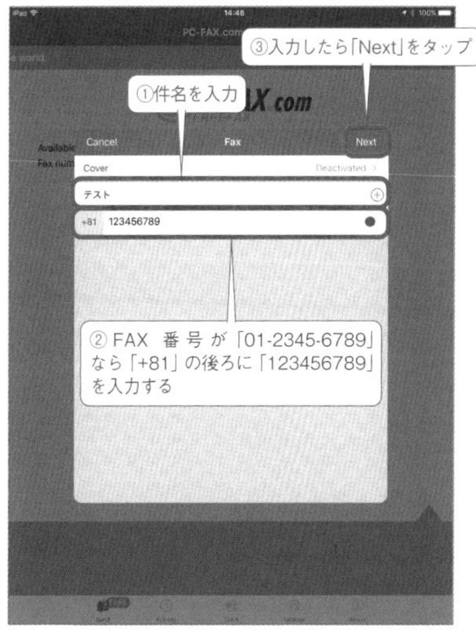

中央部分に件名を入力。下に「+81」と記載されているが、その後に市外局番の「0」を除いた後ろのFAX番号を入力して送信しよう。

233 メモ 無限に領域を拡大できる便利なメモ

模造紙のように大きな一枚の紙にメモを描く

「MapNote」はiPadに手描きでメモするアプリ。ほかのノートアプリと異なるのはキャンバスのサイズが固定されていないこと。メモした内容の周囲に追記したくなったときは、画面を2本指でピンチインすることでキャンバスを拡大し、周囲の余白を増やすことが可能。模造紙にメモする感じだ。

App

MapNote
作者:Naoya Enokida
価格:250円

1 キャンバスに指で手描きする

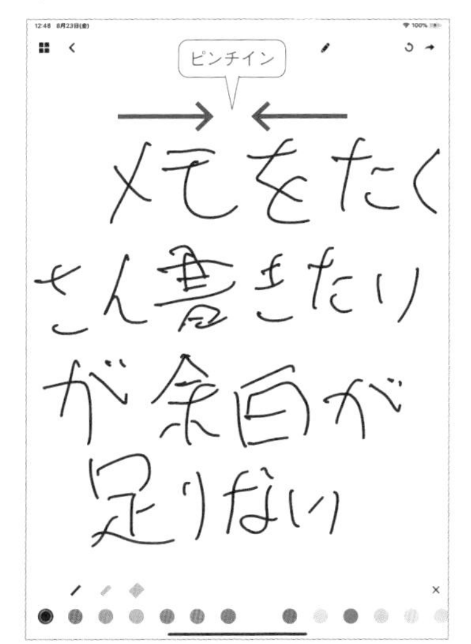

起動したら画面上に直接指で描いていこう。キャンバスの余白がなくなり、増やしたくなった場合はピンチインする。

2 筆やカラーの選択

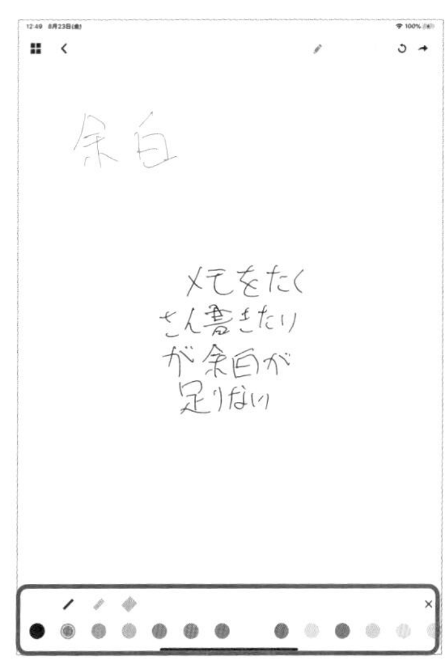

するとキャンバスが拡大して描いたメモの周囲に余白が増えるので、増えた分だけさらにメモを追加できる。なお下部メニューから筆やカラーを変更できる。

234 ニュース 作業しながらでも最新のニュースをチェックできる音声ニュースアプリ

朝の身支度中や家事をしながらニュースをチェック

「朝日新聞アルキキ」は、朝日新聞の最新ニュースを音声で読み上げてくれるポッドキャスト。画面を見ずにニュースをチェックできるので、ちょっとした作業中でもしっかり最新トピックスを押さえられる。設定したタイミングで自動的に読み上げる機能も搭載されているのでアラーム代わりにニュース音声を流すといった使い方もできる。読み間違えもなく、BGM付きなので聴きやすい。

ポッドキャスト

朝日新聞アルキキ for iPad
作者／株式会社 朝日新聞社　価格／無料

1 ポッドキャストにアクセス

深夜以外は1時間毎にニュースが配信されるが、時間帯によって構成は異なる、全ジャンルを通じたまとめニュースのほか特定のジャンルのニュースのみ選択して視聴できる。

2 興味のあるものを視聴

各エピソードの詳細画面に移動すると、トピックが一覧表示され、興味のある内容だけ視聴することもできるほか、記事へのリンクも貼られている。

235 間取り作成 高機能で楽しい間取りアプリを使ってみよう

手書き感覚で間取りを作成する

「まどりっち」は手書きでラフな住宅間取り図を簡単に作成できるアプリ。グリッドに沿って手書きで書き込んだ形状に応じて自動的に間取りの形に補正してくれる。作成された間取りには部屋の面積を平方で表示し、全体の坪数も表示してくれる。また、「リビング」や「寝室」などの頭文字を描くと部屋ボタンが表示され、タップすると部屋を設定することができる。

App

まどりっち
作者／福井コンピュータアーキテクト株式会社
価格／無料

1 手書きで間取りを描こう

起動したらメニューから間取り作成ボタンをタップして、手書きで間取りを書こう。形状に合わせて自動的に補正され間取り図が簡単に作れる。

2 部屋の名前を付ける

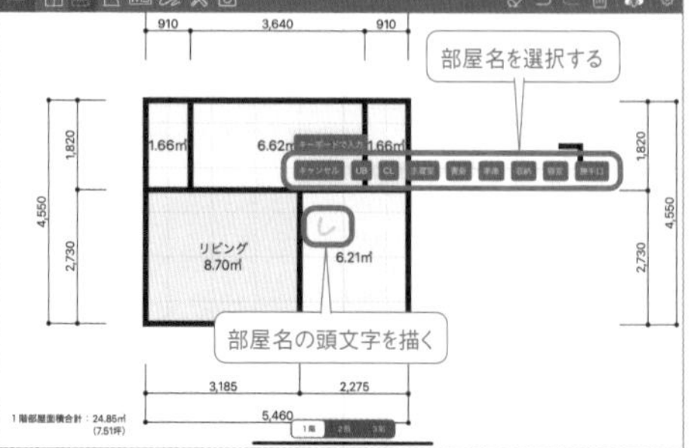

作成した部屋の内部に直接部屋名の頭文字を書くと、候補の部屋名が表示される。選択すると部屋名が入力される。

環境音

236 快適な音で睡眠を助ける「Sleep Orbit」

波の音や、鳥の鳴き声、焚き火や雨の音などを好きに組み合わせて睡眠導入に最適な環境音を作成できるアプリ。終了時間もタイマーで設定できるので鳴りっぱなしでウルサイこともない。無料版でも40種類の音を活用できるので充分だ。

App

Sleep Orbit
作者／SMB Studio
価格／無料

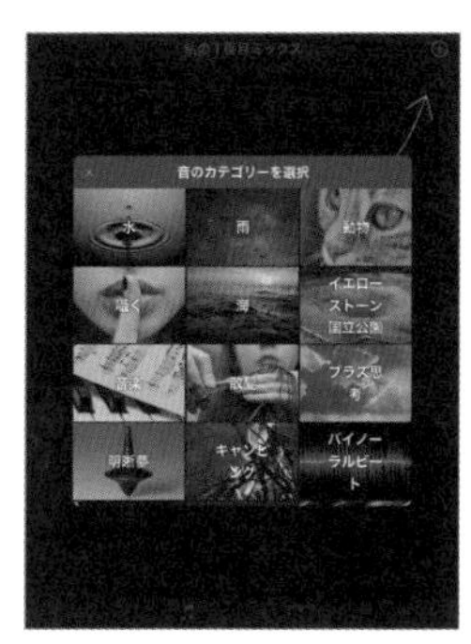

起動したら、鳴らせたい音をカテゴリーから選択しよう。雨、水、海、動物、キャンピングなどがオススメだ。

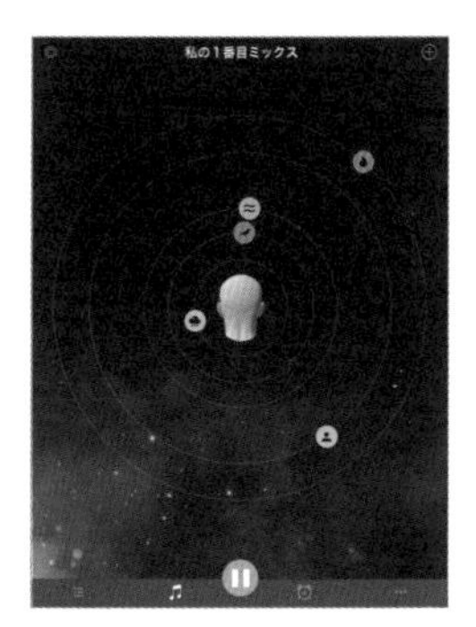

軌道を指で指定して、音のバランスや位置を細かく調整できる。基本的にはイヤフォンで再生した方が没入できるだろう。

学習

237 iPadで漢字力を向上させよう

現代はスマホやタブレットの普及で漢字を忘れがち。そこで「漢字検定・漢検漢字トレーニング」で漢字をもう一度学んでみよう。漢字の「よみ」や「部首・部首名」「送り仮名」「対義語・類義語」など多彩な知識を楽しみながら学べる。

App

漢字検定･漢検漢字トレーニング
作者／Gakko Net Inc.
価格／無料

漢字検定に準じたレベルの問題が用意されている。まずは6級から初めてみるといいだろう。

実力テストではランダムに10問のテストが行なわれる。「書き」問題では出題される漢字を画面に書こう。

視力向上

238 3Dステレオグラム画像を見るだけで視力が回復する

3Dステレオグラムを利用して、視力の回復を図るアプリ。ピントを合わせることを意識して表示される3D画像を見て脳内視力を鍛えるしくみだ。一日一回3分くらいするだけで、視力が回復したとの報告も多数寄せられている。

App

3D視力回復
作者／koikoi.biz
価格／120円

起動したら「通常モード」をタップ。表示される3Dステレオグラム一覧から任意のものを選択。続いて表示される画面で「Move」をタップしよう。

平行法だけでなく交差法でも鍛えられるのがポイントだ。

カラオケ

239 無料でカラオケの練習ができるアプリ

「分析採点JOYSOUND」は、JOYSOUNDのカラオケ15万曲が楽しめるカラオケアプリ。採点付きでカラオケに臨む前の練習として、歌いこむのにピッタリ。オンラインのランキング機能も楽しめる。月額360円となっているが、1日3曲であれば無料で利用できる点も嬉しい。

App

分析採点
JOYSOUND
作者／XING INC.
価格／無料(月額360円)

JOYSOUNDのランキングなどからも流行りの曲をチェックでき、歌いやすい曲やウケの良い曲などのランキングも多数ある。

1日3曲、広告動画を視聴することで採点モードを利用できる。有料登録すれば採点し放題だ。

240 レシピ 動画で見られてわかりやすいレシピアプリ「クラシル」

料理のプロが提案するハイクオリティでわかりやすいレシピ

4万件を超える献立・デザートのレシピデータベースから、キーワードや人気食材でレシピを探せるレシピアプリが「クラシル」。特徴的なのが、調理過程を動画でチェックできるところ。調理の手順や調理方法をビジュアルで確認できるため、非常にわかりやすく親切なレシピアプリとなっている。

App

クラシル
販売元／dely, Inc.
価格／無料

1 キーワードでレシピを検索

検索欄に食材や料理名など、キーワードを入力して検索。作ってみたいものを選ぼう。

2 レシピの動画をチェックする

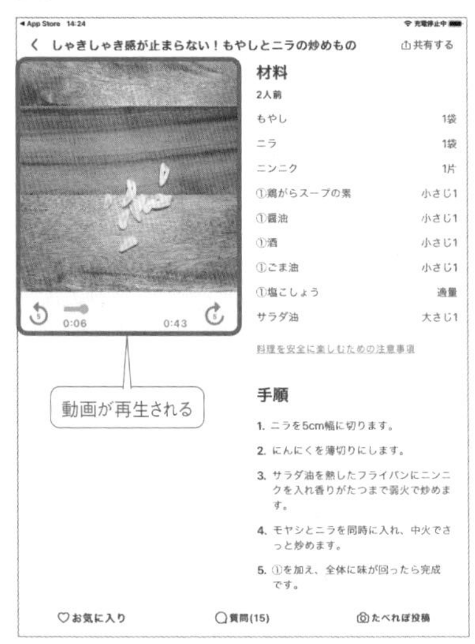

レシピの動画が再生される。調理過程から完成まで、しっかりと映像で手順を確認できる。

241 レシピ 旬の食材のレシピや食材知識を得られる「e食材辞典」

レシピだけじゃなく食材選びのポイントがわかる!

760以上の食材を収録し、3,900以上のレシピを動画などでもチェックできるレシピアプリ。特徴的なのが、食材を購入する際の選び方のポイント、調理法、保存方法、食材の特徴、品種や由来など。さまざまな情報を確認できるところ。お料理や食材への理解度が深まるので、「食育」的な側面があるアプリとなっている。

App

e食材辞典 for iPad
販売元／DAIICHI SANKYO COMPANY, LIMITED
価格／無料

1 テーマごとに食材を選択

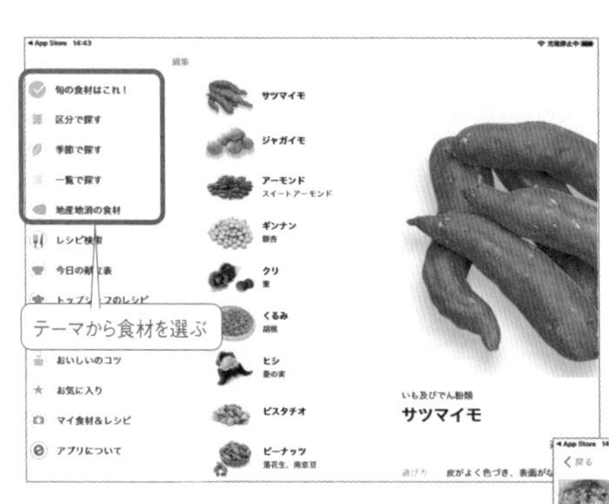

リストからテーマごとに食材を選ぼう。まずは「旬の食材はこれ!」から、季節の食材を選ぶといい。

2 レシピの動画をチェックする

レシピは材料・手順に加えて、YouTube動画を通じて作り方をチェックすることができる。

242 ダイエット 体重の変化を可視化する

体重を入力するだけ! 習慣づけが簡単なダイエットアプリ

ダイエットでつまづきやすいのが、習慣づけの失敗。体重に加えてカロリーを事細かく記録するというアプリもあるが、「SmartDiet」は体重(+体脂肪)の記録だけで良いのがポイント。手軽に体重の変化を入力でき、グラフとして可視化できる。この手軽さなら誰でも継続できるはずだ!

App

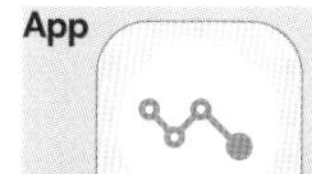

SmartDiet
作者名／Komorebi Inc.
価格／無料

1 体重を入力する

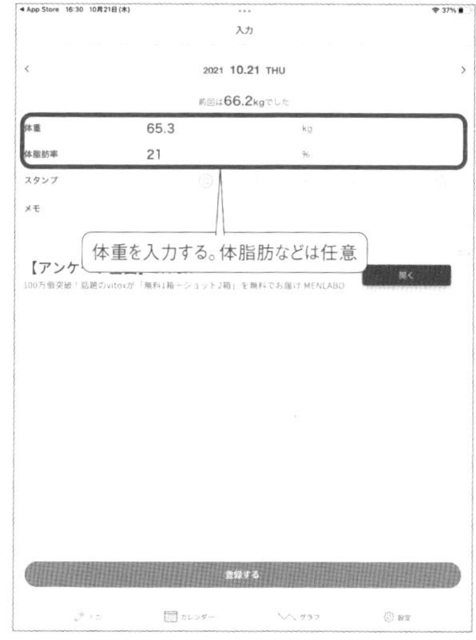

やることは体重を入力するだけ。体脂肪やスタンプ、メモなども入力できるが必須ではない。

2 体重変化をグラフとしてチェックできる

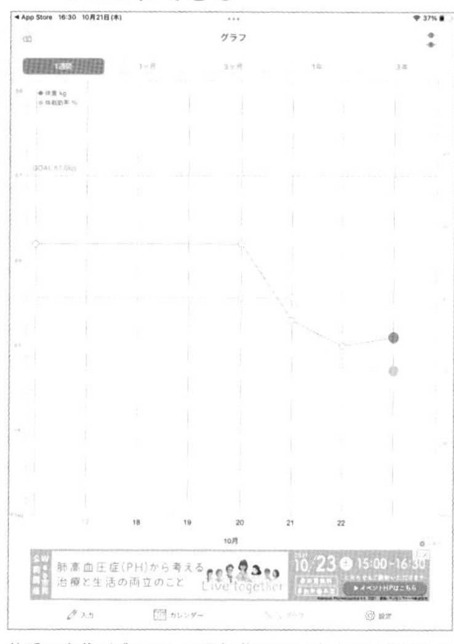

体重の変化がグラフとして可視化される。減っていく様子を見るとモチベーションアップにつながるはずだ。

243 ショッピング 近所のチラシをiPadで見る

マスト!

オンラインで広告チラシを閲覧できる

最近は新聞を取らない家庭も増えているが、そのような人でも地域の折り込みチラシを閲覧することができるアプリ。GPSや郵便番号などで地域のチラシを探すことができる。じっくり見たいチラシだけを選り分ける作業があるのも面白い。このアプリでセール情報を逃さないようにしよう!

App

シュフーチラシアプリ
作者／ONE COMPATH CO., LTD.
価格／無料

1 チラシをダウンロードする

起動したらGPS情報を元にしてマイエリアを設定。周囲のチラシが一覧表示されるので見たいチラシをタップしよう。

2 チラシを閲覧する

チラシは見やすいように拡大・縮小で動かせる。裏面がある場合は下部の「めくる」をタップするとひっくり返すことができる。

翻訳

244 旅行先で便利なリアルタイム翻訳を使おう

海外旅行で効率よくコミュニケーションをとるのに便利な翻訳アプリ。翻訳先の言語を指定した後、iPadのマイクに向かって話しかけると翻訳を表示してくれ、また音声で読み上げることも可能だ。さまざまな言語が利用でき、旅先での安心感につながるアプリ。

App

音声翻訳 & 音声通訳
作者／Apalon Apps
価格／無料

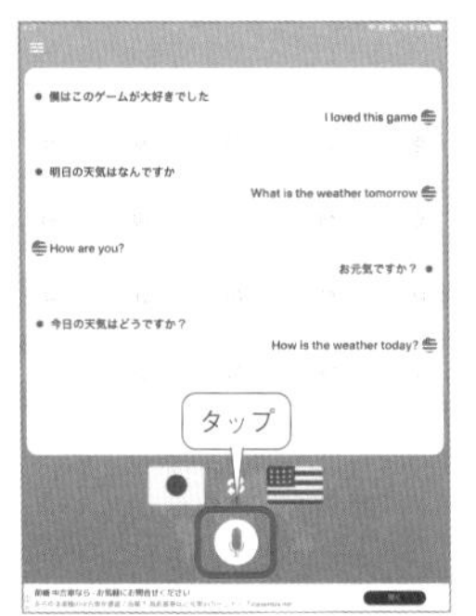

スピーカーマークをタップして音声入力。入力後、指定された言語に変換して読み上げられる。

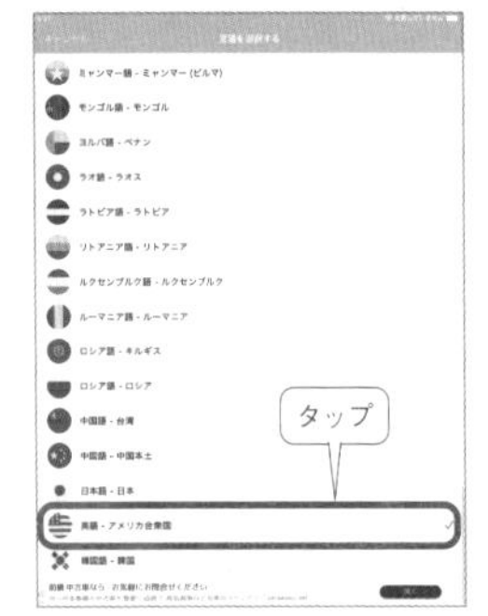

言語の変更は国旗マークをタップ。さまざまな言語が用意されている。

翻訳

245 英語の看板や文書をリアルタイムで日本語に翻訳する

定番翻訳アプリとして人気の「Google翻訳」ではリアルタイム翻訳機能が利用できる。iPadのカメラで英語テキストを写すだけで自動で日本語翻訳してくれる。翻訳精度も高く、英語の文書であれば十分に意味が通じるように日本語へと変換してくれる。特に海外旅行でショッピングをするときなどに役立つだろう。

App

Google翻訳
作者／Google,Inc
価格／無料

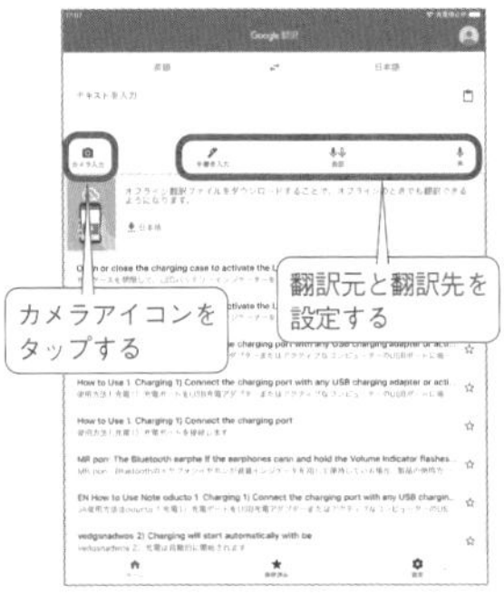

起動したら翻訳元を「英語」に、翻訳先を「日本語」に設定する。カメラアイコンをタップする。

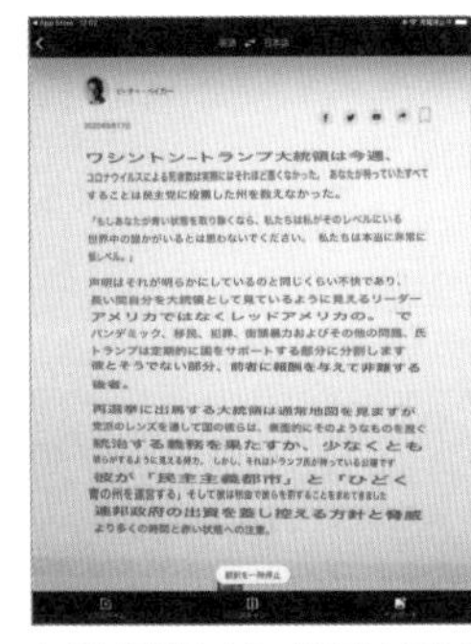

カメラが起動したら、英語テキストをかざしてみよう。自動的に日本語に翻訳される。

翻訳

246 メニューやトリセツを翻訳して内容をコピーする

海外旅行では、レストランのメニューやホテル備品の説明書を翻訳して「メモ」にテキストとしてコピーしておくと、内容をすぐに確認できて便利。この場合も「Google翻訳」を使おう。「スキャン」モードで文字を撮影。指でドラッグした範囲を認識・翻訳してくれる。

App

Google翻訳
作者／Google, Inc.
価格／無料

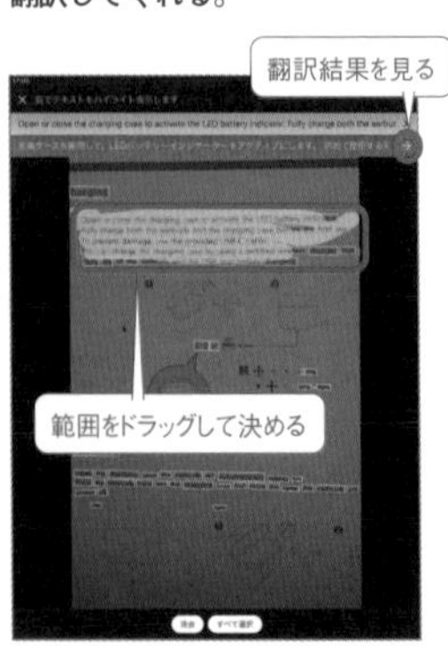

「カメラ入力」→「スキャン」とタップし、文字を撮影。翻訳範囲度をドラッグで指定する。

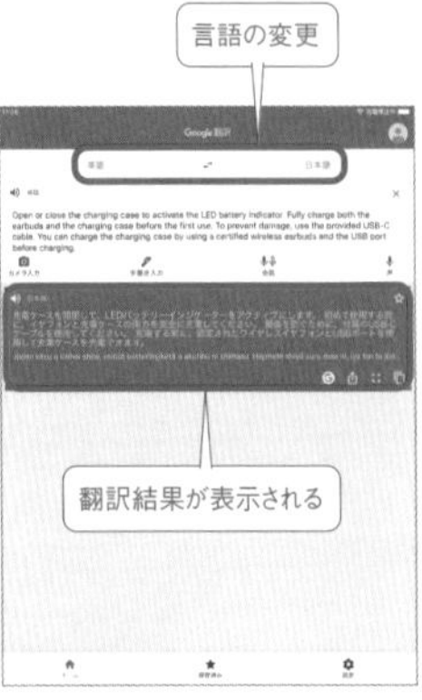

翻訳結果が表示される。テキストで表示されるので、コピーなども可能だ。

学習

247 算数の宿題の丸付けをAIで自動化する

中学年～高学年になってくると、子供の宿題の丸付けも一苦労。計算するだけで時間がかかってしまうが、「CheckMath」を使えば一瞬。カメラでスキャンするだけで、正解・不正解をチェックしてくれる。家事や仕事で忙しい合間の宿題チェックに、必携のアプリだ。

App

CheckMath
作者名／Beijing Yuanli Education Science and Technology Co., Ltd.
価格／無料

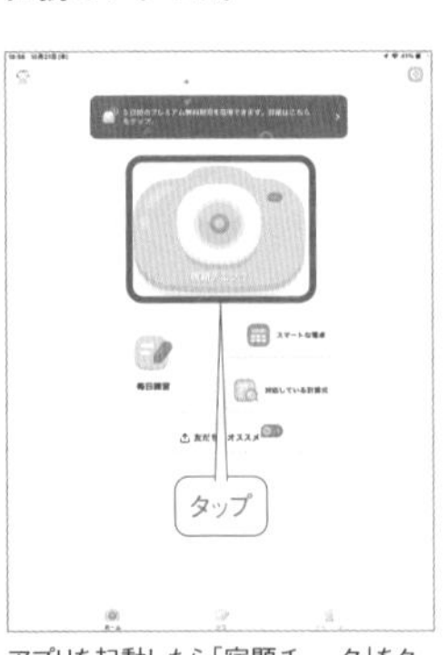

アプリを起動したら「宿題チェック」をタップし、iPadのカメラで宿題のプリントを撮影する。

間違っている問題にチェックが付く。タップすると正解もわかる。

正解・不正解を瞬時にチェックし、間違っているものにはチェックマークが付く。

248 iPad管理 スクリーンタイムで自分のアプリ利用時間を調べる

iPadの用途や利用時間を簡単に確認できる

どれだけ端末を操作していたか？どのアプリを操作していたか？といった画面を見ている時間をチェックできるのが「スクリーンタイム」機能だ。これは端末を使っている間、自動的に計測され、通知センターや「設定」→「スクリーンタイム」から確認することができる。「すべてのアクティビティ〜」からはiPadを持ち上げた回数まで知ることができる。また、iPhoneとiPadなど、複数の機器を所有している場合は、「デバイス間で共有」をオンにしておくと、全てのデバイスの時間が合計されたデータを確認できる。

1 スクリーンタイムをチェックする

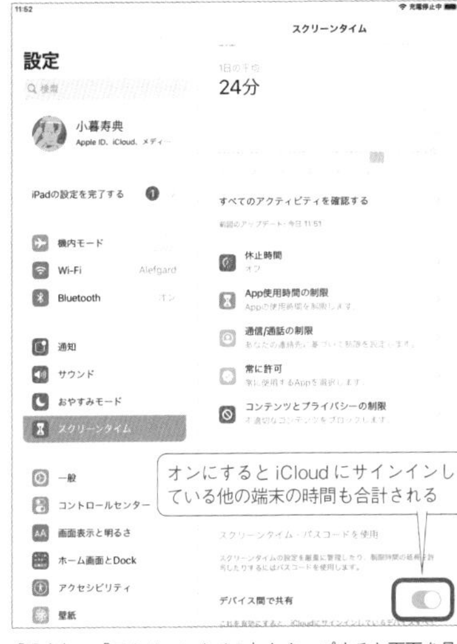

「設定」→「スクリーンタイム」とタップすると画面を見ていた時間（スクリーンタイム）を確認できる。

2 アプリの利用時間を確認する

手順１で「すべてのアクティビティを確認する」名をタップすると、「週」や「日」ごとの時間、利用アプリを確認できる。

249 iPad管理 子供のアプリ利用時間をスクリーンタイムで管理!

使いすぎ注意! 子供が利用できる時間を決める

子供がYouTubeに依存しすぎて困っている。という声も聞くようになった。こうしたときは「スクリーンタイム」機能でアプリの利用時間を制限するという対処も取れる。「設定」→「スクリーンタイム」→「App使用時間の制限」→「制限を追加」とタップ。その後アプリのカテゴリを選び、「追加」をタップしよう。その後制限時間を設定すればいい。なお、ファミリーアカウントを設定してあれば、子供のアカウントの制限を管理することもできる。

1 制限するアプリのカテゴリを決める

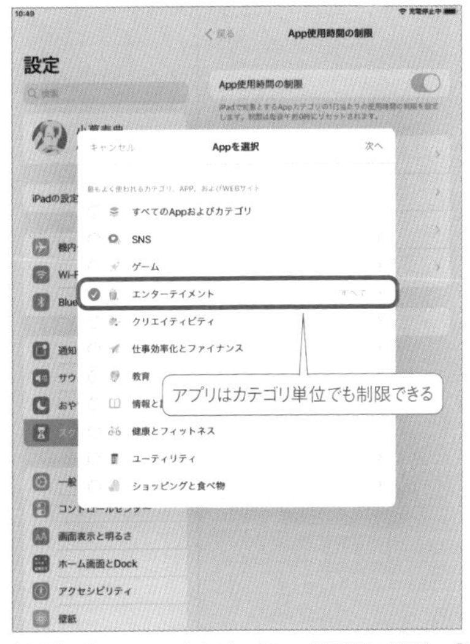

「設定」→「スクリーンタイム」→「App使用時間の制限」→「制限を追加」とタップ。アプリのカテゴリやアプリを選んで時間を決める。

2 ファミリーアカウントの制限を行なう

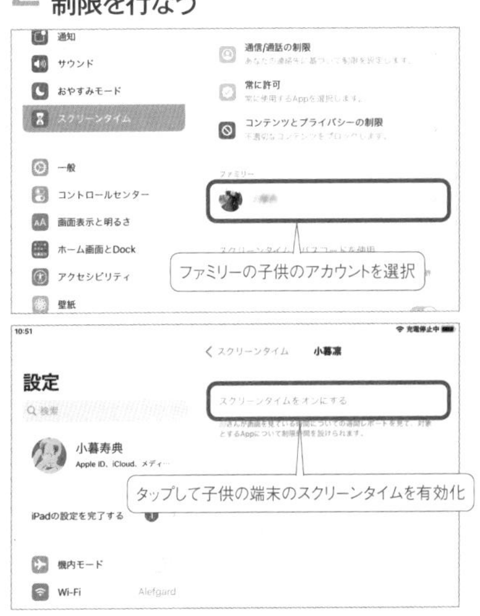

ファミリーの子供のアカウントをタップして選び、「スクリーンタイムをオンにする」をタップ。スクリーンタイムを有効化。アプリの制限時間などを設定していこう。

250 家計簿 口座やポイントの残高を一元管理できる

銀行口座の支出情報を自動インポート

自分の総資産の支出管理に便利なのが「Moneytree」だ。利用している銀行口座を入力すると預金残高情報をiPadにインポートして表示するだけでなく、出金や入金があるたびに自動で決済記録をつけてくれる。クレジットカードやポイントカードの決済記録も付けることが可能だ。

App

Moneytree
作者／Moneytree
価格／無料

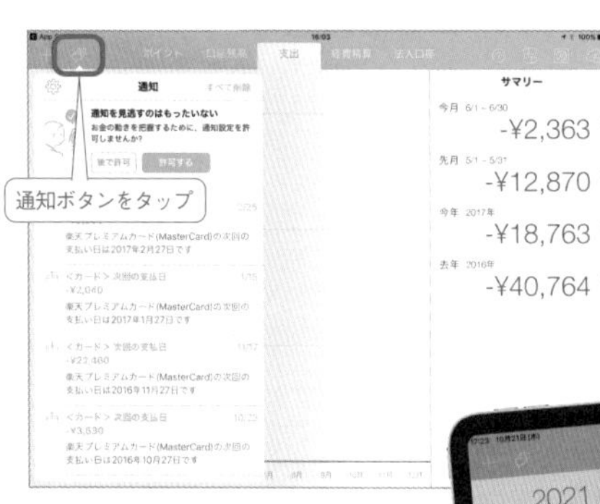

1 決済の通知

登録した口座で決済が発生すると、左上にある通知画面で決済の詳細取引を通知してくれるので、自分で口座にログインする必要はない。また、月に1回、前月の収支内容をまとめたレポートが届き、月ごとの収入と支出のバランスをひと目で確認できる。

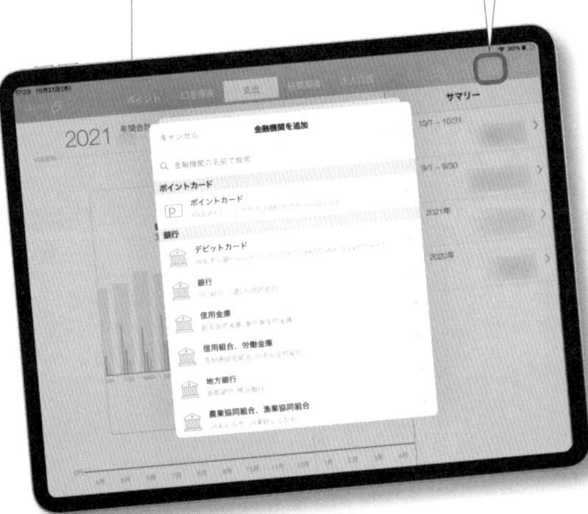

2 口座の登録

インポートする口座情報を登録するには、右上にある設定ボタンをタップしよう。銀行口座だけでなく、クレジットカードやポイントカードの登録もできる。

251 確定申告 確定申告の準備もiPadならラクラクできる

家計簿を付けるようにラクラクと記帳ができる

「Taxnote」は、勘定項目と金額を指定するだけで、簡単に記帳が行えるアプリ。電卓のようなシンプルなデザインで、家計簿を付けるように仕訳帳の記帳ができる。作成した仕訳帳は「弥生会計」や「freee」などの会計ソフトのデータ形式で書きだすこともできる。無料版は月の入力数が15件と制限がある。

App

青色申告･白色申告の仕訳帳 Taxnote
作者／Umemoto Non
価格／無料

1 仕訳帳を作成する

起動後、下部メニューから「入力」を選択して入力する勘定項目をタップ。金額入力画面が現れるので、収支の金額を入力して「仕訳帳に記録」をタップしよう。

2 データを出力する

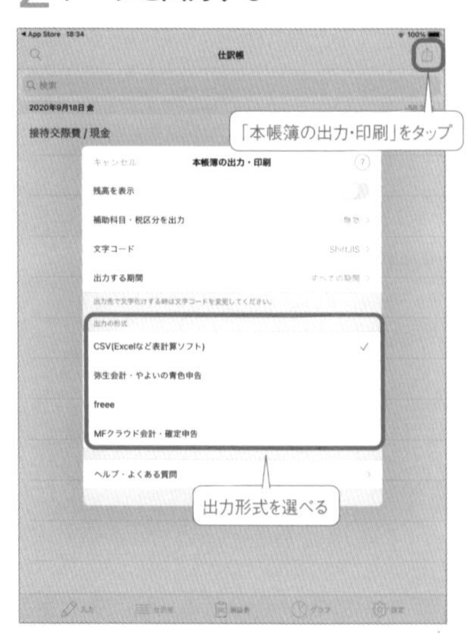

会計ソフトなどへ出力するには、「仕訳帳」画面でアクションボタンから「本帳簿の出力･印刷」をタップ。出力する形式・期間を選び「出力する」をタップしよう。

252 スポーツ セリエAやNBAなど世界中のスポーツが楽しめる動画配信サービス

月額1,925円で見放題 ドコモユーザーならさらにお得

「DAZN」はスポーツ専用の動画配信サービス。月額1,925円で、プロ野球、サッカー、バスケなどあらゆる世界中のスポーツ放送を視聴することができる。バスケであればNBA、サッカーであればセリエAなど、どのジャンルも見応えあり。なお、「年間プラン」だと19,250円と、月払いよりもおトクになる。

App
DAZN
作者／DAZN
価格／無料（月額1,925円〜）

利用するにはアカウント登録が必要だが、アカウント登録後30日間は無料で視聴でき、期間内にアカウントを退会すれば料金は発生しない。

年間1万試合以上のスポーツ中継をいつでも再生できる。DAZNはiPadだけでなく、スマホ、PC、ゲーム機などあらゆるデバイスで視聴可能だ。

253 Siri Siriを使ってスポーツの結果などを表示する

スポーツ観戦が好きな人にとって便利なのがSiriのスコア検索。野球の試合結果などを手軽に調べることができる。たとえば「プロ野球の結果」と話しかけると前日の試合結果を一覧表示でき、「プロ野球の予定」と話しかければ、今日のプロ野球の試合日程の一覧表示が可能だ。各球団の選手リストを一覧表示することもできる。ほかにも、Jリーグ、メジャーリーグ、サッカー欧州リーグ、アメリカプロバスケットボール、ナショナル・ホッケー・リーグなどにも対応。

「プロ野球の結果」と話すと前日のプロ野球の結果を一覧表示

球団名の後に「選手」と話すと、その球団の選手リストを表示

254 マスト! Siri 目的地までの道のりをSiriで素早くマップ表示する

経路検索アプリを使うときに煩わしく感じるのが、目的地名の文字入力。特にカーナビなど運転中など手が離せないときに不便だ。そこでSiriを使おう。Siriを起動して「○○に行くには?」「○○までナビ」と話しかけると、標準マップアプリが起動し、目的地までのルートを表示。さらにそのままカーナビ画面に自動で移行もしてくれる。「Hey Siri」機能とあわせて使えば、ハンズフリーでマップアプリの利用が可能だ。なお、車だけでなく交通機関の選択も可能だ。

Siriを起動したら「○○に行くには?」や「○○までナビ」と話しかけよう。

「マップ」アプリが起動して、ルートを表示してくれる。車、徒歩、電車やバスなど交通機関を使ったルートを切り替えて表示できる。

255 ナビゲーション Googleマップのストリートビューで世界中の名所を擬似ドライブする

ストリートビューで世界中の風景を楽しもう

「Google マップ」の優れている点は、マップ上のある地点をタップするとその地点を撮影した写真を立体的に視聴できる「ストリートビュー」機能。iPad を通して世界中の道路を擬似ドライブして楽しめるほか、世界の名所を巡ったり絶景を眺めることができる。一部の博物館や競技場、レストラン、お店といった施設の中の様子も見ることも可能なので、訪問先の店を事前にチェックするにも役立つだろう。

App

Googleマップ
作者／Google,Inc.
価格／無料

1 道路部分を長押しする

ストリートビューを表示したい道路部分を長押しする。次に左メニューからストリートビューの写真をタップする。

2 ストリートビュー画面を操作する

ストリートビュー画面に切り替わる。左右上下スワイプで方向を切り替えられる。画面をダブルタップすると前方に進む。

256 マップ マップで調べたスポットを「よく使う項目」に登録しておく

マスト!

よく行く場所は「よく使う項目」に保存する

「マップ」アプリを使っていて、よく開く場所がある場合は「よく使う項目」に登録しておこう。お気に入りの場所を、「よく使う項目」に登録するには、長押しでピンを立てた後に表示されるメニューから「よく使う項目に追加」(★の追加マーク)を選択すれば登録することが可能だ。登録した「よく使う項目」は検索メニューを展開すると呼び出せる。なお、「よく使う項目」に登録しておけば、前ページで紹介しているナビ機能を使って経路を調べることができる。

1 長押しでピンを立てる

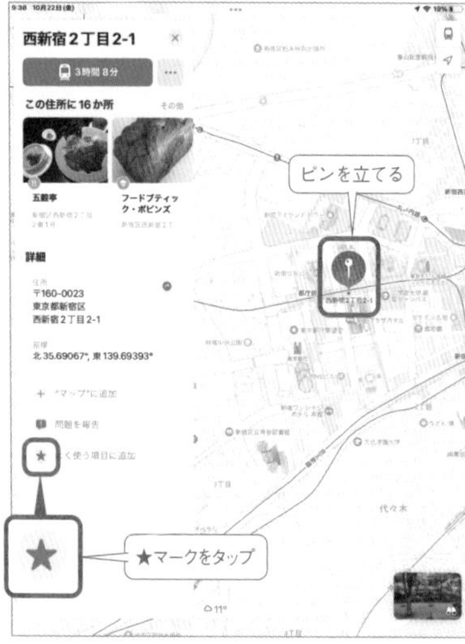

任意の場所を長押しするとピンが立つ。同時に表示されるメニューから「★」をタップして保存する。

2 「よく使う項目」を呼び出す

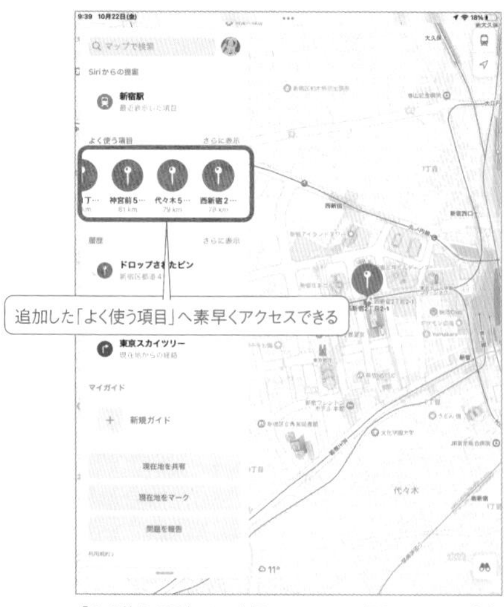

「よく使う項目」は、上部のメニューに収まっている。「すべて見る」ですべての保存場所を確認できる。

257 マップ 大幅にアップデートされた純正地図アプリを使いこなそう

バスや電車を利用したルート検索に対応 操作性も向上した「マップ」

iPadOS 15 での Apple 標準のマップは、ランドカバー（地形情報）が充実し、山なのか平野なのか市街地なのか、それらがひと目で判断しやすくなった。また車道や歩道の情報量も大幅にアップしている。インターチェンジなどの情報はもちろん、公園内の細い通路などもかなりカバーされている。

公共交通機関を利用した経路検索も、道路情報の充実に伴い、より正確になっている。出発地点（または現在地）と目的地を指定すれば、徒歩や自動車のルートだけでなく、電車やバスを利用した経路も表示してくれる。現在時刻と連動して直近の発車時刻を確認することもできる。

また今回のアップデートでは、従来からあった航空写真と通常の詳細地図のほかに、ドライブ用のマップと交通機関の地図が切り替えられるようになった。同じエリアを違った目的で見ることができる。特に使いやすいのはルックアラウンド（ストリートビュー）機能で、地図をある程度大きく表示すると右下に表示される双眼鏡アイコンをクリックするとマップと同時に街の鮮明な画像を見ることができる。

また圧巻なのは航空写真の3D表示だ。高低差がわかるのはもちろん、建物をあらゆる角度から眺めることができる。凄いのは東京、大阪の一部都市だけでなく、地方の市街の多くでも3D表示ができる点だ。時間を忘れて楽しめること間違いなしだ。

マップの便利な機能を使いこなそう

1 交通機関での経路を検索する

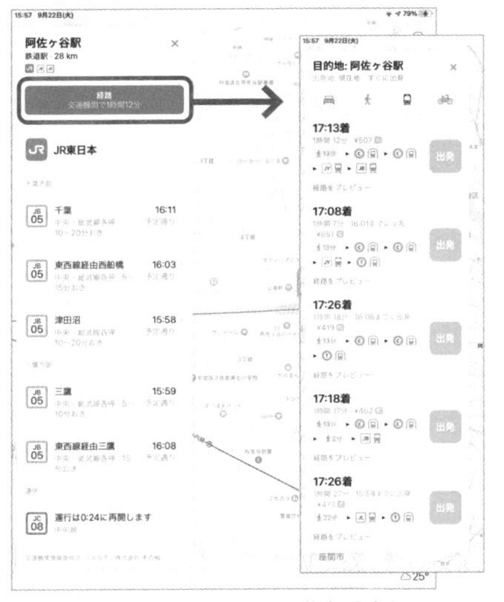

マップ画面左上にある入力フォームに目的地を入力するか、マップ上を直接タップする。目的地情報が表示されたら「経路」（車の表示になっている場合もある）をタップする。アイコンで車、徒歩、公共交通機関などから選択すればよい。

2 乗り換え駅や発車時刻もわかる

表示されたルートの「経路のプレビュー」をタップすると、その目的地までのルートの詳細が表示される。乗り換え駅名だけでなく区間の料金、乗車時間、現在時刻と連動した発車時間まで表示できる。

3 機能も細密度も向上した各マップ!

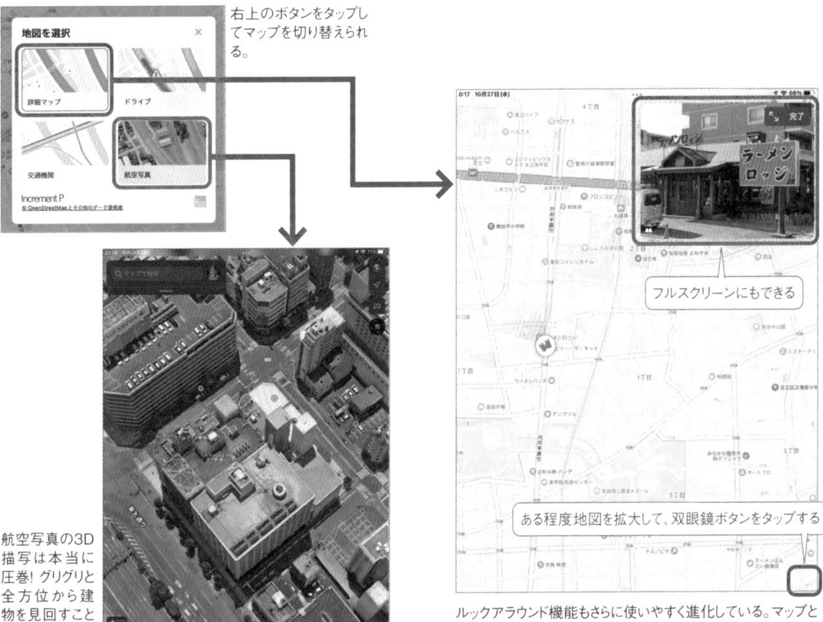

右上のボタンをタップしてマップを切り替えられる。

航空写真の3D描写は本当に圧巻! グリグリと全方位から建物を見回すことができる。

ルックアラウンド機能もさらに使いやすく進化している。マップと写真のヌメヌメとした連係が心地よい。

258 乗換案内 複雑な条件に対応できる最高の乗換案内は?

電車などの交通機関の乗換はアプリにお任せ

今では乗換案内アプリは、どのアプリの完成度も高いが、ここでは細部にまで配慮の行き届いた「乗換 NAVITIME」を紹介しよう。このアプリなら、路線図からのワンタッチ駅指定や、混雑度表示、乗降アラーム、交通費メモなど、あらゆる部分をキメ細かく活用できる。

乗換NAVITIME
作者/NAVITIME JAPAN CO.,LTD.
価格/無料 言語/日本語

1 出発駅と到着駅を指定して検索する

出発駅、到着駅を指定して検索を行うと、乗換案内が表示される。経由駅を指定することもできる。

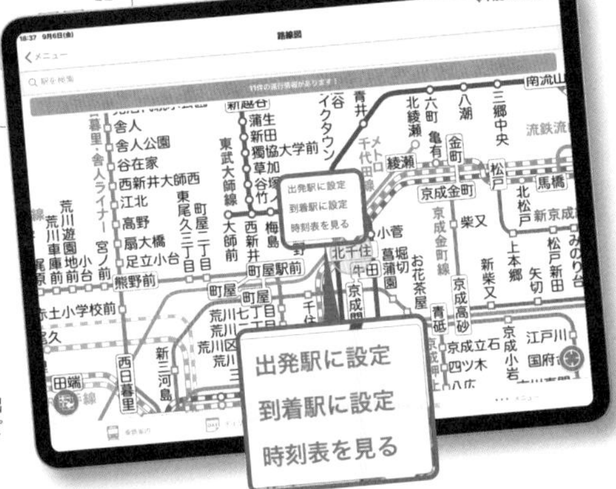

2 路線図から駅を指定する

画面上の路線図の駅をタップすれば、出発駅や到着駅を指定できる。路線図はピンチイン・アウトで拡大縮小が可能。

上級技

259 AR機能 使わないのはもったいない! 無料で使える3Dスキャンアプリ

本気で未来の到来を体感できるiPad ProのLiDARスキャナ!

2020年発売の最新iPad Proを所有しているならぜひ試して欲しいのが3Dスキャナアプリ。「3d Scanner App」なら無料で3Dスキャンを行い、結果をSTLやOBJファイルとして保存、PCでの加工も可能だ。自分の部屋全体をスキャンしたり、お気に入りの家具や趣味のものをスキャンして楽しめる。

App

3d Scanner App
作者/Laan Labs
価格/無料 言語/英語

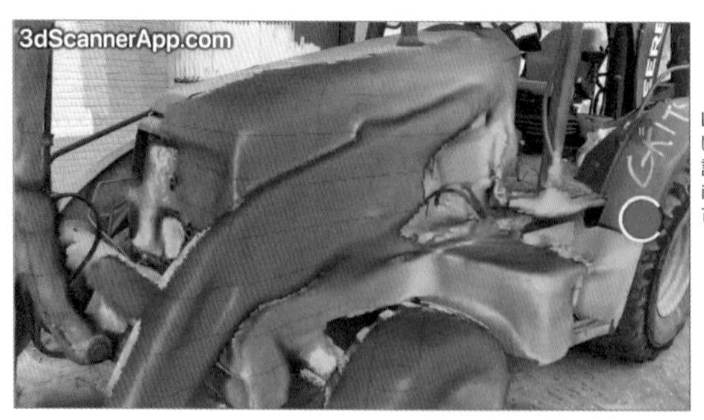

1 LiDARスキャナは凄い機能!

LiDARとは、光を発して、その光が物体に反射して戻ってくるまでの時間を測定して奥行きを計測できる機能。高精度なLiDARスキャナとiPad Proの高速CPUで、驚きの3Dスキャンが可能になる。

2 iPadの底知れぬ潜在力に驚愕!

この画像だけではあまりその凄さを実感できないかもしれないが、YouTubeで「LiDAR」やこのアプリ名で検索してみれば、その実力がわかるだろう。使いみちはどこにあるか、それも何度がスキャンを試してみればわかるかもしれない。なお、iPad Pro以外でもiPhone 12 Pro、13 ProでLiDARスキャナを使うことが可能だ。

260 計測 iPadでものの大きさ、距離が測れる「計測アプリ」

iPadのカメラと拡張現実技術で物体の長さを測定する

標準アプリの「計測」を使えば、iPadのカメラと拡張現実（AR）を利用して、物体のおおよその長さを測ることができる。アプリを起動したら測定したい部分の始点を決め、iPadを動かすだけで始点からの距離をインチとセンチメートルで自動的に表示してくれる。定規やメジャー代わりに利用するのもよいが、手の届かない高い場所にある物体の長さを測るときに役立つだろう。測定した距離の値はクリップボードにコピーできるほか、物体と計測値を収めた写真を撮影して保存することができる。

1 計測アプリを起動して距離を計測する

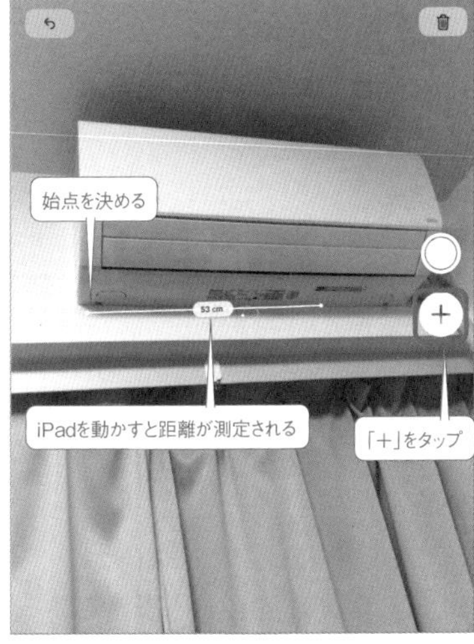

「計測」アプリを起動したら表示されるウィザードに従い、計測したい対象の始点を決め「+」をタップする。そのままiPadを動かすと始点から現在の画面の中心までの距離が表示される。

2 測定値をコピーする

表示された測定値をタップするとインチとセンチメートルで距離が表示される。「コピー」をタップするとクリップボードに選択している方の単位の測定値がコピーされる。

マスト! 261 Siri 素早くメモを取るならSiriに話しかけよう

メモもリマインダーもSiriを使って素早く登録できる

「メモ」アプリは便利だが、毎回新規作成画面を起動するのは煩わしい。簡単な内容であればSiriに話しかけたほうが効率よくメモを取れる。Siriを起動後、「メモする」と話した後に少し間を置いてメモ内容を伝えよう。

メモする内容を通知してほしい場合は、「覚えておいて」と話した後にメモ内容を話しかけよう。「リマインダー」アプリにメモ内容が登録され、指定した時刻に通知してくれる。メモやリマインダーを開くときも「メモを開いて」とSiriに伝えれば開いてくれる。

1 Siriを使って「メモ」を登録

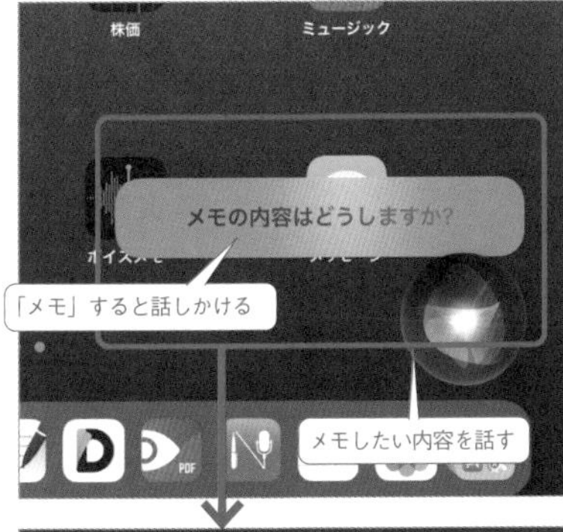

Siri起動後「メモする」と話しかける。しばらくしてメモ内容を話すと、「はい、メモを追加しました」という声とともにメモアプリに内容を記録してくれる。

2 Siriを使ってリマインダー登録

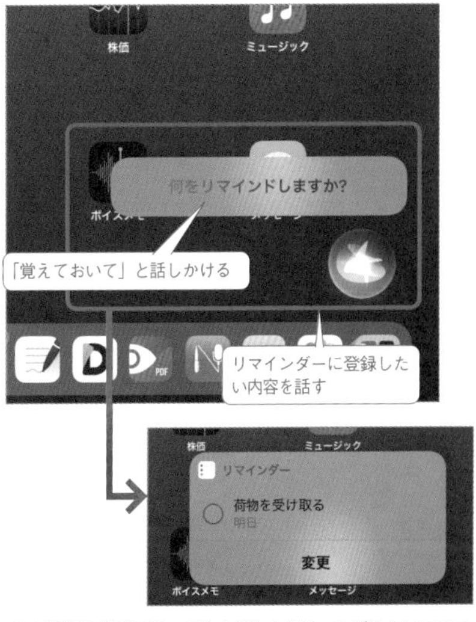

Siri起動後「覚えておいて」と話しかける。しばらくしてリマインドしたい内容を話すと、「わかりました」の声とともにリマインダーアプリに内容を記録し、あとで通知もしてくれる。

世界地図

262 世界各国の形や配置が覚えられるパズル

ジグソーパズル感覚で世界の国を覚えることができるゲーム。子供はもちろん、大人でも世界の国々の形や配置はなかなか頭に入らないものなので、空き時間にゲーム感覚で楽しむのに向いている。

とても始めやすい、主要20カ国をランダムにピックアップした「クイック」をはじめ、「エリア」「サッカー強豪国」「人気海外旅行先」「コーヒー豆産地」などモードを選ぶことができ、飽きずに繰り返し楽しめる。境界線のない「エキスパート」モードも非常にマニアックで面白い。

App

あそんでまなべる
世界地図パズル
作者／Digital Gene
価格／無料　言語／日本語

上級技

Touch ID

263 家族でiPadを共有する場合Touch IDは全員分を登録しよう

家庭内で一台のiPadを共有している場合、ロック解除のたびに所有者がTouch IDで解除するのは面倒だ。そこで、iPadを使用するユーザーの指紋を全て登録しておけば、ロック解除の手間が大幅に軽減する。指紋データは最大5つまで登録できるので、十分対応できるだろう。

ただしTouch IDはiPadのロック解除だけでなく、ストアでの買い物にも使用できるので、特に子供が勝手に課金しないように、設定>「Touch IDとパスコード」で「Apple Pay」と「iTunes Store と App Store」をオフに設定しておこう。

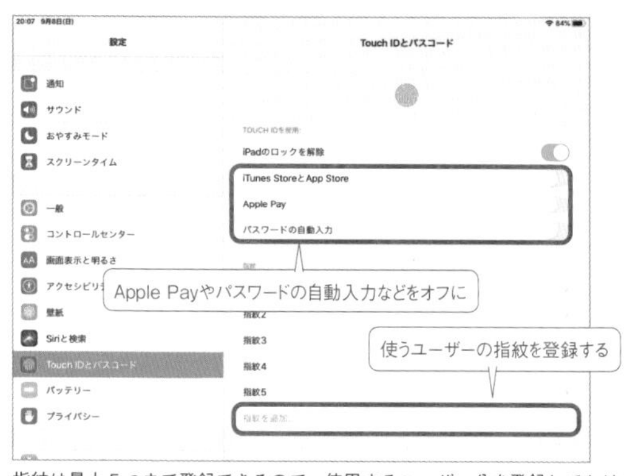

指紋は最大5つまで登録できるので、使用するユーザー分を登録しておける。Apple IDや設定の使い分けはできないので注意しよう。

マスト!

メモ

264 ロック画面からPencilですぐにメモできる!

Apple Pencilでは、ロック状態のiPadを「トン」と軽くタップするとすぐにメモが起動してメモをとることができる「インスタントメモ」機能がある。ロック解除の必要がないのと、どのメモを開くのか考えなくていい点が便利だ。開くメモの画面は、常に新規メモにするか、最後に開いたものと同一にするか選択できる。最後に開いたものにする場合は、最後にメモをとったあとの経過時間によって、新規にするか同じメモにするかも選択できる。

Apple Pencilで軽く画面を「トン」もしくは「トントン」とタップしよう（あまり強く叩きすぎないように）。すぐにメモアプリが開いてメモがとれる。

「設定」→「メモ」→「ロック画面からメモにアクセス」でオンにして、「常に新規メモを作成」か「最後のメモを再開」を選ぼう。

iPad管理

265 子供たちに触らせたくない部分を指定してロック

飲み込みの速い子供は、タブレットなどのデバイスをすぐに使いこなせるようになるが、反面、あまり好ましくないアプリを起動したり、危険なサイトや動画を見てしまう可能性もある。そんなときに役立つのが、アプリの「コンテンツとプライバシーの制限」だ。これを設定すると、指定したアプリを起動するのにパスコードを設定したり、推奨年齢が定められたアプリの起動を許可しないようにすることができる。お子さんのいる家庭で、家族全員がiPadを使用するような場合には、ぜひ設定しておくといいだろう。

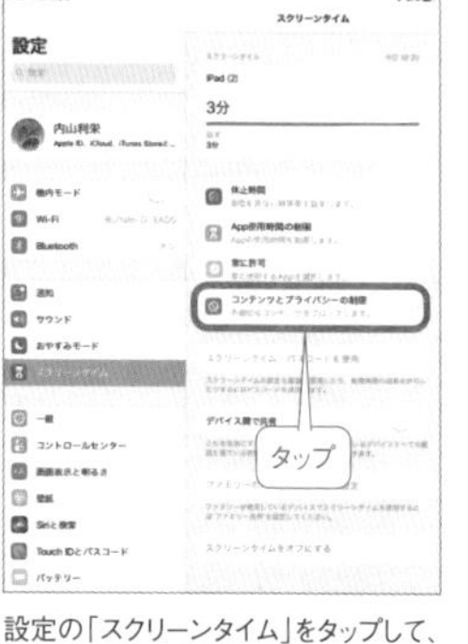

設定の「スクリーンタイム」をタップして、「コンテンツとプライバシーの制限」をタップする。

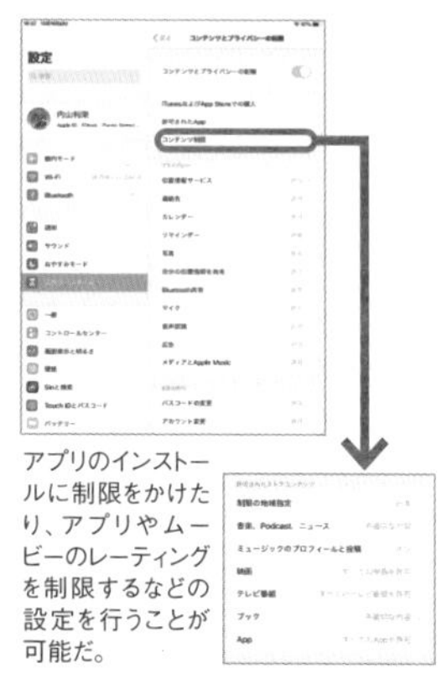

アプリのインストールに制限をかけたり、アプリやムービーのレーティングを制限するなどの設定を行うことが可能だ。

SECTION 08 トラブル解決とメンテナンス

iPadを紛失してしまったときや、フリーズさせてしまったとき、起動しなくなってしまったとき、容量やアプリのトラブルなどに、安全に対処するための解決法を解説!

266 Apple Pencil Apple Pencilが認識されないときは?

ペン先の緩みやiPadとの世代があっているかチェックしよう

充電に問題ないのにApple Pencilが突然反応しなくなるときがある。その場合、次の点をチェックしよう。今まで使えていて突然反応しなくなった場合によくあるトラブルはペン先の緩みだ。ペン先をしっかり締め直してみよう。また、一度iPad、もしくは使用しているアプリを再起動すると反応するようになることもある。

新しいiPadに買い替えたときに使えなくなってしまった場合は、iPadと互換性のないApple Pencilを使っている場合が多い。自分の利用しているiPadとApple Pencilが互換性があるかチェックしよう。

1 ペン先の緩みをチェック

ノートアプリなどの手書きアプリを使っていてよく発生するのがペン先の緩み。バッテリーが残っている場合は、ペン先が緩んでいないかチェックしよう。また、以前使ったもののしばらくPencilを使っていない場合は「過放電」状態になっていることもあり、充電が3%ほどで終わってしまう症状が現れる。この場合は丸1日ほど充電し続けることで復活する場合もあるが、直らない場合もある。気をつけよう。

2 Apple PencilとiPadの互換性をチェック

Googleで「Apple Pencil　世代」と検索し、「あなたのiPadで使えるApple Pencilはこちらです」のページにアクセスして、互換性をチェックしよう。

267 充電 iPadの充電回数をチェックするには?

iPad解析を共有を有効にして解析データを調べる

iPadを中古でフリマなどに売るときに重要になるのが充電回数。充電回数を記載しないとうまく売れなかったり、クレームが来たりしてトラブルになりがち。iPadの充電回数を調べるには「設定」アプリから「プライバシー」→「解析および改善」を開き「iPad解析を共有」有効にしよう。その後に表示されるメニューで「解析データ」をタップすると表示される文字列から「log-aggregated〜」を探そう。その文字列をタップすると充電回数がわかる。なお、有効後、しばらく経過しないとこの文字列は表示されないので注意しよう。

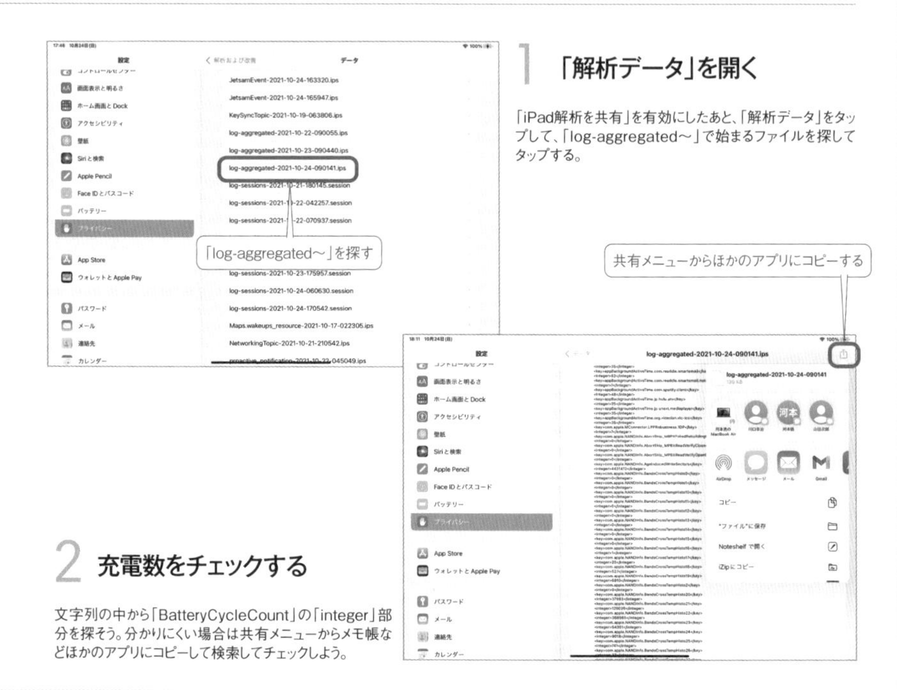

1 「解析データ」を開く

「iPad解析を共有」を有効にしたあと、「解析データ」をタップして、「log-aggregated〜」で始まるファイルを探してタップする。

2 充電数をチェックする

文字列の中から「BatteryCycleCount」の「integer」部分を探そう。分かりにくい場合は共有メニューからメモ帳などほかのアプリにコピーして検索してチェックしよう。

268 購読 サブスクリプションの契約を解除するには?

購読しているアプリの支払いを管理する

App Storeでダウンロードするアプリの中には、定期ごとに自動引き落としされる購読型のアプリがある。代表的なのはApple MusicやiCloudストレージだ。購読しているアプリの購読の解除を行うにには、iPadの「設定」アプリの「アカウント」画面にある「サブスクリプション」メニューをタップしよう。

現在、または過去に購読したアプリが一覧表示される。購読中のアプリを選択して、購読を解除しよう。また、ここでは逆に新たに購読しなおしたり、購読プランの変更も行える。

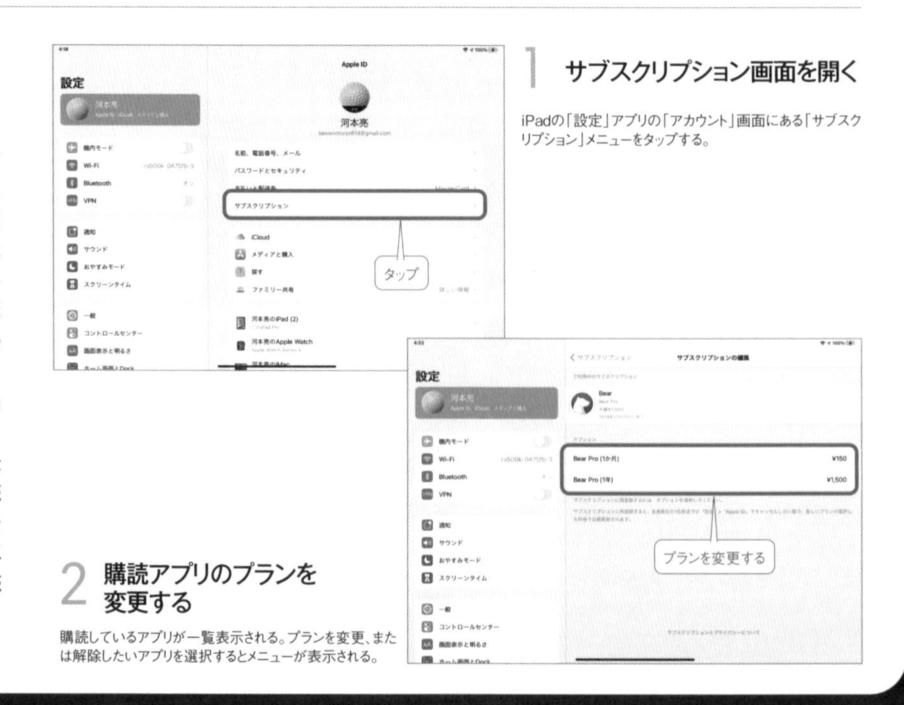

1 サブスクリプション画面を開く

iPadの「設定」アプリの「アカウント」画面にある「サブスクリプション」メニューをタップする。

2 購読アプリのプランを変更する

購読しているアプリが一覧表示される。プランを変更、または解除したいアプリを選択するとメニューが表示される。

バックアップ

269 iPadのバックアップをiCloud上に作成する

「iCloudバックアップ」をオンにすると、iPadが電源接続/ロック/Wi-Fi接続された時に、写真をはじめ各種データが自動バックアップされる。「今すぐバックアップを作成」をタップすれば、手動ですぐバックアップすることも可能だ。またMacのパソコンにもバックアップを作成しておきたい場合は、ミュージックのデバイス管理画面で「一般」タブを開き、「今すぐバックアップ」を実行しておこう。

iPadの「設定」画面を開き、「Apple ID」→「iCloud」で「iCloudバックアップ」を有効にしよう。Wi-Fi接続時のみ自動でiCloudにバックアップされる。

Lightningケーブル

270 Lightningケーブルを無料で交換する方法

iPad購入時に同梱されているLightningケーブルは、iPadを充電したりパソコンと接続してデータのやり取りを行うための大切なものだが、耐久性が低くすぐにちぎれてしまうのが問題だ。新規に購入して買い換えるのもよいが、1年以内に購入したiPadであればアップルで無料で配送交換することが可能だ。iPadのシリアル番号をチェックし、アップルのサポートサイトにアクセスして交換手続きを行おう。

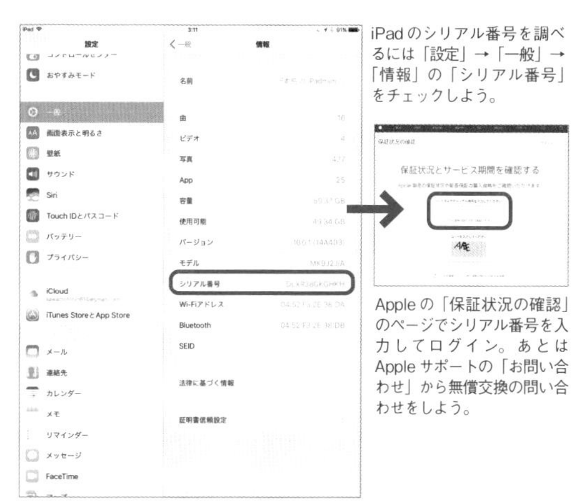

iPadのシリアル番号を調べるには「設定」→「一般」→「情報」の「シリアル番号」をチェックしよう。

Appleの「保証状況の確認」のページでシリアル番号を入力してログイン。あとはAppleサポートの「お問い合わせ」から無償交換の問い合わせをしよう。

ストレージ

271 空き容量が足りなくなったらデータの一時削除

iPadOSでUSBメモリを扱いやすくなったものの、基本的には単体で使いたいもの。容量が足りなくなってきたら、何かを削除して空きスペースを作るしかない。同じApple IDで購入したアプリは、いつでも再ダウンロード可能なので、あまり使わないのなら容量が大きいアプリから順に削除しよう。自分でどの項目を削除していいかわからない場合は、「おすすめ」に表示される項目を優先的に削除しよう。設定の「一般」→「iPadストレージ」から行える。

おすすめの提案が表示される

手動でアプリを選択して削除する

設定の「一般」→「iPadストレージ」で、使用容量が大きい順にアプリが表示される。また前回使用した日にちも表示されるので削除の目安になる。不要なアプリをタップして削除しよう。

Lightningケーブル

272 ライトニングケーブルを切断から防ぐには?

Lightningケーブルは以前に比べると丈夫になったものの、根本部分がすぐに劣化して、中が剥き出しになり給電がうまくいかなくなる。ケーブルの損傷を事前に保護する簡単な方法としては、セロハンテープをケーブルの根本に巻きつける方法がある。これだけでもそれなりに切断を防ぐことができる。ほかに、ノック式ボールペンの中にあるバネをLightningケーブルの根本に巻きつけて保護するテクニックもある。使い切ったボールペンがあるならバネを巻きつけてみるといいだろう。

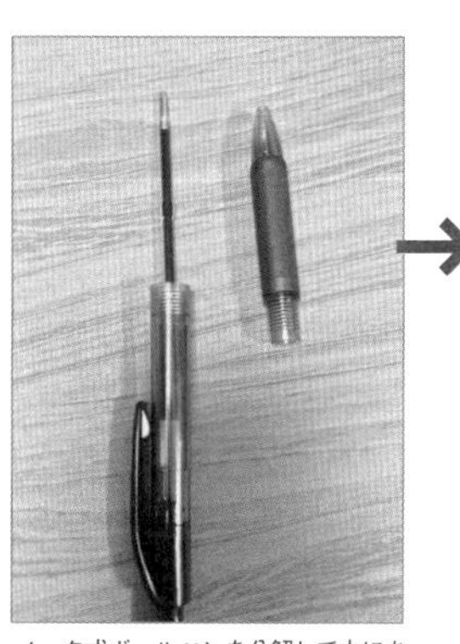

ノック式ボールペンを分解して中にある小さなバネを取り出す

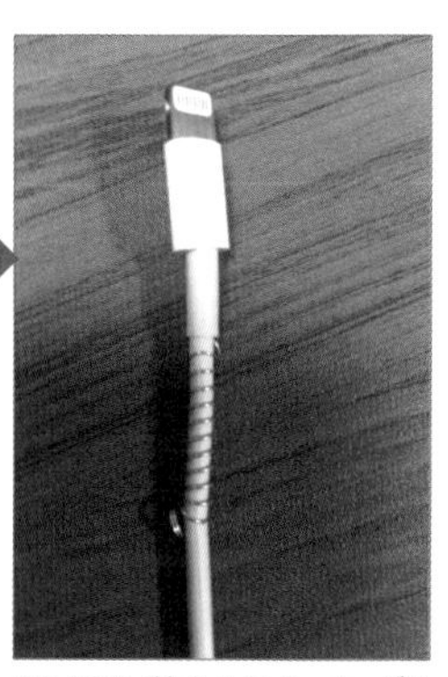

このようにバネをLightningケーブルの根本に巻きつけるだけでかなり根本が強化される。

マスト!

Siri

273 ロック画面でSiriを起動させないようにする

Siriはデフォルトだとパスコードロック中の画面でも起動でき、「私は誰？」などと聞くと自分の名前や住所を表示するほか、メール送信や連絡先の他のユーザー情報の閲覧も可能だ。これでは万一iPadを落とした際に個人情報が簡単に漏れてしまうので、パスコードロック中はSiriを起動させない設定にしておこう。パスコードロックを有効にしてから、「ロック中にアクセスを許可」の「Siri」をオフにすればOKだ。

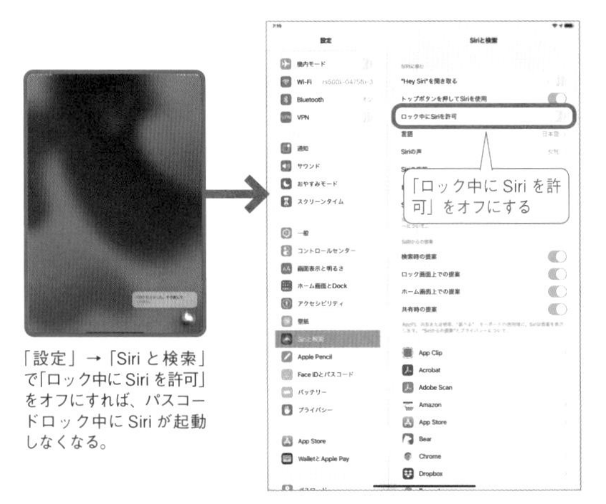

「設定」→「Siriと検索」で「ロック中にSiriを許可」をオフにすれば、パスコードロック中にSiriが起動しなくなる。

トラブル

274 アップデートしてアプリが起動しなくなったら

アプリのアップデートを実行したらいきなり起動しなくなった……という場合は、一度そのアプリを削除してしまうのが、もっとも早い解決方法だ。心配しなくても、同じApple IDでサインインしたApp Storeであれば、アプリの購入履歴が残っており無料でインストールし直せる。ただしアプリ内に自分で保存していた文書やメディアファイルはiCloudにはバックアップされないので、改めて自分で転送する必要がある。

アプリの長押しして「Appを削除」で一度アプリを削除してから、App Storeでそのアプリをインストールし直そう。

トラブル

275 インストールしすぎて目当てのアプリを探せない

アプリの数が増えてくると、いちいちページをめくってアイコンを探し出すのも一苦労だ。アプリ名がわかっているなら、標準の検索機能「Spotlight」を利用しよう。ホーム画面を下にスワイプすると検索画面が表示されるので、アプリ名を入力して検索。ヒットしたアプリ名をタップすれば、そのアプリが起動する。なおSpotlightではアプリのほか、連絡先やメール、WebやWikipediaなども検索できる。

ホーム画面を下にスワイプしてSpotlight検索を開いたら、キーワードでアプリを検索。検索結果のアプリ名をタップすれば、そのアプリが起動する。

トラブル

276 いざという時はアップルサポートを利用しよう

iPadで解決できないトラブルや不具合が発生したときは、Apple公式のトラブル対策アプリ「Appleサポート」を利用しよう。自分が利用しているApple製品を選択し、トラブル項目を選択すれば解決案を提示し、近くにある持ち込み修理可能なアップルストアを表示してくれる。アプリ上からスタッフに直接問い合わせることも可能だ。

起動すると利用しているApple IDと紐付けられたApple端末が表示される。iPadをタップするとさまざまなトラブルに関する項目が表示される。

アプリ上からAppleサポートとすぐにチャットを始めたり、電話で問い合わせることもできる。近くの持ち込み修理可能なストア検索もできる。

277 増設 iPadのストレージ不足を解消できるポータブルSSD

最初は余裕があったiPadのストレージも、使い続けているとすぐに不足しはじめる。USB-C型のiPadを使っているならストレージ容量を増やすには小型ポータブルSSDの導入を検討するといいだろう。おすすめはKEXINのポータブルSSDだ。値段は250GBで5,000円程度と非常に安価な上にサイズは64.5x27.9x9.9mmで重量はわずか23g。iPadを日常的に持ち歩いて使っている人なら邪魔にならないだろう。USB-C端子を標準搭載しているので、iPad ProやAir 4、mini 6のユーザーであれば拡張ハブを利用することもなくそのまま利用でき、読み取り速度は最大550mb/s、書き込み最大500mb/sなのでデータ転送も非常に速い。

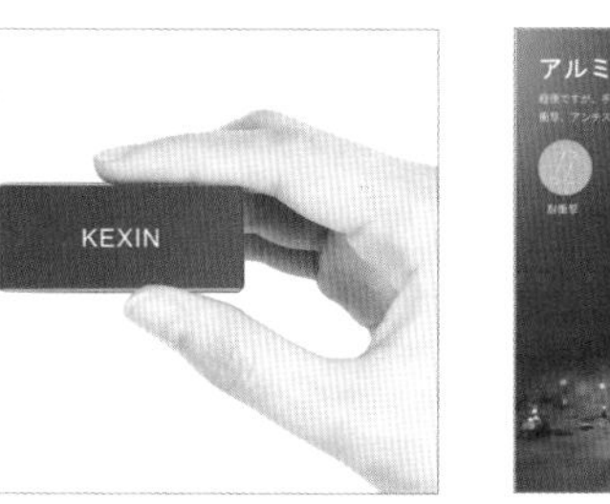

250GBのほか500GBや1TBサイズのポータブルSDDも用意されている。互換性が高くiPadのほかAndroid、Mac、Windowsでも利用できる。

アルミ合金のため優れた放熱性や耐衝撃性を持っているのも特徴。

278 Apple ID Apple IDのパスワードを忘れてしまったら?

もし Apple ID のパスワードを忘れてしまったら、iTunes Store アプリのトップ画面下にある Apple ID をタップ。「iForgot」をタップすると Safari が起動し、パスワードの再設定ページが開く。また、Apple ID 自体を忘れてしまった場合は「https://iforgot.apple.com/appleid」へパソコンからアクセスし、氏名やメールアドレスなどで検索して Apple ID を検索する。

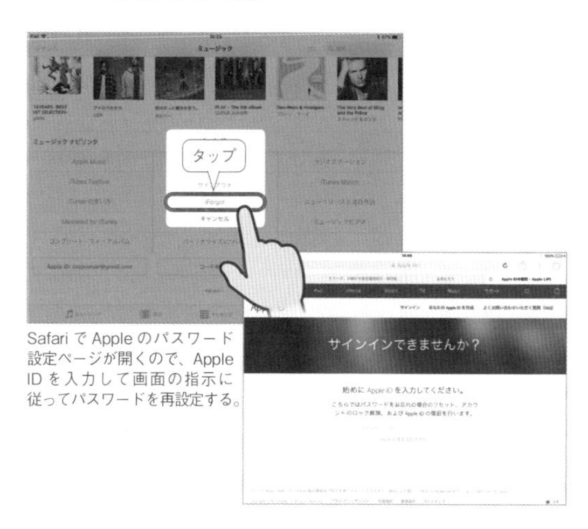

Safari で Apple のパスワード設定ページが開くので、Apple ID を入力して画面の指示に従ってパスワードを再設定する。

279 トラブル パスコードを忘れてしまった時は…

かなり大変! ミュージックで復元作業を行うしかない

iPad のパスコードを忘れて操作できなくなった場合は、パソコンと接続してミュージックを起動しよう。パスコードロックがかかった状態でも同期できるので、まず iPad の同期管理画面を開き、「一般」タブの「今すぐバックアップ」をクリック。現時点でのバックアップをパソコンに作成しておく。あとは「iPad を復元」を実行し、初期化されたのちに「このバックアップから復元」で先ほど保存したバックアップを指定すればよい。ただし、「iPad を探す」が有効になっていると復元はできない点は要注意だ。

1 iTunesでバックアップ&復元

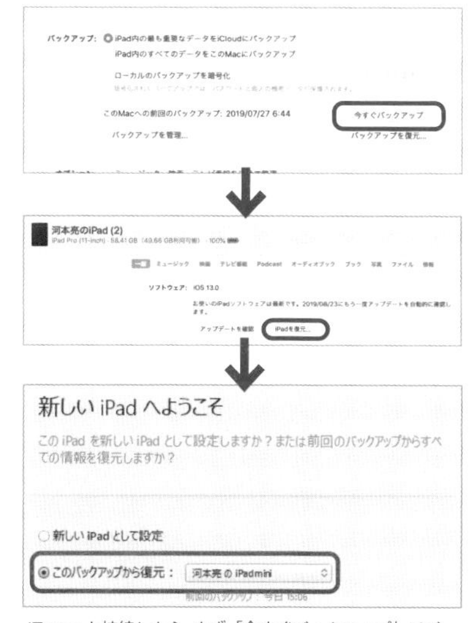

iTunes と接続したら、まず「今すぐバックアップ」でバックアップを作成してから「iPad を復元」を実行。直前に作成したバックアップから復元する。

2 パスコードがリセットされる

復元後はアプリ同期が開始されるのでしばらく待とう。元の環境に戻った上でパスコードが解除されており、「設定」からパスコードを再設定できるはずだ。

280 トラブル iPadをなくした時の対処をマスターしておこう

「iPadを探す」を有効にすれば紛失したiPadを探せる！

iPadをどこかに置き忘れても、「iPadを探す」機能さえ有効にしておけば見つかる可能性がグンとあがるので、設定を済ませておこう。まず「設定」→「Apple ID」→「探す」を開き「iPadを探す」を有効にする。また「プライバシー」→「位置情報サービス」をオンにして「位置情報の通知」を有効にしておこう、これで準備はオーケーだ。

実際にiPadを紛失した際には、ブラウザで「icloud.com」にアクセスして「iPhoneを探す」画面を開く。またはiPhoneなど手元にあるiOSデバイスで、「探す」アプリを使ってもよい。紛失したiPadがネットに繋がっていれば、現在地が地図上に表示されるはずだ。ただ、iPhoneと違ってiPadはネットに接続していない場合が多いので、設定では「"探す"ネットワーク」をオンにしておく方がいいだろう(画像参照)。iPadが「探す」の画面に現れたら「サウンドを再生」をクリックすればiPad側で警告音が鳴る。また「紛失モード」で取得者に向けた連絡先やメッセージを入力すれば、iPadにそのメッセージが表示される。紛失モードでは、パスコードロックを設定することも可能だ。さらにiPadの発見よりも情報漏えいの阻止が優先、という人は、「iPadの消去」で中身のデータを消して初期化することもできる。ただし位置情報も検出できなくなるので注意が必要だ。

「iPadを探す」の設定と紛失したiPadの探し方

1 iPadを探すをオンにしておく

あらかじめ設定の「Apple ID」→「探す」を開き、「iPadを探す」をオンにしておく。「位置情報の通知」を有効にするとバッテリー切れになる直前にメールで位置情報を送信してくれる。

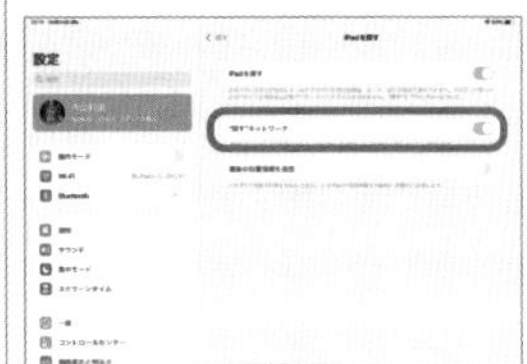

「Apple ID」→「探す」→「iPadを探す」と進み、「"探す"ネットワーク」をオンにしておくと、iPadがネットにつながっていなくても探せる確率が上がる。

2 icloud.comなどでiPadの位置を確認

iPadを紛失したら、icloud.comで「iPhoneを探す」を選択すると、紛失したiPadの現在地を地図で確認できる。または「iPhoneを探す」アプリでも探せる。

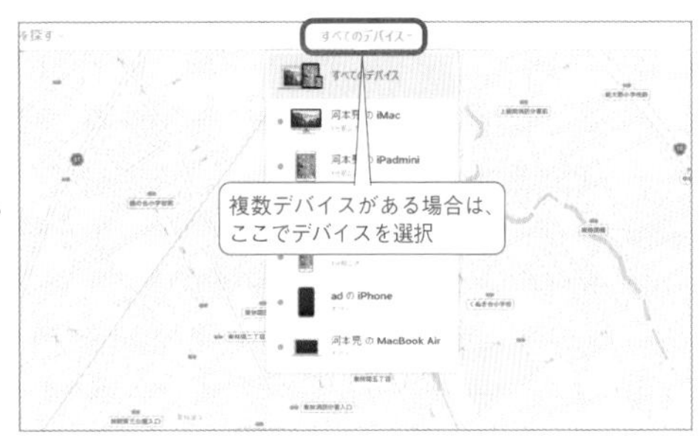

3 サウンド再生やパスコードロック

地図上に表示されている「サウンドを再生」を実行するとiPad側で警告音が鳴る。また「紛失モード」でパスコードの設定が可能だ。

4 紛失モードに設定

紛失モードでパスコード設定後、現れる入力画面で連絡先の電話番号を入力。iPadの画面に電話番号が表示されるようになる。

281 返金 問題のあるアプリの返金を要求するには?

「問題を報告する」ページで返金処理を行う

App Storeでダウンロードするアプリの中には、誤って購入したアプリや購入したもののバージョンが古くてうまく動作しないものもある。無料アプリであればそのままアンインストールしてしまえば問題ないが、有料アプリの場合は支払い分をきちんと取り戻したいもの。そんなときは、「問題を報告する」ページにアクセスしよう。このページでは、過去90日間の間にユーザーが購入したアプリに対する問題を報告することができる。間違って購入したアイテムの返金を申請したり、アプリの不具合のトラブルを報告して改善要請を出すことが可能だ。

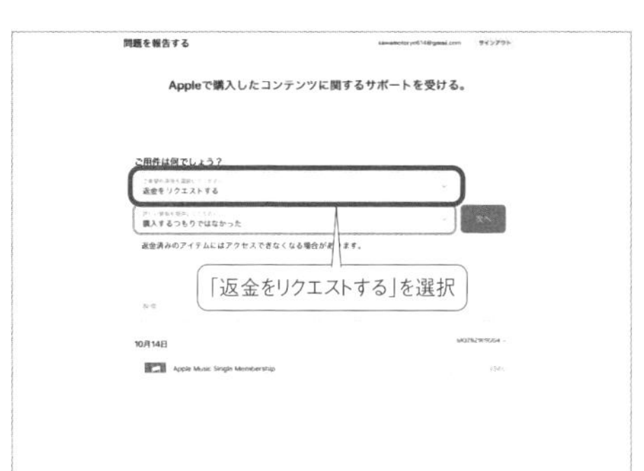

1 「問題を報告する」ページにアクセスする

Appleの「問題を報告する」(https://reportaproblem.apple.com/)というウェブページにSafariでアクセスして、Apple IDとログインパスワードを入力しよう。メニューから「返金をリクエストする」を選択して、返金理由を選択する。

2 返金リクエストのアプリを指定する

返金したいアプリにチェックを入れて、「送信」をクリックしよう。

282 トラブル 動作にトラブルが発生したときの対処方法

マスト!

アプリやiPad本体を再起動するのが基本

iPad を使っていて、特定のアプリの動作がおかしくなったり、また iPad 自体の動作が不安定になったときの対処の基本は「再起動」することだ。アプリの場合は、画面を閉じただけでは完全に終了せず、マルチタスクで動作中のままとなっている。アプリを完全に終了させるには、App スイッチャーから完全に終了させせよう。iPad 全体を再起動する場合は電源を長押しして電源オフを行おう。USB-C 型の iPad はトップボタンといずれか片方の音量ボタンを同時に長押しで、強制終了させることが可能だ。

1 Appスイッチャーからアプリを終了

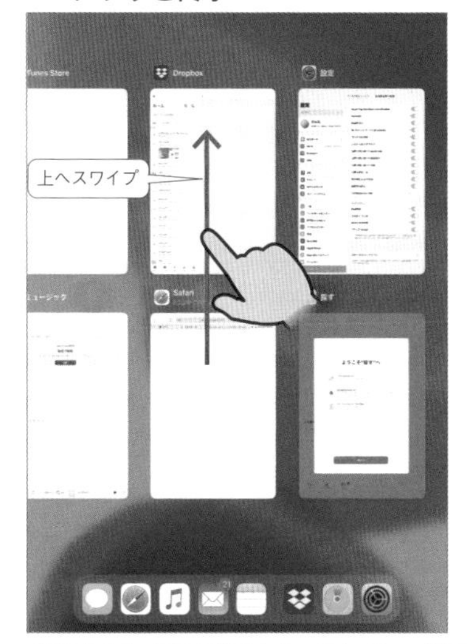

画面下から上へスワイプすると App スイッチャーが起動するので、終了したいアプリを選び、上へスワイプしよう。これでアプリを完全終了できる。

2 iPadを再起動

ホームボタンがある iPad を再起動するには電源ボタンを長押しし、表示される電源オフ画面でスイッチを右へスライドすればよい。

283 トラブルシューティング 液晶が割れてしまったりヒビが入ってしまったら?

Apple Care+の保障が効くか調べてから対処しよう

iPadの液晶にヒビが入ってしまったら、一般修理業者に出すと法外な値段をとられる上、個人情報の流出にも不安だ。安全性を重視するならAppleサポートに依頼しよう。購入後1年以内なら無償になる可能性があり(故意の事故でない場合)、ほかに「AppleCare+ for iPad」に加入していれば割安の4,400円で修理に出すことができる。保障が有効かどうかは「Appleサポート」で簡単にチェックできる。

App

Appleサポート
価格:無料　作者:Apple

1 Apple Care+の保障を確認する

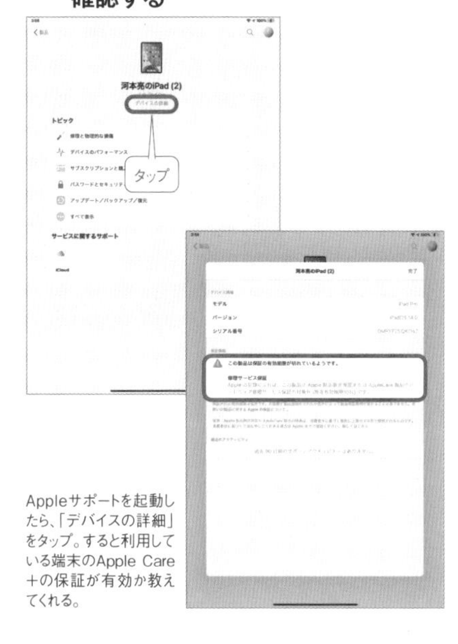

Appleサポートを起動したら、「デバイスの詳細」をタップ。すると利用している端末のApple Care+の保証が有効か教えてくれる。

2 Apple正規の修理店舗を探す

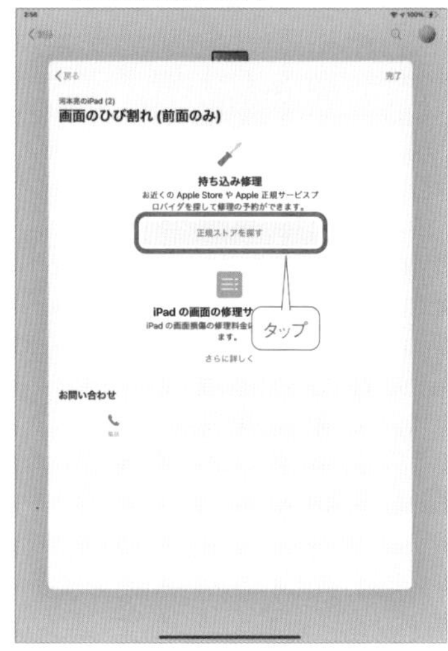

トップ画面で「修理と物理的な損傷」をタップして「正規ストア」をタップすると周辺位置情報を使って修理可能なApple正規ストアを探し、予約もすることができる。

284 トラブルシューティング 画面が真っ暗になりiPadが反応しなくなった

バッテリー切れやフリーズが原因の可能性

iPadを触ると画面が真っ暗で、何も反応しないときがある。原因としてまず考えられるのはバッテリー切れだ。バッテリー切れで真っ暗になっている場合は充電をしよう。充電器に差し込むと一瞬だけ、赤いバッテリーマークが表示され、その後いったん消え、10分ほどすると緑色の充電マークが表示される。バッテリー切れが原因でない場合はフリーズの可能性がある。フリーズの場合はiPadを強制終了して再起動することで回復することが可能だ。

1 バッテリー切れの疑い

バッテリー切れが原因のときは充電器に接続しよう。赤いバッテリーアイコンが表示され、しばらく経つと真っ暗になり、10分程度すると通常の緑のバッテリーアイコンに戻る。

2 システムフリーズの疑い

フリーズが原因で真っ暗になっている場合はホームボタンと電源ボタンを10秒ほど同時に長押しし強制終了し、再起動しよう。

285 トラブル トラブルが解決出来ない時のiPadリセット方法

まずは設定だけリセット、ダメなら初期化しよう

何をしてもiPadの不具合が直らない、という時の最終手段がiPad本体のリセットだ。リセットには2種類あり、「すべての設定をリセット」を実行した場合は、iPadの設定だけが初期化され、iPad内のデータやメディアは残ったままになる。まずはこのリセットを試してみて、効果がないようであれば、その下の「すべてのコンテンツと設定を消去」を実行してみよう。これはiPadを工場出荷時の設定に戻す機能で、2回表示される警告画面で「消去」をタップすれば、iPadの初期化が開始される。

なお定期的にiCloudやiTunesへのバックアップが実行されていれば、初期化後の復元作業も簡単だ。初期化後の画面で言語設定やWi-Fi接続設定を済ませ、「iPadを設定」画面で「バックアップから復元」を選択。Apple IDでサインインし、「このiPadの最新のバックアップ」を選んで「復元」をタップすれば、バックアップ時点のホーム画面やアプリが復元される。ただしiCloudにバックアップしたデータから復元すると、途中でWi-Fiが途切れてデータ復元に失敗することがある。また、iCloudのバックアップに使える容量は無料で5GBまでだったり、iCloudに対応していないアプリのデータは復元できない欠点がある。

完全なiPadのデータのバックアップと復元をするならパソコンを使ったほうがよいだろう。iPad内のほぼすべてのデータと設定情報をバックアップして復元することができる。

iPadの初期化とiPadの復元手順

iPadの設定だけをリセットする

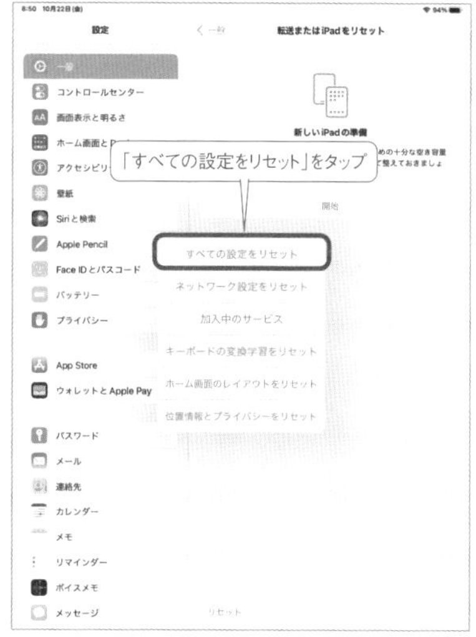

設定の「一般」→「転送または iPad をリセット」→「リセット」→「すべての設定をリセット」を選択。

全データを削除して初期化する

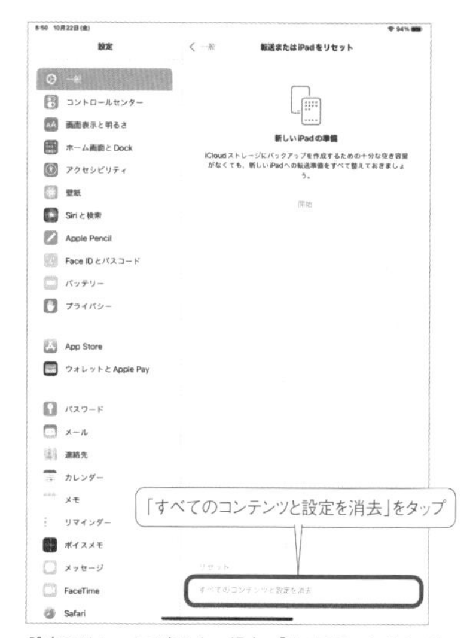

設定のリセットで直らない場合、「すべてのコンテンツと設定を消去」を実行すれば、iPad の全データが削除され、工場出荷時の状態に戻る。

バックアップから復元する

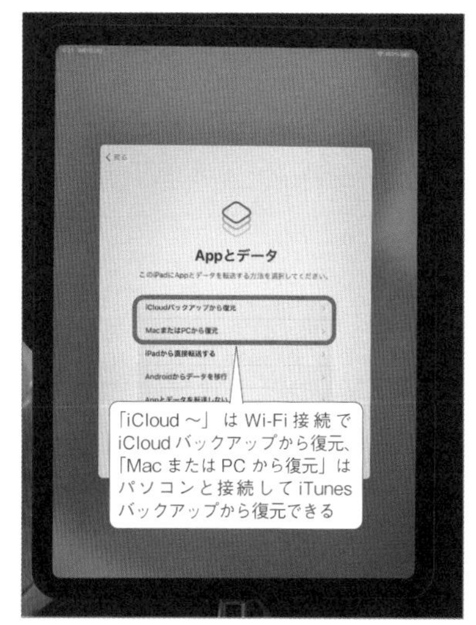

iPad が初期化されたら、設定を進めていき「iCloud バックアップから復元」を選択。「Mac または PC から復元」を選べば、パソコンからでも復元できる。

iTunesに接続して復元

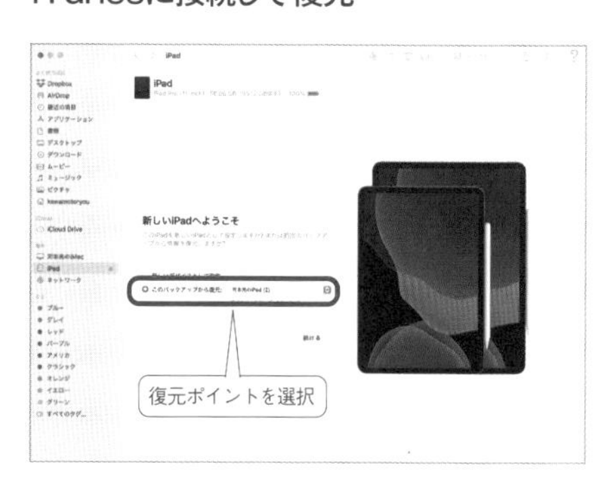

初期化後、iTunes（Mac の場合はミュージックアプリ）につなげると復元設定画面が表示される。「このバックアップから復元」で復元ポイントを選択すれば、以前の状態に戻すことができる。

掲載アプリINDEX

気になるアプリ名から記事掲載ページを検索しよう。

S t a f f

Writer 河本亮
小暮ひさのり
小原裕太

Designer 高橋コウイチ（wf）

DTP 西村光賢

iPad
便利すぎる！
285のテクニック

2021年11月20日発行

編集人 内山利栄

発行人 佐藤孔建

発行・発売所 スタンダーズ株式会社
〒160-0008 東京都新宿区
四谷三栄町12-4 竹田ビル3F
営業部（TEL）03-6380-6132
書店様向け注文（FAX）03-6380-6136

印刷所 株式会社シナノ

https://www.standards.co.jp